LE CERCLE BLEU DES MATARÈSE
Tome I

Robert Ludlum est né en 1927 à New York. Après une brillante carrière en tant que producteur et acteur de théâtre, à quarante ans, il abandonne tout et se met à écrire des romans d'action, riches en suspense. Il est maintenant considéré comme un des grands maîtres mondiaux du suspense. En France, ses romans : La Mémoire dans la peau *(Prix Mystère du meilleur roman étranger, 1982),* La Mosaïque Parsifal *et* Le Cercle bleu des Matarèse, *publiés aux Editions Robert Laffont, ont obtenu un énorme succès.*

A l'origine de ce nouveau roman de Ludlum, la confrontation entre deux hommes exceptionnels : Brandon Scofield, qui a à son actif vingt-deux ans de collaboration aux services secrets américains, une vie faite d'ombre et de violence; les années commencent à peser sur lui, mais il reste le meilleur de sa catégorie. Vasili Taleniekov, membre du KGB et l'un des plus brillants tacticiens du contre-espionnage soviétique, tour à tour homme de terrain et négociateur, chasseur et explorateur.
Ces deux vrais professionnels sont aussi des ennemis mortels : Taleniekov a été responsable de la mort de la femme de Scofield; Scofield a organisé la mort du frère du Russe. Ces morts remontent à plus de dix ans. Maintenant les deux hommes ont vieilli, ils sont à la fin de leur carrière, surveillés par leurs gouvernements respectifs qui les destinent à la « retraite » ou à un sort qui assure de façon définitive leur silence...
Mais Taleniekov a découvert un complot effrayant : une organisation, les Matarèse, qui finance des groupes terroristes à travers le monde. Personne ne connaît vraiment leur but, mais il faut arrêter les Matarèse. Et les seuls qui en soient capables sont Brandon Scofield et Vasili Taleniekov, travaillant en équipe. Une course folle s'engage, qui nous conduira de la Corse à Boston, en passant par Leningrad, Londres et Rome. Robert Ludlum nous entraîne dans une aventure où les péripéties et les surprises ne se comptent plus. Et ses deux héros sont tellement convaincants qu'ils font de ce livre le plus étonnant des Ludlum.

ŒUVRE DE ROBERT LUDLUM

Dans Le Livre de Poche :

LA MÉMOIRE DANS LA PEAU.

ROBERT LUDLUM

Le Cercle bleu des Matarèse

Tome I

ROMAN

TRADUIT DE L'AMÉRICAIN
PAR MICHEL COURTOIS-FOURCY

ROBERT LAFFONT

Titre original :

The Matarese Circle

© Robert Ludlum, 1979.

Pour la traduction française :
© Éditions Robert Laffont, S.A., Paris, 1983.

Pour Jonathan,
avec respect et affection.

LIVRE PREMIER

1

De bon matin, j'ai rencontré le train
De trois grands rois
Qui partaient en voyage...

Au coin de la rue, les chanteurs, serrés les uns contre les autres, battaient la semelle et agitaient les bras. Leurs voix fraîches perçaient la nuit froide et se mêlaient aux coups de klaxon, et aux flots de musique de Noël déversés par des haut-parleurs nasillards accrochés à la devanture des magasins. La neige tombait serré. Elle ralentissait la circulation et obligeait les acheteurs de dernière minute à se protéger les yeux avec la main. Les pneus glissaient sur la chaussée humide. Il n'y avait pourtant ni heurt ni collision : les piétons évitaient adroitement les voitures et les amas de neige. Les bus avançaient au pas et par à-coups, et les pères Noël, habillés de rouge, secouaient leurs cloches avec entrain.

De bon matin, j'ai rencontré le train
De trois grands rois...

Soudain une énorme Cadillac noire tourna lentement devant les chanteurs. Le chef du chœur, habillé dans un costume que certains auraient pu penser être celui du Bob Cratchit de Dickens, s'approcha de la vitre arrière droite et tendit sa main gantée. Son visage déformé par le chant était presque collé à la vitre.

De bon matin, j'ai rencontré le train
De trois trois grands rois
Qui partaient en voyaage...

Le chauffeur donna un coup de klaxon nerveux et fit un geste de la main pour écarter le chanteur. Le passager d'âge moyen, aux cheveux gris, assis sur la banquette arrière, fouilla dans la poche de son manteau et en sortit quelques billets. Il appuya sur un bouton pour faire descendre la vitre et enfonça les billets dans la main tendue.

« Merci beaucoup, monsieur, cria le chanteur. Les gars et les filles de la chorale de la 15ᵉ Rue vous souhaitent un joyeux Noël. »

Ces paroles auraient fait meilleur effet si des relents de whisky ne les avaient pas accompagnées.

« Bon Noël », lança le passager en écrasant le bouton pour mettre rapidement un terme à la conversation.

Soudain, la rue se dégagea. La Cadillac fit un bond en avant. Pourtant, dix mètres plus loin, le chauffeur se vit obligé de donner un coup de frein. La voiture dérapa un peu. Le conducteur empoigna le volant à deux mains : geste qui lui évitait généralement de jurer.

« Du calme, commandant, dit l'homme aux cheveux gris, d'une voix chaude mais autoritaire. Ça ne sert à rien de s'énerver. On n'avancera pas plus vite pour ça.

– C'est vrai, mon général », répondit le commandant avec un respect qu'il n'éprouvait pas.

En temps normal, le commandant avait beaucoup de respect pour le général. Mais pas ce soir. Pas pour ce voyage-ci. Le général avait un sacré culot – sans même parler de son sybaritisme – d'avoir demandé à son aide de camp d'être de service le soir de Noël. D'être de service pour conduire une voiture de location, une voiture civile qui plus est, jusqu'à New York afin que le général puisse « s'amuser ». Pour le commandant, il y avait au moins une douzaine de raisons pour lesquelles il aurait accepté d'être de service ce soir. Mais ce n'était aucune de celles-là.

Un bordel! Voilà ce que c'était si l'on voulait appeler un chat, un chat. Le commandant en chef des forces armées allait au bordel le soir de Noël! Et parce qu'on allait « s'amuser », l'aide de camp, le plus proche du général, devrait réparer les pots cassés lorsque la fête serait finie. Ramasser les miettes, recoller les morceaux, remettre tout en place dans un quelconque motel et s'arranger, surtout s'arranger, pour que personne ne découvre à quel jeu on s'était livré et quels étaient les dégâts. Demain, sur le coup de midi, le commandant en chef aurait retrouvé son allure martiale et lancerait des ordres. Dans la soirée, tout serait oublié.

Le commandant avait fait ce voyage plus d'une fois au cours de ces dernières années. Depuis le jour où le général avait pris possession de ses hautes fonctions. Ces petits voyages étaient toujours en relation avec des moments d'activité intense au Pentagone, ou lors de crises nationales, lorsque le général, par exemple, avait dû se battre avec fougue contre d'énormes difficultés. Mais ce n'était jamais arrivé par une nuit telle que celle-ci. Jamais une nuit de Noël, nom de Dieu! Si le général n'avait pas été « Mad » Anthony Blackburn, le commandant aurait sûrement fait valoir que même un officier a des obligations familiales. Mais le commandant n'élevait jamais la moindre objection lorsqu'il s'agissait du général. Mad Anthony Blackburn avait aidé un jeune lieutenant, à bout physiquement et moralement, à s'évader d'un camp de prisonniers nord-vietnamien, l'avait arraché aux tortures et à la famine, et l'avait ramené, à travers la jungle, dans les lignes américaines. C'était il y a bien des années. Le lieutenant était maintenant commandant, et Mad Anthony Blackburn était le commandant en chef des forces armées.

Les militaires parlent souvent avec complaisance de certains officiers qu'ils suivraient jusqu'en enfer. Eh bien, le commandant avait été en enfer avec Mad Anthony Blackburn, et sur un claquement de doigts du général, il y retournerait.

Après avoir atteint Park Avenue, la Cadillac tourna sur la gauche. La circulation était plus fluide, maintenant : on arrivait dans les quartiers chics. Encore un kilomètre. L'immeuble était situé dans la 71ᵉ Rue, entre Park Avenue et Lexington Avenue.

Dans un moment, l'aide de camp du commandant en chef des forces armées allait parquer la Cadillac dans un emplacement réservé devant l'immeuble. Il regarderait le général descendre de voiture, grimper les marches du perron, se planter devant la porte fermée. Il ne prononcerait pas une parole, mais tandis qu'il attendrait, une horrible tristesse s'emparerait de lui.

Ensuite une femme mince, vêtue d'une robe sombre en soie, avec un collier de diamants, rouvrirait la porte au bout de trois ou quatre heures. Elle ferait clignoter les lumières du porche. Ce serait le signal pour que le commandant vienne chercher son passager.

« Bonjour, Tony. (La femme traversa rapidement le hall faiblement éclairé et embrassa le général sur la joue.) Comment vas-tu, mon ami ? dit-elle en se penchant vers lui tout en tripotant son collier.

– Tendu », répondit Blackburn, tandis qu'une fille, dans un uniforme de pacotille, l'aidait à enlever son manteau.

Il regarda la fille : elle était nouvelle, elle était

adorable. La femme surprit son regard. Lui prenant le bras, elle lui glissa :

« Elle n'est pas encore prête. Peut-être, dans un mois ou deux... Maintenant, nous allons voir ce que nous pouvons faire pour cette tension. Nous avons ici, tout ce qu'il faut : le meilleur hachisch d'Ankara, la plus pure absinthe de Marseille, et toutes nos petites recettes... A propos, comment va ta femme ?

— Tendue, répondit doucement le général. Elle t'envoie son meilleur souvenir.

— Embrasse-la de ma part. »

Le général et la femme au collier passèrent sous une arcade avant d'entrer dans une grande pièce éclairée par des lumières tamisées multicolores à la source cachée. Des cercles bleus, violets, ocre tournoyaient lentement sur le plafond et sur les murs.

« En plus de la petite mignonne habituelle, je veux que tu prennes une nouvelle fille avec toi, ce soir. Franchement, elle est faite sur mesure. Je n'arrivais pas y croire, lors de notre premier entretien. Incroyable ! Elle arrive d'Athènes. Tu vas l'adorer. »

Anthony Blackburn était couché, nu, sur l'énorme lit. De minuscules projecteurs, encastrés dans le plafond de miroirs bleus, l'éclairaient faiblement. Des effluves de hachisch flottaient dans l'atmosphère feutrée de la pièce. Trois verres d'absinthe étaient posés sur une petite table à côté du lit. Le corps du général était couvert de lignes et de cercles de couleurs, de traces de doigts. Des flèches avaient été tracées sur sa peau, dirigées vers son bas-ventre, vers ses testicules. Son sexe en érection était couvert de rouge. Sa poitrine avait été barbouillée de noir, d'un noir qui s'harmonisait avec la couleur de ses poils. Les mamelons, peints en bleu, étaient reliés par une longue ligne blanche tracée avec le doigt. Tandis que ses compagnes accomplissaient leur tâche, le général gémissait, secouait la tête de droite et de gauche.

Les deux femmes nues le massaient, le caressaient, étalaient de petites quantités de peinture sur son corps frémissant. L'une d'elles agitait sa poitrine près du visage crispé du général. L'autre s'occupait de son sexe. Elle haletait, murmurait des mots incohérents, poussait des cris étouffés, simulant de plus en plus le plaisir au fur et à mesure que le général approchait de l'orgasme – orgasme retardé par une main experte.

Assise près du visage d'Anthony Blackburn, la fille aux cheveux cuivrés entrecoupait ses halètements de phrases incompréhensibles, de phrases grecques. Elle s'écarta légèrement pour attraper un des verres posés sur la table. Elle redressa la tête de Blackburn et versa un peu de l'épais liquide entre ses lèvres, puis adressa un petit sourire à sa compagne. Celle-ci, qui tenait toujours le sexe du général entre ses mains, battit des paupières en signe d'acquiescement.

La fille grecque descendit du lit. Elle fit un signe en direction de la salle de bain. Sa compagne inclina légèrement la tête, allongea la main gauche vers le visage du général afin de lui introduire quelques doigts dans la bouche. Elle essayait ainsi de dissimuler l'indisposition de sa compagne. La fille aux cheveux cuivrés marcha à grands pas sur l'épaisse moquette noire pour gagner la salle de bain. La chambre était remplie des râles de plaisir du général.

Trente secondes plus tard, la fille grecque réapparut. Curieusement, elle n'était plus nue. Elle portait un grand manteau de tweed foncé avec un capuchon qui lui couvrait la tête. Elle resta un instant dans l'ombre puis se dirigea vers la fenêtre la plus proche et ouvrit lentement les doubles rideaux.

On entendit un bruit de verre brisé, une rafale de vent s'engouffra dans la pièce. La silhouette d'un homme trapu, aux larges épaules, se dessina dans l'encadrement de la fenêtre. Après avoir fait tomber d'un coup de pied un autre morceau du carreau, l'homme sauta dans la chambre.

Son visage était dissimulé par un passe-montagne. Il tenait une arme à la main. La fille, sur le lit, pivota brusquement et se mit à hurler. Le tueur leva son arme et appuya sur la détente. Le bruit de l'explosion fut étouffé par le silencieux. La fille s'écroula sur le corps peint, obscène, d'Anthony Blackburn. Le tueur s'approcha du lit. Malgré les stupéfiants qui embrumaient son cerveau, le général, les yeux perdus dans le vague, leva la tête, fit un effort pour essayer de comprendre ce qui se passait. Il gémissait toujours. Le tueur tira de nouveau. Il tira, tira, tira encore. Les balles entrèrent dans le cou, dans la poitrine, dans le bas-ventre d'Anthony Blackburn. Le sang se mêlait maintenant aux éclatantes couleurs de la peinture.

L'homme fit un signe à l'intention de la fille qui se jeta sur la porte pour l'ouvrir. Elle lança en grec :

« Elle est sûrement en bas. Dans la pièce où tournoient des lumières. Elle porte une longue robe rouge et un collier de diamants. »

L'homme inclina de nouveau la tête avant de se précipiter dans le couloir. La fille le suivit sur les talons.

Les rêveries du commandant furent interrompues par un curieux bruit qui semblait venir de l'intérieur de l'immeuble. Il dressa l'oreille en retenant sa respiration. C'étaient des cris..., des appels..., des hurlements... Des gens criaient à l'intérieur. Le commandant scruta la façade. La lourde porte s'ouvrit brusquement. Deux formes descendirent le perron en courant : un homme et une femme. Lorsqu'il vit ce que l'homme portait à sa ceinture, le commandant frémit. C'était une arme.

Non...

Le commandant plongea la main sous son siège

pour s'emparer de son pistolet, bondit hors de la voiture, grimpa les marches du perron quatre à quatre et se précipita dans le hall. Là-bas, au-delà des arcades, les cris devenaient de plus en plus aigus. Des gens montaient et descendaient l'escalier en courant. Le commandant traversa comme un fou la pièce où tournoyaient d'imbéciles lumières colorées. Sur le sol était étendue une femme mince avec un collier de diamants autour du cou. Un flot de sang s'échappait de son front écrabouillé. On venait de l'abattre.

Non ! Non !

« Où est-il ? cria le commandant.

– En haut », hurla une fille blottie dans un angle.

Le commandant se sentit pris de panique, il revint vers l'escalier surchargé de décorations baroques et monta les marches à toute vitesse. Sur l'un des paliers se trouvait une petite console avec un téléphone. L'image se fixa dans sa mémoire. Il savait où était la chambre. C'était toujours la même. Il s'engagea dans l'étroit couloir, atteignit la porte et se jeta à l'intérieur de la pièce.

Non !

C'était au-delà de ce que l'on pouvait imaginer, au-delà de tout ce que le commandant avait jamais vu : le corps nu de Blackburn, couvert de sang et de dessins obscènes; la fille nue, écrasée sur lui, le visage enfoui entre les cuisses du général. C'était fou. C'était l'enfer.

Le commandant ne sut jamais comment il avait retrouvé son sang-froid. Il claqua la porte, se planta devant elle dans le couloir, l'arme au poing. Il attrapa par le bras une femme qui courait vers l'escalier et lui hurla dans l'oreille :

« Faites ce que je vous dis de faire ou je vous fais sauter la cervelle. Il y a un téléphone là-bas. Composez le numéro que je vais vous donner et dites les mots, exactement les mots, que je vais vous demander de dire. »

Puis il poussa brutalement la fille vers le téléphone.

Le président des Etats-Unis franchit le seuil du Bureau ovale d'un air sombre et se dirigea vers sa table de travail. Le ministre des Affaires étrangères et le directeur de la C.I.A. l'attendaient, debout.

« Je suis au courant des faits, dit le président d'une voix traînante et pourtant cassante. Quelle horreur ! Expliquez-moi ce que vous allez faire ? »

Le directeur de la C.I.A. s'avança d'un pas.

« Les services criminels de New York vont nous aider. Une chance que l'aide de camp du général soit resté devant la porte en menaçant d'abattre quiconque approcherait. Nous sommes arrivés sur place les premiers. On a essayé de faire au mieux.

— Ça, c'est pour la galerie, dit le président. C'était nécessaire, mais ce n'est pas ce qui m'intéresse. Je veux savoir ce que vous pensez au fond. Est-ce un crime sexuel comme il y en a tant à New York ? Ou quelque chose d'autre ?

— A mon avis, répondit le directeur de la C.I.A., c'est quelque chose d'autre. C'est ce que je disais à Paul hier soir. C'est un assassinat parfaitement mis au point, parfaitement planifié, parfaitement réalisé. Y compris l'assassinat de la propriétaire de l'établissement qui était, sans doute, la seule à pouvoir jeter quelque lumière là-dessus. C'est probablement un coup du K.G.B. Les balles étaient russes, l'arme utilisée un Graz-Burya, une des armes favorites des Soviétiques.

— Excusez-moi d'intervenir, monsieur le Président, mais je ne partage en aucune façon les conclusions un peu hâtives de Jim. Cette arme n'est peutêtre pas très répandue à l'Ouest, mais on peut l'acheter en Europe. J'ai passé une heure, ce matin, avec l'ambassadeur d'Union soviétique. Il est atterré. Exactement comme nous. Non seulement, il affirme que les Soviétiques ne peuvent en aucune manière être impliqués dans cette affaire, mais il fait valoir, à juste titre, que son pays préférait le général Blackburn à n'importe lequel de ses éventuels successeurs.

— Le K.G.B. s'oppose fréquemment au corps diplomatique.

— Comme votre C.I.A. s'oppose à nous ?

— Précisément, mon cher, comme vos Opérations consulaires, lança le directeur de la C.I.A.

— Ça suffit, coupa le président. Pas de ça ici. Je veux des faits. Vous d'abord, Jim, puisque vous avez l'air si sûr de vous. Que savez-vous ? »

Le directeur de la C.I.A. ouvrit le dossier qu'il tenait à la main et en tira une feuille de papier qu'il plaça devant le président.

« Nous sommes remontés quinze ans en arrière. Nous avons mis tout ce que nous savions des événements de la nuit dernière sur ordinateur. Nous avons épluché la technique, les lieux, les moyens de retraite, le compte à rebours, le travail d'équipe... Nous avons confronté tout cela avec tous les assassinats connus du K.G.B. durant cette période. Ça nous a amenés à trois possibilités. Par voie de conséquence, à trois tueurs des services secrets soviétiques. Trois hommes insaisissables, trois agents aux réussites éclatantes. Evidemment, ces hommes ont chaque fois opéré sous diverses couvertures, les couvertures habituelles. Mais ce sont des assassinats professionnels. Voici leur nom par ordre de compétence.

Le président jeta un coup d'œil aux noms inscrits sur la feuille de papier.

Taleniekov, Vasili. Dernier poste connu : secteur sud-ouest d'Union soviétique.

Krilovitch, Nicolai. Dernier poste connu : Moscou V.K.R.

Joukovski, Georgi. Dernier poste connu : attaché d'ambassade à Berlin-Est.

Le ministre des Affaires étrangères commençait à s'énerver. Il ne pouvait garder le silence.

« Ces sortes de spéculations, monsieur le Président, qui s'appuient, dans le meilleur des cas, sur un grand nombre de variables, ne peuvent que nous conduire à un affrontement avec les Soviétiques. Ce n'est vraiment pas le moment.

— Je vous arrête, Paul. J'exige des faits. Je me fous de savoir si c'est le moment ou non d'une confrontation. Le commandant en chef des forces armées a été assassiné. Il est possible que sa vie privée n'ait pas été jolie, jolie. Mais c'était un superbe soldat. Si les Soviétiques sont responsables, je veux le savoir. (Le président posa la feuille de papier sur son bureau, les yeux toujours fixés sur le ministre.) D'ailleurs, ajouta-t-il, tant qu'il n'y a rien de nouveau, il n'est pas question d'affrontement. Je suis certain que Jim s'est arrangé pour garder tout cela top secret.

— Naturellement », dit le directeur de la C.I.A.

On frappa discrètement à la porte du Bureau ovale. Le directeur des communications de la présidence entra sans attendre.

« Monsieur le Président, le premier ministre d'Union soviétique demande à vous parler sur le téléphone rouge. La communication nous a été confirmée.

— Merci, dit le président en tendant la main vers l'appareil qui se trouvait derrière son fauteuil. Monsieur le Premier Ministre ? C'est le président à l'appareil. »

L'interlocuteur parlait vite, presque sèchement. A la première interruption, un interprète russe commença à traduire. Puis, comme toujours, il se tut, et une autre voix – celle de l'interprète américain – dit simplement :

« Exact, monsieur le Président. »

La conversation à quatre voix se poursuivit.

« Monsieur le Président, dit le premier ministre,

je vous présente mes condoléances pour la mort – l'assassinat – du général Anthony Blackburn. C'était un soldat exceptionnel qui haïssait la guerre autant que vous et moi. On le respectait, chez nous. Son énergie, sa faculté de saisir les problèmes dans leur ensemble ont eu une influence bénéfique même sur notre état-major. Croyez-moi, il va nous manquer.

– Merci, monsieur le Premier Ministre. Nous aussi, nous pleurons ce grand soldat. Quant à son assassinat, nous n'y comprenons rien, nous ne savons comment l'expliquer.

– C'est pourquoi je vous appelle, monsieur le Président. Il faut que vous sachiez que la mort du général Blackburn, que sa disparition n'a jamais été désirée par les chefs responsables des républiques socialistes soviétiques. L'idée même est abominable. J'espère que je me fais comprendre, monsieur le Président.

– Je le crois, monsieur le Premier Ministre, et je vous remercie encore. Mais feriez-vous allusion à une éventuelle irresponsabilité de certains dirigeants ?

– Il n'y a pas plus d'irresponsables en Union soviétique qu'il n'y en a dans votre Sénat. Vous connaissez ces sénateurs qui voudraient envoyer des bombes sur l'Ukraine. Personne ne prend en considération ces imbéciles.

– Je ne suis pas absolument certain, monsieur le Premier Ministre, de saisir toute la subtilité de votre discours.

– Je vais être tout à fait clair, monsieur le Président. Votre C.I.A. a avancé trois noms qui, à son avis, pourraient être impliqués dans la mort du général Blackburn. Ces hommes ne sont pas coupables. Vous avez ma parole d'honneur, monsieur le Président. Ce sont des professionnels responsables. Leurs supérieurs les ont en main. D'ailleurs Joukovski a été hospitalisé la semaine dernière, Krilovitch, quant à lui, se trouve sur la frontière mandchoue, le fameux Taleniekov est en disponibilité. Il se trouve à Moscou en ce moment. »

Le président des Etats-Unis marqua un temps d'arrêt et regarda le directeur de la C.I.A.

« Je vous remercie de ces éclaircissements, monsieur le Premier Ministre, et admire la pertinence de vos informations. Je me rends parfaitement compte que ce n'était pas facile pour vous de faire cet appel. Les services de contre-espionnage soviétique doivent être félicités.

— Les vôtres aussi, monsieur le Président. Il n'y a plus beaucoup de secrets, de nos jours. Certains pensent que c'est un bien. J'ai pesé le pour et le contre, et j'ai décidé de vous appeler. Nous ne sommes pas mêlés à cette affaire, monsieur le Président.

— Je vous crois, monsieur le Premier Ministre. Mais je me pose des questions.

— Je m'inquiète moi aussi, monsieur le Président. Il nous faudra trouver rapidement la solution. »

2

« YOURI YOURIEVITCH ! s'écria la femme rondelette et affable en s'approchant du lit, un plateau dans les mains. C'est ton premier jour de vacances. Il y a de la neige, mais elle fond déjà au soleil. Avant que tu n'arrives à dissiper les vapeurs de vodka qui flottent dans ta tête, la forêt sera de nouveau tout à fait verte. »

L'homme enfonça son visage dans l'oreiller, se retourna et ouvrit les yeux. A cause de l'éclatante blancheur de la pièce, il les garda mi-clos. A travers les grandes baies de la datcha, on apercevait la forêt. Les branches pliaient sous le poids de la neige.

Yourievitch sourit à sa femme en passant ses doigts dans son bouc poivre et sel.

« J'ai bien failli flamber, hier soir !

— En effet, dit-elle en riant. Heureusement que notre fils a hérité mon bon sens paysan. En voyant le feu, il ne s'est pas amusé à analyser les combustibles. Il l'a éteint.

— Je me souviens qu'il s'est jeté sur moi.

— Oui, oui. C'est ce qu'il a fait. »

Elle posa le plateau sur le lit et poussa l'une des jambes de son mari pour se faire un peu de place. Elle s'assit et passa une main sur son front.

« Un peu chaud, mais je pense que tu survivras, mon petit cosaque.

— Donne-moi une cigarette.

— Non, non. Pas avant le jus de fruit. Tu es un homme important, et nos armoires sont pleines de boîtes de jus de fruits. Ton lieutenant de fils dit qu'elles sont probablement là pour éteindre le feu qui risque, à tout instant, de prendre dans ta barbe.

— Les soldats ne s'arrangeront jamais. Nous, les scientifiques, nous comprenons mieux les choses. Les jus de fruits sont là pour être mélangés à la vodka. » Youri Yourievitch sourit de nouveau. Cette fois avec un peu de tristesse. « Une cigarette, ma douce, je t'en prie. Je te laisserai l'allumer...

— Tu es impossible ! Surtout ne respire pas pendant que je gratte l'allumette. On risquerait d'exploser. Ils me feraient des funérailles à la sauvette pour avoir tué le plus célèbre des physiciens nucléaires soviétiques.

— Mon œuvre me survivra, pas de panique ! De toute façon, il vaut mieux que je meure avec éclat. »

Il souffla un grand coup au moment où sa femme enflammait l'allumette.

« Comment va notre cher fils, ce matin ?

— Très en forme. Il s'est levé tôt pour graisser les fusils. Ses invités seront là dans une heure environ. La chasse commencera vers midi.

— Oh ! fichtre. J'avais oublié, dit Yourievitch en

calant un oreiller derrière son dos. Faudra-t-il vraiment que j'y aille ?

— Tu fais équipe avec lui. Ne te souviens-tu pas d'avoir dit au dîner hier soir que vous alliez rapporter à la maison la plus belle pièce de gibier ? »

Youri fit une grimace.

« C'était la voix de ma conscience. Toutes ces années dans des laboratoires tandis que mon fils grandissait derrière mon dos.

— Ça te fera du bien de prendre un peu l'air. Finis ta cigarette, avale ton petit déjeuner et habille-toi, dit-elle en souriant.

— Est-ce que tu te rends compte que nous sommes en vacances, dit Yourievitch en lui prenant la main. Je commence seulement à le réaliser. Je ne me souviens même plus quand nous avons pris les dernières.

— En avons-nous déjà pris ? Je n'ai jamais rencontré quelqu'un qui travaille autant que toi. »

Yourievitch haussa les épaules.

« C'est une chance que l'armée ait donné une permission à Nikolai.

— C'est lui qui l'a demandée. Il tenait à être avec nous.

— C'est un gentil garçon. C'est curieux, je l'aime, mais je le connais à peine.

— Tout le monde le considère comme un excellent officier. Tu peux être fier de lui.

— Oh ! je le suis. Simplement, je ne sais pas quoi lui dire. Nous avons si peu de choses en commun. Grâce à la vodka, c'était un peu plus facile, hier soir.

— Vous ne vous êtes pratiquement pas vus depuis deux ans.

— A cause de mon travail. Tout le monde sait ça.

— Tu es un grand chercheur, c'est vrai. Mais pas aujourd'hui. Pendant trois semaines, on se passera de toi. Plus de laboratoire, plus de tableau noir, plus de ces réunions qui durent toute la nuit parce que de jeunes professeurs et des étudiants veulent pouvoir dire qu'ils ont travaillé avec le grand Yourievitch, dit-elle en ôtant la cigarette des lèvres de son mari pour l'écraser dans le cendrier. Allez, allez ! mange ton petit déjeuner et habille-toi. Cette petite chasse dans le froid te fera le plus grand bien.

– Tu veux dire que ce sera ma mort, dit Youri en riant. Je n'ai pas tiré un seul coup de fusil depuis au moins vingt ans. »

Le lieutenant Nikolai Yourievitch marchait difficilement dans l'épaisse couche de neige. Il se dirigeait vers un bâtiment ancien qui avait été autrefois les grandes écuries de la datcha. Il se retourna et regarda la belle maison à trois étages qui scintillait dans la lumière du matin. Un palais d'albâtre dans un paysage d'albâtre.

A Moscou, on pensait le plus grand bien de son père. Tout le monde voulait rencontrer le grand Yourievitch. Cet homme brillant et irascible, dont le nom faisait trembler les chefs d'Etat des pays de l'Ouest. On racontait que Youri Yourievitch avait en tête la formule d'une douzaine d'armes nucléaires tactiques que, si on le laissait seul dans un dépôt de munitions avec un laboratoire attenant, il serait capable de fabriquer une bombe qui pourrait détruire Londres et sa banlieue, Washington en totalité et la plus grande partie de Pékin.

Evidemment, personne n'osait critiquer le grand Yourievitch ni lui imposer quoi que ce fût. Malgré des paroles et des actes qui parfois pouvaient paraître, pour le moins, intempestifs. On ne mettait jamais en question son attachement à l'Etat socialiste. Youri Yourievitch était le cinquième enfant de pauvres paysans de Kourov. Si la révolution n'avait pas eu lieu, il aurait passé sa vie derrière une mule, à travailler sur les terres d'un quelconque aristocrate. Oui, c'était un communiste convaincu. Mais comme la plupart des hommes exceptionnels, il détestait la bureaucratie. Il ne laissait jamais personne s'immiscer dans son travail, et on ne pensait pas à le lui reprocher.

Voilà pourquoi tant de gens voulaient le connaître. On croyait qu'une quelconque relation avec le grand Yourievitch suffisait pour être d'une certaine manière « à l'abri ». C'était du moins ce que pensait Nikolai.

Et c'était précisément de ça qu'il s'agissait aujourd'hui. Pour cette raison, le lieutenant se sentait mal à l'aise. Les hôtes, qui dans un instant arriveraient à la datcha de son père, s'étaient en fait invités eux-mêmes. L'un des deux était le colonel du bataillon de Nikolai à Vilnius. L'autre était quelqu'un que Nikolai ne connaissait absolument pas. Un des amis de Moscou du colonel. Quelqu'un qui, paraît-il, avait le bras long lorsqu'il était question des lieux de garnison. Le jeune lieutenant n'était pas vraiment intéressé. A ses propres yeux, il était d'abord Nikolai, ensuite le fils de son père. Il ne voulait devoir sa situation qu'à lui-même. C'était très important pour lui qu'il en fût ainsi. Pourtant il s'était vu obligé d'inviter le colonel. Car s'il y avait quelqu'un dans l'armée soviétique qui méritait d'être un peu « à l'abri », c'était bien le colonel Janek Drigorin.

Drigorin s'était élevé contre la corruption qui régnait dans le corps d'élite des officiers. On détournait des fonds pour installer des villages de vacances au bord de la mer Noire, les magasins militaires étaient remplis de denrées de contrebande, les femmes des officiers voyageaient, en dépit de la réglementation, dans les avions de l'armée.

Drigorin avait été exilé de Moscou, envoyé à Vilnius où l'on avait bien l'intention de le laisser moisir. Nikolai Yourievitch était un lieutenant de vingt et un ans ayant de grosses responsabilités dans une petite garnison, tandis que Drigorin était un officier supérieur, plein de talent, condamné à l'oubli dans cette même place. Si un tel homme avait envie de passer une journée en compagnie de son père, Nikolai ne pouvait lui refuser cette faveur. D'ailleurs, le colonel était quelqu'un d'absolument délicieux. Le lieutenant se demandait comment était l'autre invité.

Arrivé près des écuries, il ouvrit la grande porte qui donnait sur le couloir séparant les boxes. Les gonds avaient été huilés. La lourde porte tourna sans bruit. Nikolai passa devant les stalles parfaitement entretenues qui, autrefois, avaient abrité les plus belles races de chevaux. Il essaya d'imaginer à quoi ressemblait la Russie alors. Il pouvait presque entendre les hennissements des étalons, les grattements nerveux des juments impatientes de galoper à travers champs. Ce devait être une sacrée époque. A condition de ne pas être courbé derrière une mule.

Au bout du couloir se trouvait une autre porte. Nikolai l'ouvrit et s'enfonça de nouveau dans la neige. Il vit alors quelque chose de bizarre dans le lointain.

Partant de la réserve à grain et se dirigeant vers la lisière de la forêt, il y avait des empreintes dans la neige. Peut-être des traces de pas. Pourtant les deux domestiques attachés à la datcha n'étaient pas encore sortis ce matin. Quant aux gardes, ils étaient dans leur caserne près de la route.

Le soleil matinal avait peut-être fait fondre le bord d'une empreinte ? La forte réverbération lui jouait peut-être des tours ? Ce n'était peut-être, après tout, que les traces d'un animal à la recherche de nourriture. Nikolai sourit en pensant à cette bête sortant de la forêt pour venir chercher des graines dans ce bâtiment pratiquement transformé en musée qu'étaient aujourd'hui les grandes écuries de la datcha. Les animaux n'avaient pas changé, mais la Russie, elle, avait changé.

Nikolai jeta un coup d'œil à sa montre. C'était l'heure de retourner à la maison. Les invités allaient arriver d'un moment à l'autre.

Nikolai pouvait à peine y croire, mais tout se passait bien. Aucune gêne de part et d'autre. En grande partie grâce à son père et à l'homme de Moscou. Tout au début, le colonel Drigorin s'était senti légèrement mal à l'aise – un supérieur qui s'était imposé à un subordonné dont le nom était célèbre et les relations sûres. Mais Youri Yourievtch n'avait rien laissé paraître. Il avait accueilli l'officier comme n'importe quel père soucieux de l'avenir de son enfant. Nikolai ne pouvait s'empêcher de sourire : les intentions de son père étaient tellement transparentes ! Tandis qu'on servait des jus de fruits et du café arrosés de vodka, Nikolai faisait attention qu'on ne remît pas le feu avec une cigarette.

L'ami du colonel était absolument merveilleux. C'était une surprise. Il s'appelait Brunov. Il avait un très haut rang dans la hiérarchie du Parti et s'occupait des problèmes d'industrie militaire. Non seulement Brunov et le père de Nikolai avaient des amis communs, mais ils avaient aussi la même attitude irrévérencieuse vis-à-vis de la bureaucratie moscovite – cet esprit bureaucratique qui n'épargnait même pas leurs amis communs. Très vite on se mit à rire, chacun des deux hommes essayant de surpasser l'autre dans ses critiques acerbes, dirigées contre tel commissaire dont la tête était aussi vide qu'une chambre à air, et contre cet économiste qui n'était jamais capable d'avoir un seul rouble en poche.

« Nous sommes méchants, Brunov, rugit le père de Nikolai, les yeux pétillant de malice.

– C'est juste, Yourievtch, reprit l'homme de Moscou. Le malheur, c'est que c'est vrai.

– Attention, il y a des militaires parmi nous. Ils vont faire leur rapport.

– Si c'est comme ça, on les privera de solde. Et vous leur construirez une bombe de carnaval. »

Youri Yourievtch redevint sérieux un instant.

« Je voudrais qu'elles soient toutes comme ça.

– Quant à moi, j'aimerais qu'on ne me demande pas des soldes exorbitantes.

– Bon, bon, dit Yourievitch. Les gardes affirment qu'il y a un tas de gibier par ici. Mon fils a promis de s'occuper de moi. Et moi je promets de tuer la plus grosse pièce. Allez, venez, tout ce qui vous manque, nous l'avons ici : bottes, fourrures... et vodka.

– Pas de vodka durant la chasse, père.

– Diable ! Mais c'est que vous lui avez appris quelque chose à ce petit, dit Yourievitch en souriant à l'intention du colonel. A propos, messieurs, je ne veux rien savoir, je vous garde ce soir. On est très généreux avec moi à Moscou. Il y a des rôtis, des légumes frais... Seul Lénine sait d'où ils viennent.

– Et quelques fiasques de vodka, je suppose.

– Pas de fiasques, Brunov. Des vasques. Nous sommes tous les deux en vacances. Faites-moi plaisir, restez.

– D'accord », dit l'homme de Moscou.

Des coups de feu assourdissants retentissaient dans la forêt, provoquant la panique parmi les oiseaux d'hiver. Des cris perçants et des claquements d'ailes les accompagnaient en contrepoint. Au loin, Nikolai entendait des bruits de voix, sans pouvoir discerner aucune parole. Il se tourna vers son père.

« S'ils ont abattu quelque chose, ils vont donner un coup de sifflet dans une minute.

– Quel scandale ! répondit Yourievitch d'une voix faussement furieuse. Les gardes m'ont juré – discrètement, bien sûr – que tout le gibier se trouvait dans cette partie des bois. Près du lac. Qu'il n'y avait absolument rien de l'autre côté. C'est pourquoi je les y ai envoyés...

– Tu es un vieux coquin, dit Nikolai en regardant l'arme de son père. Tu n'as pas mis ta sécurité. Pourquoi ?

– Il m'a semblé entendre un petit claquement par là, je voulais être prêt à tirer.

– Excuse-moi, père, mais tu dois la mettre. Il faut voir la cible d'abord.

– Navré, mon petit soldat, mais il y a vraiment trop de choses à faire en même temps. (Yourievitch surprit la grimace de déplaisir de son fils.) A la réflexion, tu as probablement raison. Si je tombe, le coup risque de partir.

– Merci », dit le lieutenant en se retournant brusquement.

Son père avait raison. Quelque chose bougeait derrière eux, une branche venait de craquer. Il ôta le cran de sécurité de son arme.

« Qu'est-ce que c'est ? demanda Youri Yourievitch avec curiosité.

– Chut... »

Nikolai scruta les broussailles couvertes de neige qui les entouraient.

Il ne vit rien et remit la sécurité de son arme.

« Tu l'as entendu aussi, n'est-ce pas ? demanda Youri. Ce n'était pas une illusion de mes vieilles oreilles.

– Le poids de la neige, peut-être. Des branches peuvent casser. C'est probablement ce que nous avons entendu.

– En tout cas, ce que nous n'avons pas entendu, c'est le coup de sifflet. Ils n'ont rien tué. »

Trois autres coups de fusil claquèrent, un peu plus éloignés, cette fois.

« En tout cas, ils ont vu quelque chose, dit le lieutenant. Nous allons peut-être entendre le sifflet, maintenant... »

Puis ils entendirent un bruit. Mais ce n'était pas un coup de sifflet. C'était un cri d'angoisse prolongé, faible mais distinct. Un cri horrible. Un autre suivit plus affreux encore.

« Que se passe-t-il ? dit Yourievitch en attrapant le bras de son fils.

– Je ne sais pas... »

Nikolai n'acheva pas sa phrase. Un troisième cri déchira l'air.

« Reste là, cria le lieutenant, je vais voir.

– Non, je te suis. Dépêche-toi, mais sois prudent. »

Nikolai se mit à courir dans la neige en direction des cris. Ils n'arrêtaient plus, maintenant. Ils étaient moins aigus mais plus terribles encore, parce qu'ils allaient en s'atténuant. Le lieutenant se servait de son fusil pour se frayer un chemin à travers les arbres. Il soulevait des gerbes de neige en courant. Il avait mal aux jambes, l'air froid emplissait ses poumons, des larmes de fatigue lui brouillaient la vue.

Il entendit un rugissement et vit ce que tout le monde craint, ce que tout chasseur souhaite ne jamais voir. Un énorme ours noir, le museau couvert de sang, passait sa colère sur ceux qui l'avaient blessé. Il griffait. Il déchirait. Il arrachait.

Nikolai épaula son fusil et tira jusqu'à ce que son chargeur soit vide. L'ours géant s'écroula. Nikolai se précipita vers les deux hommes. En découvrant les blessures, il perdit le peu de souffle qui lui restait.

L'homme de Moscou était mort, la gorge tranchée. Sa tête ensanglantée ne tenait plus à son corps que par un lambeau de chair. Drigorin était à l'agonie. S'il n'était pas mort dans quelques secondes, Nikolai rechargerait son arme et achèverait son supérieur. Le colonel n'avait plus de visage : il y avait un trou à la place. Cette vision s'imprima au fer rouge dans l'esprit de Nikolai.

Comment cela avait-il pu arriver ?

Les yeux de Nikolai se posèrent sur le bras droit de Drigorin. Il eut un coup au cœur.

Le bras était pratiquement sectionné à la hauteur du coude. On avait pratiqué l'opération à coups de fusil. Des balles de gros calibre, c'était parfaitement clair. On avait coupé le bras qui tenait l'arme !

Nikolai courut vers le cadavre de Brunov et le

retourna. Les bras étaient intacts; en revanche, la main gauche était arrachée. On ne distinguait plus qu'un paquet de chair sanglante avec quelques os écrasés çà et là. La main gauche ! Nikolai Yourievitch revécut la scène du matin : le café, les jus de fruits, la vodka, les cigarettes...

L'homme de Moscou était gaucher.

On avait désarmé Drigorin et Brunov à coups de fusil. Quelqu'un qui savait ce qui se dirigeait vers eux.

Nikolai se redressa doucement : maintenant, c'était le soldat qui agissait. Il cherchait l'ennemi caché. Un ennemi qu'il voulait démasquer et tuer pour assouvir sa rage. Il se souvint des empreintes qu'il avait vues derrière les écuries. Ce n'étaient pas celles d'un animal affamé – c'était une tout autre sorte de bête –, c'étaient les empreintes d'un tueur.

Mais qui ? Et pourquoi ? Surtout pourquoi ?

Quelque chose scintilla un court instant. Le reflet du soleil sur une arme.

Nikolai fit un petit mouvement vers la droite puis plongea sur sa gauche. Il se plaqua au sol et rampa pour se cacher derrière un chêne. Il remit un nouveau chargeur dans son arme et regarda en direction de l'endroit où il avait vu le reflet. C'était là-haut, dans les branches d'un pin.

Quelqu'un était assis à califourchon dans l'arbre, à environ quinze mètres du sol. L'homme tenait dans ses mains un fusil avec une lunette télescopique. Il portait une combinaison blanche avec un capuchon en fourrure. Son visage était en partie caché par d'énormes lunettes noires.

Nikolai aurait pu vomir de colère et de dégoût. Le tueur souriait. Nikolai savait que ce sourire s'adressait à lui.

Fou furieux, il épaula son fusil. Un paquet de neige l'aveugla, tandis qu'il entendait une détonation. Le tueur tira une seconde fois. C'était une arme puissante. La balle s'enfonça dans le tronc juste au-dessus de sa tête. Nikolai se dissimula de nouveau derrière l'arbre.

Encore un coup de feu. Celui-ci venait d'un peu plus loin. Ce n'était pas le tueur dans le pin qui avait tiré.

« Nikolai ! »

Son sang ne fit qu'un tour. Il aurait pu hurler de rage. C'était son père qui appelait.

« Nikolai ! »

Encore un coup de feu. Le lieutenant sauta sur ses pieds et se mit à courir dans la neige tout en tirant en direction du pin. Il sentit comme une coupure froide dans sa poitrine, n'entendit plus rien, ne vit plus rien. Il savait qu'il était mort.

Le premier ministre soviétique posa ses mains sur la longue table placée sous la fenêtre qui donnait sur le Kremlin. Il se pencha pour examiner des photographies. Les traits de son visage massif de paysan étaient tirés, fatigués. Son regard était inquiet, irrité.

« Epouvantable ! soupira-t-il. Que de tels hommes dussent mourir de cette manière. C'est horrible ! Au moins Yourievitch a-t-il été épargné. Il a laissé sa vie, mais il a échappé à ça. »

A l'autre bout de la pièce, deux hommes et une femme, le visage sévère, assis autour d'une table, regardaient le premier ministre. Ils avaient devant eux des chemises brun foncé. Visiblement, ils avaient envie que la réunion commence. Mais personne n'aurait osé interrompre les pensées du premier ministre. Le moindre geste d'impatience pouvait déchaîner sa mauvaise humeur. Le premier ministre avait l'esprit rapide, plus rapide que celui des autres personnes qui se trouvaient dans cette pièce. Pourtant, il réfléchissait lentement, examinant soigneusement la complexité de chaque problème. C'était un survivant dans un monde où seuls les plus malins, les plus subtils parviennent à survivre.

Une de ses armes favorites était la peur. Il s'en servait avec une habileté diabolique.

Il se leva et repoussa les photographies avec un geste de dégoût, avant de s'avancer vers la table de conférence.

« Toutes nos forces nucléaires sont en état d'alerte. Nos sous-marins peuvent ouvrir le feu d'un moment à l'autre. Je veux que cette information soit transmise à toutes nos ambassades. Utilisez un code qui a déjà été décrypté par Washington. »

L'un des hommes autour de la table se pencha légèrement en avant. C'était un diplomate. Plus vieux que le premier ministre, c'était visiblement un compagnon de longue date, un allié qui pouvait parler plus librement que les deux autres.

« Je ne suis pas sûr qu'il soit sage de prendre un tel risque. Nous ne sommes pas certains de leurs réactions. L'ambassadeur des Etats-Unis était bouleversé. Je le connais. Ce n'était pas de la comédie.

– Probablement ne l'a-t-on pas tenu au courant, dit le deuxième homme d'un ton cassant. A la V.K.R., nous sommes absolument certains. Nous avons identifié les balles et les douilles : sept millimètres, striées pour qu'elles éclatent au moment de l'impact. Trous caractéristiques. Pas d'erreur possible. L'arme utilisée est un Browning Magnum, *grade four.* De quoi d'autre avons-nous besoin ?

– D'un tas de choses. Ce n'est pas difficile de se procurer une telle arme. Et je doute fort que les Américains aient laissé leur carte de visite.

– Pourquoi pas, si c'était l'arme favorite du tueur ? Nous avons une petite idée sur ce qui s'est passé. (L'homme de la V.K.R. se tourna vers la femme d'âge moyen au visage sculpté dans le granit.) Voulez-vous nous donner quelques explications, camarade directeur ? »

La femme ouvrit la chemise qui se trouvait devant elle et jeta un coup d'œil sur la page du dessus avant de parler. Elle prit le second feuillet et s'adressa au premier ministre. Ses yeux évitaient le diplomate.

« Comme vous le savez déjà, il y avait deux tueurs. Très probablement des hommes. L'un d'eux était un tireur remarquable et d'un sang-froid non moins remarquable. L'autre, sans doute aussi un tireur d'élite, était de plus un expert des appareils de surveillance électroniques. Nous avons relevé quelques indices dans les écuries. Des éraflures sur les murs indiquent que des appareils d'écoute ont été branchés. Nous pensons que toutes les conversations dans la datcha étaient interceptées.

– Ça ressemble fort à une opération de la C.I.A., ce que vous me décrivez là, camarade, dit le premier ministre.

– Ou à une action des hommes des Opérations consulaires, monsieur le Premier Ministre, répondit la femme. C'est important de garder ça à l'esprit.

– Bien sûr. Bien sûr. Les fameux négociateurs du ministère des Affaires étrangères.

– Pourquoi ne serait-ce pas les Chinois ? Le Taopans ? lança le diplomate sans sourciller. Ils possèdent les tueurs les plus habiles du monde. Les Chinois avaient bien plus à craindre de Yourievitch que n'importe qui.

– Impossible. Pensez à leurs visages, répliqua l'homme de la V.K.R. Si seulement l'un d'entre eux avait été attrapé, même après avoir ingurgité du cyanure, Pékin aurait été détruit.

– Revenons à ce que vous me disiez tout à l'heure, demanda le premier ministre.

– Nous avons mis toutes les données sur les ordinateurs du K.G.B., spécialisés sur les agents des services secrets américains qui sont parvenus à s'infiltrer en territoire soviétique, qui parlent parfaitement la langue, qu'on sait être des tueurs. Quatre noms ont retenu notre attention. Les voici, monsieur le Premier Ministre. Trois de ces agents appartiennent à la C.I.A. Le dernier est un homme du ministère des Affaires étrangères, des Opérations consulaires. »

La femme passa la feuille de papier à l'homme de la V.K.R. qui se leva pour la remettre au premier ministre.

Scofield, Brandon Alan. Ministère des Affaires étrangères, Opérations consulaires. Responsable d'un certain nombre d'assassinats à Prague, à Athènes, à Paris, à Munich. Soupçonné d'avoir travaillé à Moscou même. Impliqué dans une vingtaine de défections au moins.

Randolph, David. Central Intelligence Agency. Couverture : directeur de la succursale, à Berlin-Ouest, d'une société d'import-export : Dynamax Corporation. Spécialisé dans le sabotage. A participé aux attentats commis contre les centrales hydro-électriques de Kazan et Tagil.

Saltzman, George Robert. Central Intelligence Agency. Employé fictif de l'A.I.D. A travaillé comme transporteur de fonds et de documents à Vientiane pendant six ans. Spécialiste des problèmes d'Extrême-Orient. Depuis six semaines en poste dans le secteur de Tachkent. Couverture : sujet australien, directeur commercial de Perth Radar.

Bergstrom, Edward. Central Intelligence Agency...

« Monsieur le Premier Ministre, coupa l'homme de la V.K.R., les noms sont classés par ordre de probabilité. A notre avis, le piège tendu à Dimitri Yourievitch et son assassinat portent la marque indiscutable du premier homme de cette liste.

– Ce Scofield ?

– Oui, monsieur le Premier Ministre. Il a disparu de Marseille il y a un mois environ. C'est certainement l'agent des services secrets qui nous a fait le plus de tort, qui a favorisé le plus grand nombre de défections depuis la fin de la guerre.

– Vraiment ?

– Oui, monsieur le Premier Ministre. (L'homme de la V.K.R. hésita avant d'ajouter :) Sa femme a été tuée il y a une dizaine d'années. A Berlin-Est. Depuis, il est complètement fou.

– A Berlin-Est ?

– C'était un piège du K.G.B. »

Le téléphone placé sur le bureau se mit à sonner. Le premier ministre traversa rapidement la pièce et décrocha.

C'était le président des Etats-Unis. Comme toujours, les interprètes firent leur travail.

« Monsieur le Premier Ministre, la mort – l'horrible assassinat – de ce grand homme de science nous bouleverse profondément. Comme nous sommes émus par la mort terrible de ses amis.

– Nous vous remercions de ces paroles chaleureuses, monsieur le Président. Mais, comme vous le savez, ces morts, cette horreur étaient préméditées. J'accepte vos marques de sympathie, mais je ne peux m'empêcher de penser que, peut-être, vous êtes soulagé d'apprendre que l'Union soviétique a perdu son plus célèbre physicien nucléaire.

– Nullement, monsieur le Premier Ministre. Son génie n'avait pas de frontières, il effaçait les différences. Cet homme appartenait à l'humanité tout entière.

– Néanmoins, il avait choisi d'être russe, n'est-ce pas ? Je vous dirai franchement que mon inquiétude ne va pas aider à abolir les frontières. Il faudra au contraire que je me garde sur les flancs.

– Permettez-moi de vous dire, monsieur le Premier Ministre, que vous poursuivez des fantômes.

– Peut-être sont-ils déjà en train de se matérialiser, monsieur le Président. Nous avons des témoignages qui me gênent énormément. Je dois admettre...

– Pardonnez-moi de vous interrompre, monsieur le Premier Ministre, dit le président des Etats-Unis. Ce sont ces témoignages qui m'ont poussé à vous appeler malgré le peu d'envie que j'avais de le faire. Le K.G.B. est en train de commettre une erreur. A vrai dire, quatre erreurs.

– Quatre erreurs ?

– Oui, monsieur le Premier Ministre. Aucun des noms suivants n'a été mêlé à cette affaire. Scofield, Randolph, Saltzman, Bergstrom.

– Vous m'étonnez, monsieur le Président.

– Pas plus que je ne l'ai été la semaine dernière. Il y a très peu de secrets de nos jours. Souvenez-vous.

– Les mots ne coûtent rien. Les preuves sont là.

– Alors tout a été fabriqué. Permettez-moi d'être clair. Deux des trois hommes de la C.I.A. ne travaillent plus sur le terrain. Randolph et Bergstrom sont en ce moment à leur table de travail à Washington. Quant à Saltzman, il a été hospitalisé à Tachkent. Il est atteint d'un cancer.

– N'y a-t-il pas un quatrième nom, monsieur le Président ? reprit le premier ministre. L'homme spécialisé dans les monstrueuses Opérations consulaires. Un travail qui passe inaperçu dans le monde diplomatique, mais que nous considérons comme monstrueux.

– Je vais être obligé, monsieur le Premier Ministre, de toucher un point sensible si je veux être clair. Il est absolument impensable que Scofield puisse être impliqué. Lui moins que quiconque. Franchement. Je peux vous en parler puisque ça n'a plus d'importance.

– Les mots ne coûtent rien...

– Je serai explicite, monsieur le Premier Ministre. Depuis plusieurs années, nous avions un dossier secret sur le professeur Yourievitch. Des informations nous parvenaient presque quotidiennement. En tout cas chaque mois, sans aucun doute. Selon l'avis de certains, c'était le moment de proposer à Youri Yourievitch une alternative.

– Comment ?

– Oui, monsieur le Premier Ministre. Une défection. Les deux hommes qui étaient venus lui rendre visite dans sa datcha se proposaient de le mettre en contact avec nous. L'instigateur était Scofield. C'était l'une de ses opérations. »

Le premier ministre regarda en direction de la pile de photographies qui se trouvaient sur la table, de l'autre côté de la pièce. Il dit doucement :

« Merci de votre franchise, monsieur le Président.

– Gardez-vous sur un autre flanc, monsieur le Premier Ministre.

– J'y veillerai.

– Oui, en effet, nous devons y veiller. »

3

Le soleil de fin d'après-midi était une boule de feu, il transformait les eaux du canal en éclats aveuglants. La Kalverstraat à Amsterdam était pleine de monde. Les gens, qui se dépêchaient sur les trottoirs, plissaient les yeux, heureux de voir du soleil en février et de sentir le vent qui balayait la brume sur les canaux et sur l'Amstel. Généralement, en février, il n'y avait que de la pluie et du brouillard. L'humidité s'infiltrait partout. Ce n'était pas le cas aujourd'hui. Les habitants du port le plus important de la mer du Nord se réjouissaient de ce ciel clair et de ce petit vent vivifiant.

Un homme, pourtant, ne se sentait nullement le cœur léger. Ce n'était pas un Hollandais et il ne marchait pas dans la rue. Il s'appelait Brandon Alan Scofield et faisait partie du ministère des Affaires étrangères des Etats-Unis. C'était *le* spécialiste des Opérations consulaires. Debout au quatrième étage, près d'une fenêtre qui dominait le canal et la Kalverstraat, il observait la foule à la jumelle ou, plus exactement, une partie du trottoir où était placée une cabine téléphonique en verre qui renvoyait brutalement les rayons du soleil. La lumière l'obligeait à cligner des yeux. La pâle figure de Scofield ne reflétait aucune énergie particulière, son visage aigu avait les traits tirés et fatigués. Quelques mèches blanches se mêlaient à des cheveux châtain clair mal peignés.

Il n'arrêtait pas de régler ses jumelles, maudissant la lumière et les mouvements rapides de la foule. Ses yeux étaient creux, cernés à cause du manque de sommeil et de toutes sortes de raisons auxquelles il ne voulait pas penser. C'était un professionnel, et il avait un travail à faire. Il n'était pas question de se déconcentrer.

Il y avait deux autres hommes dans la pièce. Un technicien chauve était assis à une table avec, devant lui, un téléphone en partie démonté : les fils étaient reliés à un magnétophone et le récepteur était enlevé de son support. Quelque part sous la chaussée à un point de jonction, on avait fait quelques petits « aménagements ». La police d'Amsterdam n'avait coopéré d'aucune autre manière. On renvoyait ainsi l'ascenseur au chargé de mission du ministère des Affaires étrangères des Etats-Unis. Quant au troisième homme, il était nettement plus jeune que les deux autres. Il avait une trentaine d'années, un visage énergique qui n'était pas marqué par la fatigue. S'il était tendu, ce n'était que par excitation. Il aimait tuer. Pourtant sa seule arme aujourd'hui était une caméra placée sur un trépied. Le téléobjectif était en place.

En bas dans la rue, une silhouette apparut dans le champ des jumelles. Arrivé près de la cabine téléphonique, l'homme marqua une hésitation et se trouva entraîné par la foule de l'autre côté du trottoir. La cabine étincelante était maintenant derrière lui : la « cible » était entourée d'un halo de lumière. Il eût été plus facile pour tout le monde de l'abattre ici. Un revolver de gros calibre pouvait atteindre une cible placée à soixante-dix mètres. L'homme appuyé à la fenêtre aurait très bien pu presser la détente. Il l'avait fait bien souvent. Mais pas question de facilité : il s'agissait de donner une leçon et un certain nombre de facteurs devaient être rassemblés si on voulait qu'elle serve à quelque chose. Ceux qui donnaient la leçon et ceux qui la recevaient devaient jouer proprement leur rôle. Autrement, un meurtre n'avait plus aucun sens.

L'homme près de la cabine devait avoir près de soixante-dix ans. Ses vêtements étaient froissés et il avait remonté le col de son manteau pour se protéger du vent. Un chapeau assez miteux lui cachait une partie du visage. Il portait une petite barbe et avait l'air effrayé.

C'était un homme en fuite. Et pour l'Américain qui le regardait à travers ses jumelles, il n'y avait rien de plus terrible, de plus angoissant qu'un vieil homme en fuite. Sauf peut-être une vieille femme. Il avait vu les deux. Trop souvent.

Scofield jeta un coup d'œil à sa montre.

« On y va, dit-il au technicien assis à la table. (Puis il se tourna vers le jeune homme, qui était debout près de lui :) Vous êtes prêt ?

– Oui, répondit celui-ci sèchement. J'ai fait le point sur ce fils de pute. On avait raison à Washington, et vous avez réussi à le prouver.

– J'aimerais être sûr de ce que j'ai prouvé. Dès qu'il est dans la cabine, ce sont ses lèvres qui m'intéressent.

– D'accord. »

Le technicien composa le numéro choisi, appuya sur le bouton du magnétophone, se leva rapidement et tendit à Scofield un micro et un écouteur.

« Ça sonne, dit-il.

– Oui, oui, je sais. Il regarde à travers les vitres. Il n'est pas très sûr de vouloir entendre. Ça m'ennuie.

– Vas-y, fils de pute, dit le jeune homme près de la caméra.

— Il va y aller. Il a peur. Chaque seconde lui semble une éternité, mais je ne comprends pas pourquoi... Ça y est, il y va. Il a ouvert la porte. Silence, s'il vous plaît. Tout en écoutant, Scofield continuait de regarder à la jumelle. Puis il s'est mis à parler dans le micro. *Dobri dyen priatel...* »

La conversation, tenue entièrement en russe, dura environ dix-huit secondes.

« *Da svidaniya*, dit Scofield. *Zaftra nochyu. Na mostye.* »

Il avait toujours l'écouteur collé à son oreille et les jumelles devant les yeux. L'homme apeuré s'évanouit dans la foule. Le moteur de la caméra s'arrêta. Le chargé de mission des Affaires étrangères reposa les jumelles et rendit le micro et l'écouteur au technicien.

« Est-ce que vous avez pu tout attraper ? demanda-t-il.

— Pas mal du tout pour un enregistrement, dit l'homme chauve en regardant son cadran.

— Et vous ? reprit Scofield en se tournant vers le jeune homme debout près de la caméra.

— Si je connaissais mieux la langue, j'aurais pu lire sur ses lèvres.

— Parfait. D'autres y parviendront. Ils la comprennent foutrement bien ! »

Scofield fouilla dans sa poche, en sortit un petit calepin relié en cuir et se mit à écrire.

« Vous allez porter la bande et le film à l'ambassade. Il faut qu'ils développent le film tout de suite et en fassent une copie. Qu'ils fassent aussi une copie de la bande. Je veux tout cela miniaturisé. Voici les spécifications.

— Je suis désolé, dit le technicien en regardant Scofield tandis qu'il enroulait un bout de câble téléphonique. Vous savez bien que je n'ai pas le droit d'aller dans ce quartier.

— Je parlais à Harry. Il arracha la feuille de son calepin. Quand c'est miniaturisé, vous fourrez le tout dans une capsule étanche. Plastifiez-la pour que ça puisse résister au moins une semaine à la flotte.

— Vous savez, Bray, dit le jeune homme en prenant la feuille de papier, j'ai compris à peu près le tiers de ce que vous disiez au téléphone.

— Vous faites des progrès, mon vieux, coupa Scofield en retournant à la fenêtre. Quand vous comprendrez la moitié, on parlera d'avancement.

— Le type voulait vous voir ce soir et vous avez refusé.

— Exact, répliqua Scofield en portant les jumelles à ses yeux pour observer quelque chose dans la rue.

— Nous avions l'ordre de nous occuper de lui le plus vite possible. Le message codé était parfaitement clair. Aucune perte de temps.

— Le temps est relatif, non ? Au moment où le téléphone sonnait, chaque seconde était une éternité pour ce vieux bonhomme. Pour nous, soixante minutes, ça fait quelquefois vingt-quatre heures. A Washington, évidemment, un jour, c'est exactement ce qui est porté sur le calendrier.

— Vous ne répondez pas, grogna Harry en regardant la feuille de papier. Tout le machin pouvait être miniaturisé et empaqueté en moins d'une heure. Nous pouvions parfaitement le rencontrer ce soir. Qu'est-ce qui ne va pas ?

— Les conditions atmosphériques sont déplorables.

— Il fait un temps superbe, pas un seul nuage dans le ciel !

— C'est bien ce que je disais, déplorables. Une nuit étoilée, ça veut dire un tas de gens en train de se promener près des canaux. Quand il pleut, on reste chez soi. Demain, selon les prévisions météorologiques, il doit pleuvoir.

— C'est idiot ! En dix secondes, on le coince sur un pont, on le fait passer par-dessus bord. Terminé.

— Brandon, tu ne vas pas dire à ce guignol de la boucler ! lança le technicien assis à la table.

– Vous entendez, dit Scofield en dirigeant ses jumelles vers le haut des bâtiments. Pas d'avancement, mon vieux, vos affirmations sont inconsidérées. Vous nous faites beaucoup de tort auprès de nos amis de la C.I.A. Vous laissez entendre que nous sommes capables d'infliger des blessures corporelles. »

Le jeune homme grimaça. La réprimande était méritée.

« Excusez-moi, mais je ne comprends pas. Les instructions étaient formelles. Nous devions faire vite, nous devions nous occuper de lui ce soir. »

Scofield baissa les jumelles et regarda Harry.

« Je vais vous dire quelque chose, mon petit. Quelque chose de beaucoup plus important que ces devinettes qu'on nous envoie. Le vieux bonhomme avait la trouille. Il n'a pas dormi depuis plusieurs jours. Il est à bout de nerfs. Tout cela m'intéresse. Je veux savoir pourquoi.

– On peut trouver mille raisons ! Il est vieux. Sans expérience. Il pense peut-être qu'on le recherche, qu'on est sur le point de l'attraper. Qu'est-ce que ça change ?

– Une question de vie ou de mort. C'est tout.

– Oh ! ça va, Brandon, pas à moi. C'est une saleté de Soviétique, un agent double.

– Je veux en être sûr.

– Et moi je veux foutre le camp d'ici, coupa le technicien en tendant une bande magnétique à Scofield et en empoignant son matériel.

– Dites au guignol qu'on ne s'est jamais vus.

– Merci, monsieur l'Inconnu. Je vous revaudrai ça. »

Le type de la C.I.A. s'en alla en faisant un petit signe à Bray, sans même jeter un regard au jeune homme.

« Il n'y a jamais eu personne ici que nous deux, d'accord ? dit Scofield quand la porte fut fermée. Vous comprenez ça, Harry ?

– C'est un beau salaud...

– Ne faut-il pas l'être pour mettre des micros dans les toilettes de la Maison Blanche, jeta Bray en fourrant la bande magnétique dans les mains de Harry. Allez porter nos petites accusations à l'ambassade. Prenez le film et laissez la caméra. »

Harry ne voulait pas renoncer si facilement. Il prit la bande, mais ne fit aucun mouvement en direction de la caméra.

« Je suis dans le coup aussi. Ce message me concerne tout autant que vous. Je veux avoir des réponses si on m'interroge, au cas où quelque chose arriverait entre ce soir et demain.

– Si on ne se trompe pas à Washington, il ne se passera rien. Je vous l'ai dit. Je veux être sûr.

– Mais c'est sûr. La cible pensait être en contact avec le K.G.B. d'Amsterdam ! Vous avez tendu le piège ! Vous avez tout prouvé ! »

Scofield dévisagea son compagnon un instant puis retourna à la fenêtre.

« Ecoutez-moi bien, Harry. Il y a une règle qui ne peut être remplacée ni par l'entraînement, ni par les cours, ni par les conférences, ni même par l'expérience. (Bray s'empara des jumelles pour regarder l'horizon.) Cette première règle, la voici : Apprends à penser comme pense ton ennemi. Non pas comme tu aimerais qu'il pense, mais comme il pense réellement. Ce n'est pas facile. En revanche, tu peux te faire des illusions parce que ça, c'est facile.

– Mais, nom de Dieu ! qu'est-ce que ça vient faire là-dedans ? Vous avez les preuves, non ? lança le jeune homme sur un ton hargneux.

– Vraiment ? Comme vous dites, le transfuge a pris contact avec ses compatriotes. Il a trouvé un chemin pour retourner dans la mère patrie, dans sa chère Russie. Il est tranquille, il est tiré d'affaire.

– Oui. C'est ce qu'il pense.

– Alors pourquoi a-t-il l'air malheureux ? »

demanda Bray en abaissant ses jumelles vers le canal.

A Amsterdam, la pluie et le brouillard tenaient les promesses de l'hiver. Le ciel nocturne ressemblait à une couverture sale tendue au-dessus de la cité. Sur ses bords tremblotaient les lumières de la ville. Aucun promeneur sur les ponts, aucun bateau dans les canaux. Des nappes de brouillard tourbillon- naient dans le ciel, indiquant que les vents en prove- nance de la mer du Nord se dirigeaient vers le sud sans obstacles. Il était trois heures du matin.

Scofield était appuyé contre la rambarde métalli- que d'un vieux pont de pierre. Il tenait un petit transistor dans sa main gauche. Cet appareil, qui émettait des signaux, ne pouvait servir à la conver- sation. Sa main droite était enfoncée dans la poche de son imperméable et ses doigts serraient le canon d'un pistolet automatique calibre 22. Le pistolet n'était guère plus grand que ceux qui servent à don- ner le départ des courses, pourtant, à bout portant, c'était une arme très efficace. On pouvait tirer vite et, si la cible ne se trouvait qu'à quelques dizaines de centimètres, on pouvait viser juste. Et les bruits de la nuit couvraient facilement la détonation.

Deux cents mètres plus loin, le jeune compagnon de Bray était dissimulé dans l'encoignure d'une porte de la Sarphatistraat. La cible, en se dirigeant vers le pont, passerait devant lui; il n'y avait pas d'autre chemin. Au moment où le vieux Russe arri- verait, Harry appuierait sur le bouton de son poste émetteur. Ce serait le signal. L'exécution approchait. Dans un moment, la victime marcherait ses derniers cent mètres. Au milieu du pont, son bourreau lui souhaiterait bonne nuit, placerait une capsule étan- che dans son imperméable et achèverait sa tâche.

Dans un jour ou deux, la capsule parviendrait au responsable du K.G.B. à Amsterdam. On écouterait

45

une bande magnétique, on regarderait un film. Une nouvelle leçon aurait été donnée.

Et naturellement elle passerait inaperçue, comme toutes les leçons. Voilà le côté absurde de la chose, pensait Scofield. Une absurdité sans fin, répétitive, qui obscurcit tout.

Qu'est-ce que ça change ?

Une question sensée, posée par un jeune collègue qui ne l'était pas.

Rien, Harry. Rien du tout. Plus maintenant.

Mais justement, cette nuit, un doute s'insinuait dans l'esprit de Bray. Ça n'avait rien à voir avec la morale. Depuis longtemps, il avait remplacé la morale par l'efficacité. Si ça marche, c'est moral. Si ça ne marche pas, ce n'est pas efficace : donc c'est immoral. Les questions qu'il se posait ce soir s'appuyaient sur une philosophie pratique. Est-ce que l'exécution est utile ? Est-ce qu'on a raison de donner cette leçon ? Est-ce que ça vaut la peine de prendre tous ces risques ? Sans parler des retombées qui suivront la mort d'un vieil homme ayant passé sa vie dans la recherche spatiale.

A première vue, la réponse serait oui. Il y a six ans, un ingénieur soviétique est passé à l'Ouest, à Paris, lors d'une exposition spatiale internationale. Il a demandé le droit d'asile aux Etats-Unis, et nous le lui avons accordé. Ses confrères du Centre de recherche spatiale de Houston l'ont accueilli avec bienveillance. On lui a donné du travail, une maison, des gardes du corps. Pourtant, on ne le considérait pas comme quelqu'un d'une valeur exceptionnelle. Les Soviétiques avaient même fait des plaisanteries au moment de sa défection, sous-entendant que ses talents seraient mieux employés dans des centres de recherche assez peu exigeants, comme ceux de l'Ouest, plutôt que dans les laboratoires soviétiques. L'homme sombra rapidement dans l'oubli. Et puis, il y a huit mois environ, on s'aperçut que les stations de détection soviétiques repéraient les satellites américains avec une étonnante précision. C'était alarmant. Les photographies prises – à cause des camouflages sophistiqués au sol – n'avaient plus grand intérêt. On avait l'impression que les Russes connaissaient la plupart des trajectoires orbitales.

C'était exactement ça.

Une enquête conduisit les hommes du service de sécurité chez le Russe tombé dans l'oubli. Le reste était relativement simple. On organisa à Amsterdam une réunion d'experts spécialisés dans le domaine restreint qui était celui de l'homme oublié. On lui trouva une place sur un avion officiel et on remit l'affaire entre les mains du spécialiste de ces questions – Brandon Scofield, chargé de mission du ministère des Affaires étrangères, le maître incontesté des Opérations consulaires.

Scofield avait depuis longtemps décrypté les codes du K.G.B. d'Amsterdam et découvert ses méthodes de contact. Il mit les choses en mouvement et fut légèrement surpris des réactions de la cible. C'est pourquoi il se faisait maintenant un sang d'encre. Le vieil homme n'avait montré aucun soulagement en se voyant convoqué. Après six ans d'acrobatie clandestine, la cible aurait été en droit de s'attendre à certains honneurs, à la gratitude de son gouvernement. Elle aurait dû s'attendre à finir sa vie dans le plus grand confort. Bray lui en avait parlé au moment de sa communication téléphonique.

Mais le vieux Russe n'était pas un homme heureux. Il n'avait formé aucune relation importante à Houston. Scofield avait demandé à voir sa fiche zéro-zéro, un dossier si complet qu'on pouvait presque y voir l'heure probable de ses défécations. Il ne s'était rien passé à Houston, l'homme était absolument inintéressant. Et c'était précisément cela qui ennuyait Bray.

Quelque chose clochait. Pourtant on avait la

preuve. La preuve de sa duplicité. Il fallait donner une leçon.

Le petit poste qu'il tenait dans sa main émit un son bref, aigu. Trois secondes plus tard, le signal était répété. Scofield appuya à son tour sur un bouton pour indiquer qu'il avait reçu le message, mit le poste dans la poche de son imperméable et attendit.

Une minute après, il vit surgir du brouillard la silhouette d'un vieillard. Un lampadaire derrière lui l'éclairait d'une lumière étrange. L'homme marchait d'un pas mal assuré, mais avec, pourtant, une sorte de détermination. Comme s'il se rendait à un rendez-vous qu'il désirait et redoutait à la fois. C'était absurde.

Bray jeta un coup d'œil sur sa droite. Comme il s'y attendait, il n'y avait pas un chat. Personne ne se serait aventuré dans cette partie déserte de la ville en pleine nuit. Il se tourna sur sa gauche et s'avança vers le milieu du pont. Le vieux Russe arrivait de l'autre côté. Il essayait de se tenir dans l'ombre, ce qui lui était facile puisqu'on avait enlevé les trois ampoules des premiers lampadaires du côté gauche.

La pluie rebondissait sur les vieux pavés. Arrivé sur le pont, le vieil homme s'arrêta pour regarder l'eau, les mains posées sur la rambarde. Scofield descendit du trottoir et s'approcha par-derrière. La pluie couvrait le bruit de ses pas. Sa main tenait dans la poche gauche de son imperméable une capsule de cinq centimètres de diamètre qui avait à peine deux centimètres d'épaisseur. Pour augmenter son étanchéité, on l'avait plastifiée. Ses bords étaient recouverts d'un produit chimique qui, au contact de l'eau, se transformerait immédiatement en une colle puissante. Il n'y avait donc rien à craindre, la capsule resterait en place jusqu'à ce qu'on s'en empare. A l'intérieur se trouvait la preuve : un film et une bande magnétique. Tout cela serait examiné avec le plus grand soin par le K.G.B. d'Amsterdam.

« *Plakhaya noch, stary priatel* », murmura Bray

en arrivant dans le dos du Russe. Il serrait son pistolet dans la poche de son imperméable.

Le vieil homme se retourna avec un mouvement
de frayeur.

« Pourquoi m'avez-vous contacté ? demanda-t-il
en russe. Qu'est-ce qui se passe ?... » Il s'interrompit
à la vue du pistolet puis poursuivit d'une voix étrangement calme, où l'on ne pouvait déceler la moindre
crainte : « Oui, quelque chose est arrivé et je ne sers
plus à rien. Fais ton boulot, camarade, tu me ren-
dras un sérieux service. »

Scofield dévisagea le vieil homme. Les yeux perçants n'exprimaient aucune frayeur. Bray avait déjà
vu ce genre de regard. Il se mit à parler en anglais.

« Vous avez travaillé pour nous durant six ans.
Malheureusement, vous n'avez guère été très efficace. Vous n'avez pas été aussi reconnaissant que
nous aurions pu nous y attendre.

— Ah ! vous êtes américain, fit le vieux Russe en
hochant la tête. Je me posais des questions. Une
conférence organisée à la hâte à Amsterdam, sur des
problèmes qu'il était facile de résoudre à Houston...
L'autorisation de quitter les Etats-Unis, discrètement
surveillé évidemment... et le relâchement de cette
surveillance une fois arrivé ici... Vous avez parfaitement décrypté tous les codes, vous connaissez tous
les mots de passe. Et vous parlez le russe sans le
moindre accent, sans faute, *priatel*.

— C'est mon boulot. Et c'était quoi, le vôtre ?

— Vous connaissez la réponse. C'est pourquoi
vous êtes ici...

— Je veux savoir...

— Oh ! non, dit le vieil homme en souriant triste-
ment. Vous n'apprendrez rien de plus que ce que
vous savez déjà. Je pense ce que j'ai dit. Vous me
rendriez service. Vous êtes ma *listok*.

— La solution à quoi ?

— Je vous en prie. »

Bray leva son automatique. Le petit canon luisait

sous la pluie. Le Russe regarda l'arme et respira profondément. Il y avait de nouveau de la crainte dans ses yeux. Pourtant, il ne fit aucun geste et ne souffla mot. Brusquement mais calmement, Scofield appuya le revolver sous l'œil gauche du vieil homme : l'acier et la chair entrèrent en contact. Le Russe se mit à trembler, mais il resta silencieux. Bray se sentait écœuré.

Qu'est-ce que ça change ?

Absolument rien, Harry. Rien du tout, plus maintenant.

Nous devons leur donner une leçon...

Scofield abaissa son arme.

« Fous le camp, dit-il.

— Pardon ?...

— Tu as parfaitement compris. Fous le camp. Le K.G.B. est impliqué dans le marché du diamant dans la Tolstraat, sa couverture est une société hasidim : Diamant Bruusteen. Tire-toi.

— Je ne comprends pas, soupira le Russe. A quoi jouez-vous ?

— Merde, cria Bray d'une voix tremblante. Maintenant, tire-toi en vitesse. »

Le vieil homme tituba, se rattrapa à la rambarde et s'éloigna à reculons, maladroitement, puis se mit à courir sous la pluie.

« Scofield ! (C'était Harry qui criait. Il était de l'autre côté du pont, le vieux Russe se dirigeait vers lui.) Merde, Scofield !

— Laissez-le passer ! »

C'était peut-être déjà trop tard, ou alors la pluie avait étouffé les paroles. On ne pouvait pas savoir. Il entendit trois détonations et vit, avec un haut-le-cœur, le vieillard porter une main à sa tête et s'écrouler sur la balustrade.

Harry était un vrai professionnel. Il tint le corps un instant contre lui et tira une dernière balle dans la nuque. Il se pencha en avant et fit basculer le cadavre dans le canal.

Qu'est-ce que ça change ?
Rien du tout. Plus maintenant.

Scofield fit demi-tour et se dirigea de l'autre côté du pont. Il remit son pistolet dans sa poche. Il était lourd.

Derrière lui, quelqu'un courait sous la pluie. Scofield était terriblement fatigué et ne voulait pas entendre ces bruits de pas, il ne voulait pas entendre non plus la voix métallique de Harry.

« Que diable s'est-il passé, ici, Bray ? Il a failli s'échapper !

— Il n'a pas réussi, répliqua Bray en accélérant le pas. Vous l'en avez empêché.

— Nom de Dieu, bien sûr que je l'en ai empêché ! Qu'est-ce qui vous arrive ? » Le jeune homme marchait à la gauche de Bray. En baissant les yeux, il vit la main de Scofield qui tenait encore la capsule. « C'est pas vrai ! Vous ne l'avez pas mise en place !

— Quoi ? »

Bray comprit de quoi parlait Harry. Baissant la tête, il regarda la petite capsule et la jeta dans le canal.

« Qu'est-ce que vous faites ?

— Va te faire foutre », dit Bray tranquillement.

Harry s'arrêta. Bray continua d'avancer. Quelques secondes plus tard, Harry le rattrapait et l'empoignait par le col de son imperméable.

« Vous le laissiez foutre le camp ! Incroyable !

— Bas les pattes.

— Merde, ce n'est pas possible ! Vous ne pouviez pas... »

Harry ne put rien dire de plus. Bray lança son bras en avant, sa main saisit le pouce du jeune homme et lui donna un mouvement de torsion dans le sens contraire des aiguilles d'une montre. Harry poussa un cri : son pouce était cassé.

« Va te faire foutre ! » répéta Scofield en traversant rapidement le pont.

La planque était près de la Rosengracht, la rencontre aurait lieu au deuxième étage. Le feu dans le salon chauffait la pièce et servait aussi à détruire les documents dont on voulait se débarrasser. Quelqu'un du ministère des Affaires étrangères de Washington était arrivé ici par avion. On voulait questionner Scofield sur ce qui s'était passé. Et pour ce genre d'enquête, il valait mieux être sur les lieux. C'était très important de comprendre ce qui s'était passé, surtout lorsqu'il s'agissait de Brandon Scofield. C'était leur meilleur agent, le plus déterminé. Depuis plus de vingt-deux ans, c'était un des atouts majeurs des services secrets américains. Il avait pris part aux « négociations » les plus compliquées qu'on puisse imaginer. Il fallait mettre des gants, venir voir à la source. Ne pas le convoquer à Washington en s'appuyant uniquement sur les accusations d'un subordonné. C'était un professionnel, mais quelque chose s'était passé.

Bray comprenait tout ça, et ça l'amusait. Harry avait été rappelé d'Amsterdam le lendemain matin : Scofield n'avait aucune chance de le revoir. Les quelques personnes à l'ambassade qui étaient au courant de l'incident continuaient à traiter Bray comme si rien ne s'était passé. On lui avait demandé de prendre quelques jours de repos. Quelqu'un allait venir de Washington pour discuter d'un problème à propos de Prague. C'était en tout cas ce que disait le message chiffré. N'était-il pas sur son terrain, à Prague ?

Un prétexte, évidemment. Pas très bon en plus. Scofield savait que ses moindres mouvements à Amsterdam étaient maintenant observés, très probablement par des hommes de la C.I.A.; et s'il se rendait à la bourse des diamants dans la Tolstraat, on l'abattrait.

Une servante sans âge, sans traits caractéristiques le fit entrer dans la maison où aurait lieu la rencontre. Elle était convaincue que la vieille maison appartenait au couple de rentiers qui vivaient là et la payaient. Bray l'informa qu'il avait rendez-vous avec le propriétaire de la maison et son avocat. La domestique fit un petit geste de la tête et le conduisit dans le salon du deuxième étage.

Le vieux monsieur était là, mais l'homme du ministère des Affaires étrangères n'était pas encore arrivé. Après que la servante eut fermé la porte, le propriétaire des lieux prit la parole.

« Je resterai ici avec vous quelques minutes, puis je remonterai dans mon appartement. Si vous avez besoin de quelque chose, appuyez sur ce bouton, là, sur le téléphone. J'entendrai la sonnerie.

– Merci, dit Scofield en regardant le Hollandais qui lui rappelait un autre vieil homme sur un pont. Mon ami ne va pas tarder. Nous n'aurons besoin de rien. »

L'homme fit un petit signe de tête et quitta la pièce. Bray commença à marcher de long en large d'un air absent. Passant son doigt sur le dos des livres qui se trouvaient dans la bibliothèque, il s'aperçut brusquement qu'il n'essayait même pas de lire les titres. Il ne les voyait pas. Il ne sentait rien, ni le froid ni la chaleur. Il n'était ni résigné ni en colère, il ne sentait absolument rien. Il était dans une sorte d'état second, comme dans de la ouate, ses sens avaient perdu toute leur acuité. Il se demandait ce qu'il allait dire à l'homme qui avait parcouru près de six mille kilomètres pour le voir.

Mais au fond, ça ne l'intéressait pas.

Il entendit un bruit de pas dans l'escalier. L'arrivant avait renvoyé la servante, il connaissait parfaitement la maison. La porte s'ouvrit sur l'homme du ministère des Affaires étrangères.

Scofield le connaissait. C'était un des stratèges des opérations clandestines. Il avait à peu près le même âge que Bray mais était plus petit et plus mince. Il affichait une cordialité d'ancien membre du même club d'étudiants qu'il n'éprouvait pas. Il espérait ainsi cacher ses véritables intentions. Il n'y réussit pas.

« Bray, comment allez-vous, mon vieux ? lança-t-il d'une voix forte en tendant une main chaleureuse. Tout ce temps ! Ça fait quoi, deux ans, non ? J'ai quelques bonnes histoires à vous raconter.

– Vraiment ?

– Vous pensez ! Je suis allé à Harvard pour notre vingtième réunion. Et naturellement je suis tombé sur un tas de vos amis. Oh ! mon vieux, cette cuite ! Je ne me souviens même plus de tous les mensonges que j'ai racontés ni à qui je les ai racontés. Vous vous occupiez d'import-export en Malaisie, vous étiez un expert des langues africaines en Nouvelle-Guinée, un administrateur à Canberra... C'était complètement fou, j'étais beurré à un point !

– Pourquoi vous aurait-on demandé de mes nouvelles, Charlie ?

– Eh bien, tout le monde savait que nous étions tous les deux au ministère des Affaires étrangères, que nous étions amis, tout le monde savait ça.

– Allons ! laissez tomber. Vous savez bien que nous n'avons jamais été amis. Je pense que vous me détestez encore plus que je ne vous déteste. Et je ne vous ai jamais vu ivre. »

L'homme du ministère des Affaires étrangères ne broncha pas, simplement son sourire chaleureux s'évanouit.

« Vous cherchez la bagarre ?

– Je ne cherche rien du tout.

– Qu'est-ce qui s'est passé ?

– Où ? Quand ? A Harvard ?

– Vous savez très bien de quoi je parle. L'autre nuit. Ce qui s'est passé l'autre nuit ?

– C'est à vous de me le dire. C'est vous qui avez mis la machine en mouvement, c'est vous qui avez donné le premier tour de roue.

– Nous avons découvert une fuite dangereuse. En

fait, tout un système de fuites qui durait depuis des années, qui réduisait à rien nos observations par satellites, au point que c'en était grotesque. Nous en voulions la preuve, vous nous l'avez donnée. Vous saviez parfaitement ce qu'il vous restait à faire et vous ne l'avez pas fait.

– C'est vrai, je ne l'ai pas fait, reconnut Scofield.

– Et lorsque votre partenaire vous a mis devant les faits, vous l'avez blessé. Votre adjoint !

– Exact. Si j'étais vous, je me débarrasserais de lui. Je l'enverrais au Chili. Nous n'avons plus rien à perdre, là-bas.

– Qu'est-ce que vous dites ?

– D'ailleurs, vous ne le ferez pas. Il vous ressemble trop, Charlie. Il n'apprendra jamais. Attention, il est capable de prendre votre place, un de ces jours.

– Vous êtes ivre ou quoi ?

– Non, mais je le regrette. J'y ai pensé, mais j'avais quelques brûlures d'estomac. Evidemment, si j'avais su que c'était vous qu'ils allaient envoyer, j'aurais fait un effort, j'aurais essayé tout de même. En souvenir du bon vieux temps, naturellement.

– Si vous n'êtes pas ivre, vous êtes complètement fou.

– La piste tournait, mon vieux, et les roues que vous aviez mises en mouvement n'ont pu prendre le virage.

– Assez avec ces foutaises !

– Vous devriez dire avec *vos* foutaises, Charlie.

– Ça suffit, maintenant ! Ce que vous avez fait – ou plutôt je devrais dire ce que vous n'avez pas fait – a bloqué un rouage essentiel du contre-espionnage.

– Maintenant, arrêtez vos conneries ! hurla Bray en s'avançant d'un pas vers l'homme du ministère des Affaires étrangères. J'ai entendu tout ce que je voulais entendre ! Je n'ai rien bloqué du tout, par contre vous, oui ! Vous et tous ces abrutis là-bas. Vous découvrez une prétendue fuite dans votre sacrée passoire, et vous voulez la boucher avec un cadavre. Ensuite vous pouvez allez voir le Comité des quarante et démontrer à ces salauds comme vous êtes malins !

– Mais de quoi parlez-vous ?

– Le vieux bonhomme était un véritable transfuge. Il était « en prise », mais c'était un transfuge.

– Qu'est-ce que vous voulez dire par « en prise » ?

– Je ne sais pas trop et j'aimerais le savoir. Quelque chose a été omis sur sa fiche zéro-zéro. Sa femme n'était peut-être pas morte mais cachée quelque part. Ou un petit-fils ou une petite-fille qu'on n'a pas pris la peine de mentionner sur la liste. Je ne sais pas, mais il y avait quelque chose. Des otages, Charlie ! C'est pourquoi il a fait ce qu'il a fait. Et j'étais sa *listok*.

– Qu'est-ce que ça veut dire ?

– Mais, nom de Dieu ! apprenez le russe. Vous êtes supposé être un expert.

– Oh ! ne la ramenez pas avec vos histoires de langue. Je suis un expert. Il n'y a aucune preuve d'un quelconque chantage. Le type n'a jamais fait aucune allusion, n'a jamais parlé de famille. C'était un agent fidèle des services secrets soviétiques.

– Des preuves ? Allons, Charlie, soyez sérieux. S'il était capable de passer à l'Ouest, il était certainement capable d'enterrer ce qui devait être enterré. A mon avis, c'était une question de temps, et le temps lui a manqué. On a découvert son secret ou ses secrets. Il était « en prise », c'est en filigrane dans son dossier. Il vivait bizarrement, même pour quelqu'un de bizarre.

– Nous rejetons cette hypothèse, dit Charlie avec force, c'était un excentrique. »

Scofield se tut un instant et dévisagea son interlocuteur.

« Vous rejetez cette hypothèse ?... Un excentrique ?... Merde alors, vous êtes parfaitement au courant. Vous pouviez l'utiliser, lui fourguer n'importe quelle information, Mais non, vous vouliez quelque chose de rapide, vous vouliez aller vite pour que les types là-haut voient à quel point vous êtes fort. Vous pouviez l'utiliser au lieu de le tuer ! Mais vous ne saviez pas très bien comment vous y prendre, alors vous n'avez rien fait et vous avez appelé le bourreau.

– C'est ridicule. Vous ne pouvez pas prouver qu'il était « en prise ».

– Le prouver ? Je n'ai pas à le prouver. Je le savais.

– Comment ?

– Je l'ai vu dans ses yeux, fils de pute. »

L'homme du ministère des Affaires étrangères se tut un moment avant de dire doucement :

« Vous êtes fatigué, Bray. Il faut prendre un peu de repos.

– Au soleil ou sous terre ? » demanda Scofield.

4

UNE rafale de vent glacé enveloppa Taleniekov au moment où il sortait du restaurant. La neige se mit à tourbillonner sur le trottoir avec une telle force que tout s'obscurcit, y compris la lumière déversée par l'éclairage urbain. Il allait de nouveau geler au cours de la nuit. Les prévisions météorologiques de radio Moscou annonçaient des températures autour de moins huit.

Pourtant, en début de matinée la neige avait cessé de tomber. On avait déblayé la piste d'envol à l'aéroport de Cheremetievo, et, pour le moment, c'était tout ce qui intéressait Vasili Taleniekov. Le vol 85 d'Air France était parti pour Paris depuis dix minutes environ. A bord de l'appareil se trouvait un juif qui aurait dû prendre un avion de l'Aéroflot en direction d'Athènes, deux heures plus tard.

Il n'aurait jamais atteint Athènes s'il s'était présenté au terminal de l'Aéroflot. On lui aurait demandé de bien vouloir entrer dans un bureau. Des gens de la Vodennaya Kontra Rozvedka l'auraient accueilli, et on aurait plongé dans l'absurde.

Absolument idiot, pensait Taleniekov alors qu'il prenait une rue à droite, remontant le col de son manteau et abaissant le bord de son *addyel* sur son front. Il gelait, et il allait recommencer à neiger. Idiot dans la mesure où la V.K.R. n'aurait abouti à rien. Mais ça aurait mis tout le monde dans l'embarras. Personne ne se serait laissé avoir, et surtout pas ceux qu'on voulait impressionner !

Un type passé à l'Ouest qui revient dans le giron de la mère patrie ! Mais quels genres de littérature imbécile lisent les jeunes fanatiques de la V.K.R. ? Où donc se cachent les types solides quand les jeunes fous se pointent avec de telles idées ?

Quand il avait entendu parler du projet, Vasili s'était carrément mis à rire. Le but était de monter une campagne pour mettre un frein aux accusations sionistes. Pour montrer aux gens de l'Ouest que tous les juifs ne pensaient pas de la même manière en Union soviétique. L'écrivain juif avait fait parler un peu de lui dans la presse américaine – celle de New York pour être exact. Il faisait partie des Russes qui avaient conversé avec un sénateur américain à la recherche de voix à treize mille kilomètres de sa circonscription. Mais antisémitisme mis à part, l'écrivain juif n'était pas un bon écrivain. En fait, il était un problème même pour ses coreligionnaires.

Ce n'était pas du tout l'homme qu'il fallait pour ce genre de projet. D'ailleurs, à cause d'une autre opération en cours, c'était extrêmement important qu'on lui permette de quitter la Russie. Il était sans le savoir une sorte de piège pour le sénateur de New York. L'homme politique avait été amené à croire que c'étaient ses relations avec un attaché du consulat qui avaient incité les Soviétiques à accorder le visa d'immigration. Le sénateur allait tirer profit de cet incident, et un nouveau petit hameçon serait en place. Quelques hameçons comme celui-là, une relation un peu curieuse qui se forme entre le sénateur et un officiel soviétique, pouvaient aboutir à quelque chose. Il fallait que le juif quittât Moscou ce soir. Dans trois jours exactement, le sénateur donnerait une conférence de presse pour accueillir le transfuge à l'aéroport Kennedy.

Mais les jeunes penseurs agressifs de la V.K.R. étaient inflexibles. L'écrivain serait arrêté, on l'emmènerait à la *Loubianka* – où la V.K.R. avait son quartier général et ses laboratoires – et on commencerait le lavage de cerveau. En principe personne, en dehors de la V.K.R. n'était au courant de l'opération. Pour réussir, il fallait que l'homme disparût brusquement et que le secret fût total. On ferait quelques piqûres de produits chimiques, et l'homme serait prêt pour une tout autre sorte de conférence de presse. Dans l'une d'elles, il révélerait que les terroristes israéliens l'avaient menacé de représailles contre des parents à lui à Tel-Aviv s'il ne suivait pas leurs instructions à la lettre et s'il ne demandait pas à grands cris l'autorisation de quitter la Russie.

Ce projet était ridicule. Vasili ne l'avait pas caché à son ami de la V.K.R. Mais celui-ci lui avait dit que même le « fameux » Taleniekov ne pouvait s'immiscer dans une action projetée par le groupe Neuf de la Vodennaya Kontra Rozvedka. Mais qu'est-ce que c'était ce groupe Neuf ?

C'était le nouveau groupe Neuf, lui avait expliqué son ami. Il prenait la succession de la trop célèbre section Neuf du K.G.B., Smert Shpionam. Ce bureau des services secrets soviétiques s'était consacré exclusivement aux lavages de cerveaux et s'était distingué en mettant au point des méthodes pour briser l'intelligence et la volonté humaines, en utilisant la torture et le chantage – en tuant, s'il le fallait, des êtres chers sous les yeux de ceux qui les aimaient.

Pour Vasili Taleniekov, tuer n'était pas une chose extraordinaire, mais ce genre d'assassinats lui soulevait le cœur. Il lui arrivait de proférer cette sorte de menaces mais il ne les mettait jamais à exécution. L'Etat ne demandait pas ça, seuls les sadiques s'y complaisaient. Si le Smert Shpionam avait vraiment été réactivé, alors il fallait le prévenir qu'il y avait d'autres personnes à l'intérieur du K.G.B. En particulier ce « fameux » Taleniekov. Il fallait qu'il apprît à ne pas s'opposer à un homme qui avait passé vingt-cinq ans de sa vie à parcourir l'Europe au service de l'Etat.

Vingt-cinq ans. Ça faisait un quart de siècle qu'un étudiant de vingt et un ans doué pour les langues avait été arraché de ses cours à l'université de Leningrad et envoyé à Moscou pour subir un entraînement intensif durant trois ans. C'était un entraînement que le fils de professeurs à l'âme sensible des républiques socialistes ne pouvait même pas imaginer. Vasili avait été enlevé à la douce quiétude de sa famille où l'on vivait parmi les livres et la musique pour être plongé dans un monde d'intrigues et de violence, plein de codes, de mystères et d'agressivité. On y étudiait toutes les formes de filature, de sabotage, d'espionnage et d'élimination. Pas d'assassinats, on n'assassinait jamais. On éliminait.

Il aurait très bien pu échouer. Mais quelque chose changea sa vie, le poussa à devenir le meilleur. C'était un acte bestial, un acte commis par les Américains.

Vasili avait été envoyé à Berlin-Est en exercice. Il s'agissait d'observer les différents systèmes de couverture, au moment où la guerre froide culminait. Il était entré en relation intime avec une jeune femme, une Allemande, qui croyait au marxisme. Elle avait été recrutée par le K.G.B. Son rôle était tellement secondaire qu'elle n'était même pas portée sur les listes du K.G.B. : elle était chargée d'organiser des démonstrations et sa paie faisait partie des frais généraux. C'était une étudiante plus passionnée que raisonnable. Une gauchiste aux yeux de feu qui se prenait pour Jeanne d'Arc. Vasili l'aimait.

Ils avaient passé ensemble plusieurs semaines merveilleuses; ils avaient vécu toutes les joies, tous les frissons d'une passion juvénile. Et puis, un jour, elle avait franchi la ligne de démarcation. C'était quelque chose d'absolument sans importance, une minuscule manifestation sur le Kurfürstendamm. Une gosse menant d'autres gosses qui criaient des mots qu'ils comprenaient à peine, qui prenaient des positions qu'ils étaient mal préparés à tenir. Un rituel insignifiant. Sans aucune importance.

Mais ces salauds de la section G 2 de l'armée d'occupation américaine ne voyaient pas les choses comme ça. Ils lancèrent des brutes à ses trousses.

On la renvoya à Berlin-Est dans un corbillard. Son visage écrasé était méconnaissable, son corps n'était plus qu'un amas de chairs sanglantes. Son sang était devenu une poussière rouge. Elle avait été violée et sodomisée.

On avait placé sur son corps une pancarte – à vrai dire la pancarte avait été clouée – qui disait : *Tous les cocos sont des enculés, comme elle.*

Fumiers !

Ces ordures d'Américains qui sont arrivés à la victoire sans qu'un seul obus tombe sur leur territoire. Puissants grâce à leur industrie qui tirait d'énormes profits des monstrueux carnages qui se passaient ailleurs. Leurs soldats distribuaient des boîtes de conserve à des enfants affamés pour pouvoir satisfaire d'autres appétits. Dans toutes les armées, il y a des monstres. Mais c'était particulièrement scandaleux dans l'armée américaine qui affichait des principes extraordinairement rigides. Les faiseurs de morale sont toujours les pires.

Taleniekov était retourné à Moscou en emportant

avec lui l'image de cette mort obscène qui lui consumait le cœur. Il changea du tout au tout. Il devint, à l'avis de presque tous et à son propre avis aussi, le meilleur agent des services secrets soviétiques. Il avait regardé l'ennemi en face : il était horrible. Et cet ennemi avait des ressources inimaginables, des richesses incroyables. Il fallait donc le surpasser dans des choses qui ne pouvaient pas être achetées. On devait se mettre à sa place, penser comme lui. Puis penser mieux que lui. Vasili avait parfaitement compris tout cela. Il était devenu un stratège extraordinaire, capable de déjouer les plans les plus compliqués de l'adversaire, l'initiateur de pièges redoutables, l'auteur de coups imprévisibles – la mort, par exemple, survenant au coin d'une rue grouillante un matin de printemps. La mort surgissant aussi à cinq heures de l'après-midi dans la Unter den Linden au moment où la circulation est la plus dense.

Oui, c'était lui qui avait réussi ce coup. Il s'était vengé. Quelques années plus tard, il avait vengé cette pauvre enfant alors qu'il était le directeur opérationnel du K.G.B. à Berlin-Est. Il avait fait « passer » la ligne de démarcation à la femme d'un tueur américain. On l'avait exécutée proprement, professionnellement, sans infliger de douleurs inutiles. Ça n'avait rien à voir avec l'horrible mort donnée quatre ans plus tôt par ces salauds d'Américains.

En apprenant la nouvelle, Taleniekov avait hoché la tête en signe d'approbation, mais il n'avait ressenti aucune joie. Il savait trop bien par quoi cet homme allait passer – bien sûr il le méritait –, mais on ne pouvait en tirer aucun plaisir. Et il savait aussi que cet Américain n'aurait pas de cesse jusqu'à ce qu'il pût se venger à son tour.

C'était exactement ce qui s'était passé. Trois ans plus tard à Prague.

Un frère.

Où était cet affreux Scofield en ce moment ? se demandait Vasili. Tout cela remontait à un quart de siècle. L'un et l'autre avaient servi merveilleusement leur pays. C'était ce qu'on pouvait dire d'eux. Pourtant Scofield avait plus de chance : les choses étaient moins compliquées à Washington, les ennemis plus visibles. L'Américain n'avait jamais affaire à des maniaques, à des amateurs comme ceux du groupe Neuf de la V.K.R. Certes, le ministère des Affaires étrangères américain avait ses fous, mais leur champ d'action était nettement plus limité. Vasili était obligé de le reconnaître. Dans quelques années, s'il ne se faisait pas descendre en Europe, Scofield prendrait sa retraite dans un bled quelconque, élèverait des moutons, planterait des orangers ou sombrerait doucement dans l'alcool. A Washington, sa vie n'était pas en danger, elle ne l'était qu'en Europe.

Taleniekov, lui, devait se protéger même à Moscou.

Beaucoup de choses avaient changé en un quart de siècle. Lui-même avait changé. Et ce n'était pas la première fois, ce soir, qu'une telle chose arrivait. Il avait, dans l'ombre, contrecarré les projets d'un autre service secret soviétique. Il n'aurait jamais fait ça il y a cinq ans – même pas deux ans plus tôt. Il aurait, à cette époque, rassemblé tout le monde pour essayer de faire accepter ses raisons par chacun. Très professionnellement. C'était un spécialiste. A ses yeux, l'opération n'était pas mauvaise, simplement elle était moins importante que l'autre et risquait de nuire à son déroulement.

Aujourd'hui, il n'agissait plus du tout de cette manière. Pendant deux ans, comme directeur du secteur Sud-Ouest, il avait pris ses décisions sans tenir compte des réactions de ces imbéciles qui en connaissaient nettement moins que lui. Evidemment, cela avait provoqué de plus en plus de remous à Moscou. Mais il faisait ce qu'il pensait être juste. Finalement, l'agitation s'était transformée en fureur, et on l'avait rappelé au Kremlin. Dans un bureau, il était très difficile de ne pas perdre contact avec la réalité. Ses entreprises devenaient de plus en plus abstraites; par exemple, placer des hameçons autour d'un sénateur américain.

On était en train de mettre Taleniekov sur la touche, il le savait parfaitement. Ce n'était qu'une question de temps. Combien allait-on lui en laisser ? Lui donnerait-on une petite ferme au nord de Grasnov ? Lui dirait-on de bêcher son jardin et de la boucler ? Ou est-ce que les cinglés s'opposeraient même à cela ? N'allaient-ils pas hurler comme des loups que le « fameux » Taleniekov était beaucoup trop dangereux pour être simplement tenu à l'écart ?

En descendant la rue, Vasili se sentait fatigué. Même la haine qu'il ressentait pour le tueur américain, qui avait abattu son frère, s'atténuait. Il n'y avait plus beaucoup de place en lui pour les sentiments.

Brusquement, la tempête se transforma en blizzard. Le vent soulevait d'énormes masses de neige sur toute l'étendue de la place Rouge. Le tombeau de Lénine serait entièrement recouvert demain matin. Taleniekov laissait les flocons de neige fouetter son visage tandis qu'il avançait contre le vent en direction de son appartement. Le K.G.B. avait été plein d'égards, il n'y avait pas plus de dix minutes à pied de son appartement à son bureau de la place Dzerzhinsky, situé à quelques pâtés de maisons du Kremlin. Plein d'égards, peut-être. A moins que l'on ait songé à quelque chose de plus pratique : son appartement était à dix minutes du centre de décision, à trois minutes en voiture.

Il entra dans son immeuble et referma la lourde porte tout en tapant des pieds. Le bruit du vent se tut brusquement. Taleniekov regarda dans sa boîte aux lettres. Elle était vide. C'était un geste parfaitement inutile qui au cours des années s'était transformé en une sorte de rituel sans signification. Un rituel auquel il s'était plié devant un nombre incroyable de boîtes aux lettres et dans des lieux totalement différents. Il ne recevait de courrier personnel qu'à l'étranger – il portait alors de curieux pseudonymes –, lorsqu'il était dans l'ombre. Tout ce qu'il recevait alors était codé, et le sens des messages n'avait rien à voir avec les mots qui étaient écrits noir sur blanc sur le papier. Pourtant, quelquefois, ces mots étaient chaleureux et amicaux. Pendant un court instant, on pouvait penser que c'était là leur vraie signification. Seulement un court instant. C'était dangereux de faire semblant. Sauf quand on voulait se mettre à la place d'un ennemi.

Il grimpa l'étroit escalier éclairé par la faible lueur d'une ampoule dérisoire. Il n'était pas absolument certain que les directeurs de l'*Elektrichiskaya* de Moscou habitent de tels immeubles.

Puis il entendit un craquement qui n'avait rien à voir avec le temps qu'il faisait dehors. Ce n'était pas le vent qui faisait gémir l'infrastructure de l'immeuble. Il y avait quelqu'un sur le palier. Il avait appris depuis longtemps à différencier les sons, à évaluer leur éloignement. Le bruit ne venait pas de l'étage du dessus mais des étages supérieurs. L'appartement de Taleniekov était au premier étage. Quelqu'un l'attendait. Quelqu'un voulait qu'il entrât dans son appartement pour lui bloquer la sortie. On lui avait peut-être tendu un piège à l'intérieur.

Vasili continua de monter sans modifier le rythme de sa marche. Au cours des années, il avait appris à garder ses clefs, sa monnaie, ce genre de choses dans la poche gauche de ses vêtements afin de pouvoir s'emparer rapidement de son arme de sa main droite ou de se servir de son poing. En arrivant sur le palier, il tourna à gauche : la porte de son appartement n'était qu'à quelques mètres.

Le plancher craqua de nouveau faiblement, imperceptiblement. Le bruit se mêlait aux hurlements du vent qu'on entendait dans le lointain. La personne qui se trouvait dans l'escalier avait reculé. Cela signifiait deux choses : premièrement le

« visiteur » attendrait que Vasili fût entré dans son appartement, deuxièmement cette personne était curieusement négligente ou totalement inexpérimentée. Ou, peut-être, les deux à la fois. On ne remue pas lorsqu'on est à quelques mètres d'une proie, les déplacements d'air indiquent les moindres mouvements.

Taleniekov tenait ses clefs dans sa main gauche. Il avait glissé sa main droite dans l'entrebâillement de son manteau et serrait la crosse de son revolver fixé à sa poitrine par un baudrier. Il mit la clef dans la serrure et ouvrit la porte. Il la claqua et marcha rapidement à reculons pour se dissimuler dans l'ombre de l'escalier. Il s'appuya contre le mur, l'arme à la hauteur de sa hanche, pointée en direction de la rampe.

Il entendit un bruit de pas et une silhouette se précipita vers la porte de l'appartement. L'homme portait un objet dans sa main gauche. Taleniekov ne pouvait pas voir ce que c'était : l'objet était caché par l'épais manteau. Il ne fallait pas perdre de temps. Ce pouvait être une bombe à retardement. L'homme leva la main droite pour frapper à la porte.

« Plaque-toi à la porte, ta main gauche contre ton ventre. Vite !

– Pardon ? »

L'homme se retourna à moitié.

Taleniekov était déjà sur lui, l'écrasant contre la porte. C'était un tout jeune homme, un adolescent. Il ne devait pas avoir plus de quatorze, quinze ans. Il était grand pour son âge, mais son visage ne trompait personne. C'était le visage d'un blanc-bec avec de grands yeux clairs apeurés.

« Recule lentement, ordonna Taleniekov d'un ton sec. Lève ta main gauche. J'ai dit lentement ! »

Le jeune homme recula et leva sa main gauche, le poing serré.

« Je n'avais aucune mauvaise intention, monsieur. Je le jure, dit le jeune homme d'une voix tremblante.

– Qui es-tu ?

– Andreiv Danilovitch, monsieur. Je vis à Cheryomushki.

– Ça fait un bon bout de chemin. Il fait un temps affreux, et quelqu'un de ton âge pourrait très bien être ramassé par la *militsianyer*. »

L'ensemble d'habitations dont parlait le jeune homme se trouvait à peu près à quarante-cinq minutes de la place Rouge.

« Je devais absolument venir, monsieur, répondit Andreiv. Un homme vient d'être gravement blessé d'un coup de pistolet. Je crois qu'il va mourir. Il m'a demandé de vous apporter ceci. »

L'adolescent tendit sa main gauche. Il tenait un insigne en cuivre, un insigne de l'armée, porté autrefois par les généraux mais qu'ils ne portaient plus depuis au moins trente ans.

« Le nom du vieil homme est Kroupski, Alexis Kroupski. Il me l'a fait répéter plusieurs fois afin que je ne l'oublie pas. Ce n'est pas sous ce nom-là qu'on le connaît à Cheryomushki. Mais c'est celui qu'il m'a dit de vous donner. Il m'a demandé de vous conduire à lui. Il est en train de mourir, monsieur. »

En entendant ce nom, l'esprit de Taleniekov fit un retour en arrière. Alexis Kroupski ! Il n'avait pas entendu prononcer ce nom depuis bien des années. Peu de gens à Moscou avaient envie de l'entendre. Kroupski avait été le plus grand instructeur du K.G.B. Un homme qui connaissait à fond toutes les techniques pour tuer et pour survivre, évidemment. C'était le dernier survivant des célèbres *istrebiteli*. Ce groupe, hautement spécialisé dans les techniques d'extermination, s'était formé à partir des membres d'élite du N.K.V.D., lui-même issu de la presque oubliée Guépéou.

Alexis Kroupski avait disparu – comme tant d'autres – il y avait une douzaine d'années environ. Des bruits circulaient disant qu'il avait été mêlé à la mort de Beria, de Zhukov et même, affirmaient certains, de Staline lui-même. Un jour, pris d'une colère noire ou de panique, Khrouchtchev s'était dressé lors d'une réunion du praesidium et avait appelé Kroupski et les membres de son groupe une bande de criminels pervers. C'était faux. Il n'y avait aucune perversité dans le travail des *istrebiteli.* Ils étaient bien trop méthodiques pour ça. De toute façon, un jour, Alexis Kroupski avait disparu de la Loubianka.

Les rumeurs ne s'arrêtaient pas là. On disait que Kroupski avait mis en lieu sûr certains « documents » et que, grâce à eux, il n'avait rien à craindre pour ses vieux jours. Ces « documents » prouvaient qu'un certain nombre de dirigeants du Kremlin avaient été impliqués dans des dizaines d'assassinats – connus, inconnus ou camouflés. On croyait donc qu'Alexis Kroupski vivait dans une ferme au nord de Grasnov, qu'il s'occupait d'agriculture et, surtout, qu'il se taisait.

C'était le meilleur professeur que Vasili eût jamais eu. Sans la patience, sans les conseils de son vieux maître, Taleniekov aurait été abattu depuis longtemps.

« Où est-il ? demanda Vasili.

– Nous l'avons accueilli dans notre appartement. Il n'arrêtait pas de taper sur le sol, c'est-à-dire sur notre plafond. Nous sommes montés et nous l'avons découvert.

– Nous ?

– Ma sœur et moi. C'est un vieillard. Il s'est occupé de nous. Nos parents sont morts. Je pense que lui aussi sera bientôt mort. Je vous en prie, dépêchez-vous, monsieur. »

Le vieillard, allongé dans le lit, n'était pas l'Alexis Kroupski que Taleniekov avait connu. Le visage glabre, énergique, aux cheveux ras n'existait plus. Sous la barbe blanche, la peau était pâle, parcheminée, ridée. Les cheveux emmêlés tombaient par mèches sur le cou en découvrant un crâne plein de taches grisâtres. L'homme était à l'agonie et pouvait à peine parler. Il repoussa les couvertures et leva une serviette pleine de sang pour montrer la blessure occasionnée par la balle.

Taleniekov ne perdit pas de temps en vaines politesses. Ses yeux exprimaient suffisamment de respect et d'affection.

« J'ai fait le mort, dit Kroupski avec un pâle sourire. Il s'est laissé prendre. Il croyait avoir fait son travail et s'est enfui.

– Qui ?

– Un tueur. Envoyé par les Corses.

– Les Corses ? Quels Corses ? »

Le vieillard respira bruyamment, difficilement. Il fit signe à Vasili de se pencher vers lui.

« Dans moins d'une heure, je serai mort. Et j'ai beaucoup de choses à dire. Personne d'autre que moi ne vous les dira. Vous êtes le meilleur agent de l'Union soviétique, et il faut que vous soyez au courant. Vous êtes sans doute le seul homme à avoir les connaissances suffisantes pour leur faire face. Vous et un autre : un de nos ennemis. Un de l'autre côté. Vous êtes peut-être le seul espoir qui nous reste.

– De quoi parlez-vous ?

– Des Matarèse.

– Quoi ?

– Des matarèse. Ils savent que je sais... ce qu'ils sont en train de faire, ce qu'ils cherchent à faire, ce qu'ils sont en train de réussir. Je suis le seul qui puisse les reconnaître, le seul qui oserait parler d'eux. Autrefois, j'ai neutralisé certains de leurs agents, mais je n'ai jamais eu le courage de les démasquer.

– Je ne vous comprends pas.

– Je vais essayer de m'expliquer, dit Kroupski en faisant un effort pour retrouver un peu de force. Il n'y a pas très longtemps, un général du nom de Blackburn a été tué aux Etats-Unis.

– Oui, en effet. Le commandant en chef des forces armées. Nous n'avions rien à voir là-dedans, Alexis.

– Saviez-vous que vous étiez celui que les Américains considéraient comme l'assassin probable ?

– Non, personne ne m'a dit ça. C'est ridicule.

– On ne vous dit plus grand-chose, mon ami.

– Je n'ai pas d'illusions, vous savez. J'ai toujours agi de mon mieux. Je ne vois pas ce que je peux encore faire. J'ai l'impression que Grasnov se rapproche.

– Encore faut-il qu'on veuille vous envoyer là-bas.

– Je pense qu'ils en ont envie.

– Peu importe... Le mois dernier Yourievitch, le physicien, a été abattu alors qu'il était en vacances à Provasoto dans sa datcha, en même temps que son fils, que le colonel Drigorin et qu'un certain Brunov qui s'occupait de problèmes d'industrie militaire.

– Oui, je sais. C'était absolument atroce.

– Avez-vous lu le rapport ?

– Quel rapport ?

– Celui de la V.K.R...

– Une bande d'imbéciles et de fous, lança Taleniekov.

– Pas toujours. Dans ce cas, ils apportent des faits précis, des indications justes... malheureusement limités.

– Et quelles sont ces indications ? »

Kroupski respirait de nouveau avec difficulté, il avala sa salive et poursuivit :

« Les douilles américaines de sept millimètres.

Les trous laissés dans la chair indiquant d'une manière indiscutable qu'il s'agissait d'un Browning Magnum *grade four.*

— Une arme terrible, dit Taleniekov avec un petit signe de tête. Extraordinairement fiable. Jamais quelqu'un venu de Washington n'aurait utilisé une telle arme. »

Le vieil homme parut ne pas entendre.

« L'arme dont on s'est servi pour tuer le général Blackburn était un Graz-Burya. »

Vasili leva les sourcils.

« Une arme merveilleuse quand on peut en avoir une. » Il marqua un temps d'arrêt et ajouta doucement : Celle que je préfère.

« Evidemment. Comme le Browning Magnum est l'arme favorite de celui à qui je pense.

— Oh ! dit Talenickov, soudain sur la défensive.

— Oui, Vasili. La V.K.R. a avancé plusieurs noms à propos de la mort de Yourievitch. Le suspect numéro un était l'homme que vous haïssez : Beowulf Agate.

— Brandon Scofield, des Opérations consulaires. Nom de code à Prague : Beowulf Agate.

— C'est ça.

— C'était lui ?

— Non, dit le vieil homme en faisant un effort pour dégager sa tête de l'oreiller. Il n'est pas plus responsable de la mort de Yourievitch que vous ne l'êtes de celle de Blackburn. Vous comprenez ? Ils savent absolument tout. Ils connaissent même les agents secrets dont l'habileté ne peut être mise en doute mais qui ont l'esprit un peu fatigué. Qui ont, peut-être, besoin d'un exploit pour se prouver quelque chose. Ils testent les réactions du pouvoir au plus haut niveau avant de faire quoi que ce soit.

— Mais qui ? Qui sont-ils ?

— Les Matarèse. La peste corse...

— Qu'est-ce que ça veut dire ?

– Elle s'étend. Elle a évolué. Et sa forme actuelle est absolument mortelle. »

Le vieil *istrebitel* retomba sur son oreiller.

« Il faut être clair, Alexis. Je n'y comprends rien. Qu'est-ce que c'est que cette peste corse, ces... Matarèse ? »

Les yeux dilatés de Kroupski regardaient maintenant le plafond. Il murmura :

« Personne ne parle. Personne n'ose parler. Ni notre praesidium, ni le Foreign Office, ni le MI 6. Ni le Quai d'Orsay ni le Deuxième Bureau. Ni les Américains. Ne jamais oublier les Américains !... Tout le monde se tait. Nous les avons tous utilisés ! Nous sommes à certains égards, dans certaines circonstances, complices des Matarèse.

– Complices ? Comment cela ? Qu'est-ce que vous voulez dire ? Mais qu'est-ce que c'est donc que ces Matarèse ? »

Le vieil homme tourna lentement la tête vers Taleniekov, ses lèvres tremblaient.

« Certains pensent qu'ils étaient déjà là à Sarajevo. D'autres affirment qu'ils ont Dollfuss, Bernadotte... et même Trotski sur leur liste. Quant à nous, nous avons passé un contrat pour Staline.

– Staline ? Mais alors, ce qu'on a dit est vrai ?

– Bien sûr. Beria aussi. Nous avons payé. (Les yeux du vieil *istrebitel* étaient maintenant perdus dans le vague.) En 45... le monde a pensé que Roosevelt avait succombé à une attaque. (Kroupski secoua lentement la tête, il y avait un peu de salive au coin de sa bouche.) Certaines personnes dans le monde financier pensaient que sa politique à l'égard de l'Union soviétique était catastrophique. Au niveau économique s'entend. Ils ne lui ont pas permis de prendre d'autres décisions. Ils ont payé, et quelqu'un a fait une piqûre. »

Taleniekov était abasourdi.

« Vous voulez dire que Roosevelt a été assassiné ? Qu'il a été assassiné par les Matarèse ?

– Effectivement. Assassiné, Vasili Vassilievitch Taleniekov. C'est bien le mot. C'est une de ces vérités dont personne ne parle. Et il y en a tant depuis tant d'années. Personne n'ose parler de ces « contrats », de certains versements de fonds. Admettre de telles choses serait catastrophique... pour les gouvernements, partout dans le monde.

– Mais pourquoi ? Pourquoi s'est-on servi de ces Matarèse ?

– Parce qu'ils étaient là. Parce que leur travail est d'une propreté exemplaire.

– C'est ridicule. On a attrapé certains coupables, jamais aucun d'eux n'a mis ce nom en avant.

– Ne soyez pas stupide, Vasili Vassilievitch. Vous avez utilisé exactement les mêmes techniques. Aucune différence avec les Matarèse.

– Que voulez-vous dire ?

– Comme eux, vous tuez... et vous formez des tueurs. Taleniekov remua la tête, le vieillard poursuivit : Depuis un certain nombre d'années, les Matarèse se tenaient tranquilles. Aujourd'hui, ils reviennent, et ce n'est plus la même chose. Ils ne tuent plus sur ordre, ils n'exigent plus de paiement. On tue sans raison apparente, on kidnappe et on abat des hommes remarquables. On vole des avions, on les fait exploser en vol. Les gouvernements sont paralysés. On exige des sommes fantastiques ou l'on massacre une foule de gens. Les techniques sont devenues plus sophistiquées, d'une certaine manière plus professionnelles.

– Ce que vous me décrivez là, c'est l'œuvre des terroristes, Alexis. Les terroristes n'ont pas d'appareil central. »

De nouveau le vieil *istrebitel* fit un effort pour redresser la tête.

« Plus maintenant. Ils ont un pouvoir central ! Depuis plusieurs années, Baader-Meinhoff, les Brigades rouges, les Palestiniens, les fous d'Afrique noire..., tous gravitent autour des Matarèse. Ils tuent impunément. Et maintenant, ils sont en train de plonger les deux super-pouvoirs dans le chaos avant d'entreprendre une manœuvre plus hardie, pour prendre le pouvoir dans l'un des deux pays. Et finalement dans les deux.

– Comment pouvez-vous être certain de ce que vous affirmez ?

– On en a attrapé un, il avait une marque sur la poitrine, c'était un soldat des Matarèse. On lui a administré des produits chimiques. Je suis resté seul dans la pièce avec mon informateur, c'est moi qui l'avais averti.

– Vous ?...

– Ecoutez-moi bien. Il y a un calendrier, mais en parler serait reconnaître le passé, et tout le monde s'y refuse. Ils prendront le pouvoir à Moscou grâce à des assassinats, à Washington grâce à des manœuvres politiques qui déboucheront, s'il le faut, sur des crimes aussi. D'ici deux mois, trois mois au plus tard, tout sera en place. Ils ont placé leurs hommes à tous les postes clefs. Ils vont mettre la machine en branle dans peu de temps, et nous serons écrasés, nous deviendrons les esclaves des Matarèse.

– Où est l'homme que vous avez attrapé ?

– Mort. Quand l'effet des produits chimiques s'est dissipé, il a avalé une pastille de cyanure. Elle était cousue sous sa peau. Il a déchiré sa propre chair pour s'en emparer.

– Assassinats ? Manœuvres politiques ? Meurtres ? Il faut être plus précis. »

Le souffle de Kroupski devenait de plus en plus court, sa tête retomba sur les oreillers. Curieusement, sa voix était de plus en plus ferme.

« Je n'ai pas le temps, je n'ai plus du tout de temps. Mes informations sont absolument sûres, elles viennent d'un homme totalement sûr, de l'homme le plus sûr de Moscou, de l'homme le plus sûr d'Union soviétique.

– Excusez-moi, mon cher Alexis. C'est vrai, vous

étiez le meilleur, mais c'était il y a longtemps, bien longtemps.

– Vous devez entrer en contact avec Beowulf Agate, coupa le vieil *istrebitel* sans prendre garde à la remarque de Vasili. A vous deux, vous devez les démasquer, mettre un terme à leurs complots. S'ils se rendent maîtres d'un des deux pays, la destruction de l'autre est absolument garantie. Je compte sur vous et sur Scofield. Vous êtes les meilleurs, maintenant, et nous avons besoin des meilleurs. »

Taleniekov regarda sans émotion apparente le vieux Kroupski en train de mourir.

« Personne ne peut me demander ça. Si Beowulf Agate était devant moi, je le tuerais, et il me tuerait de la même manière s'il le pouvait.

– Vous n'avez aucune importance ! (Le vieillard essayait désespérément de faire entrer un peu d'air dans ses poumons.) Vous n'avez pas beaucoup de temps non plus. Pouvez-vous comprendre cela ? Ils se sont infiltrés dans nos services secrets, à l'intérieur des cercles politiques les plus proches des deux gouvernements. Ils se servent de vous deux, vous pressent comme des citrons. Ils n'utilisent que les meilleurs et ne tuent que les meilleurs ! Grâce à vous, ils font diversion, à vous et aux hommes qui vous ressemblent.

– Avez-vous des preuves ?

– C'est un ensemble. J'ai étudié ça de très près. Je connais bien leurs méthodes.

– Quelles méthodes ?

– Les douilles du Graz-Burya à New York, les douilles de sept millimètres du Browning Magnum à Provasoto. Il s'en est fallu de très peu pour que Moscou et Washington ne se sautent à la gorge. C'est ainsi que procèdent les Matarèse. Ils ne tuent jamais sans laisser une preuve – très souvent les tueurs eux-mêmes –, mais ce n'est jamais la bonne preuve, ce ne sont jamais les véritables tueurs.

– On a attrapé des types qui avaient appuyé sur la détente, Alexis !

– Pas pour les bonnes raisons. Pour des raisons fournies par les Matarèse... Maintenant, ils vont nous conduire au bord du gouffre et tout renverser.

– Mais pourquoi ? »

Kroupski tourna la tête, un éclair de vie dans les yeux, un éclair de supplication.

« Je ne sais pas. Je vois la forme générale, je vois les ramifications, mais je ne connais pas les raisons. C'est ce qui m'effraie le plus. Je crois qu'il faut revenir en arrière pour comprendre. Les racines des Matarèse se trouvent en Corse. Le Corse fou. Ça a commencé avec lui. La peste corse. Guillaume de Matarèse. C'était le grand-prêtre.

– Quand ?

– Tout au début de ce siècle. Guillaume de Matarèse et son grand conseil. Le grand-prêtre et ses ministres. Ils reviennent. Il faut les arrêter. Vous devez les arrêter, vous et Scofield.

– Mais qui sont-ils ? Où sont-ils ?

– Personne ne le sait. (La voix du vieil homme était presque imperceptible maintenant.) La peste corse. Elle s'étend partout.

– Alexis, je vous en prie, écoutez-moi. (Talenie-kov ne rejetait pas la possibilité que tout cela ne fût que dans l'imagination d'un vieillard mourant, un délire qu'il ne fallait pas prendre au sérieux.) Qui est cette personne dont vous êtes absolument sûr ? Quel est cet homme que vous considérez comme le plus sûr à Moscou, dans toute l'Union soviétique ? Comment êtes-vous entré en possession des informations que vous me communiquez sur le meurtre de Blackburn, sur les détails donnés par la V.K.R. à propos de l'assassinat de Yourievitch ? Enfin et surtout, quel est cet homme inconnu qui parle d'un calendrier ? »

Kroupski, malgré la mort qui approchait, qui lui

brouillait tout, comprit les paroles de Vasili. Un pâle sourire apparut sur ses lèvres minces et décolorées.

« Presque chaque jour, un chauffeur vient me voir, de temps en temps il m'emmène faire un tour dans la campagne. Parfois, je rencontre quelqu'un. C'est la reconnaissance de l'Etat à l'égard d'un vieux soldat dont le nom a été célèbre. On me tient au courant.

– Je ne comprends pas, Alexis.

– L'homme de qui j'obtiens mes informations est le premier ministre d'Union soviétique.

– Le premier ministre ! Mais pourquoi vous ?

– C'est mon fils. »

Taleniekov sentit un frisson lui parcourit l'échine. Cette révélation expliquait tant de choses. Les déclarations de Kroupski devaient être prises au sérieux. Le vieil *istrebitel* avait eu en sa possession toutes les informations, toutes les armes nécessaires pour supprimer ceux qui auraient osé se mettre en travers de la route qui devait conduire son fils au pouvoir suprême en Union soviétique.

« Accepterait-il de me voir ?

– Jamais. A la moindre allusion aux Matarèse, il vous ferait abattre. Essayez de comprendre. Il n'aurait pas le choix, mais il sait que j'ai raison. Il est d'accord mais ne le reconnaîtra jamais. Il ne peut se le permettre. Il se demande simplement si c'est lui ou le président américain qui sera le premier pris dans la lunette d'un fusil.

– Je comprends.

– Laissez-moi, maintenant. Faites ce que vous devez faire, Taleniekov. Je suis à bout de souffle. Prenez contact avec Beowulf Agate, démasquez les Matarèse. Il faut les arrêter. La peste corse ne peut s'étendre plus loin.

– La peste corse ?... En Corse ?

– C'est par là qu'il faut commencer. La réponse se trouve peut-être là-bas. »

5

A CAUSE d'une insuffisance coronaire, Robert Winthrop était obligé de se déplacer dans un fauteuil roulant. Cela n'amoindrissait en rien la vivacité de son esprit et ne le faisait nullement s'apitoyer sur lui-même. Il avait passé toute sa vie au service de son pays et, tout au long de sa carrière, il avait toujours eu des problèmes à résoudre qu'il considérait comme plus importants que sa vie privée.

Ses invités, dans sa maison de Georgetown, oubliaient très rapidement la chaise roulante. La mince silhouette aux gestes élégants, le visage attentif et passionné leur rappelaient vite à qui ils avaient affaire : à un homme énergique à l'allure aristocratique qui, grâce à sa fortune personnelle, s'était tenu à l'écart de l'agitation des affaires pour se consacrer à l'Etat. On oubliait facilement l'homme d'Etat vieillissant et infirme, aux cheveux grisonnants et rares, à la moustache parfaitement taillée pour se souvenir de Yalta et de Potsdam, et d'un jeune homme dynamique du ministère des Affaires étrangères se penchant sur le fauteuil de Roosevelt ou au-dessus de l'épaule de Truman, pour expliquer un point difficile ou souffler une objection.

Pas mal de gens à Washington – et aussi à Londres et à Moscou – pensaient que le monde irait mieux si Robert Winthrop avait été nommé ministre des Affaires étrangères par Eisenhower. Malheureusement, les vents qui soufflaient sur les cercles politiques avaient tourné, et sa nomination n'était plus possible. Ensuite, Winthrop avait été happé pour s'occuper d'un autre domaine des affaires de l'Etat qui lui demandait toute son énergie. Il était devenu conseiller-expert pour les relations diplomatiques au ministère des Affaires étrangères.

Vingt-six ans plus tôt, Robert Winthrop avait

organisé, à l'intérieur de ce même ministère, un département nommé Opérations consulaires. Après avoir dirigé ce service pendant seize ans, il avait brusquement donné sa démission. On disait, dans certains milieux, qu'il était terrifié de voir ce qu'était devenu le bureau qu'il avait créé. Dans d'autres cercles, on affirmait qu'il était parfaitement conscient des options adoptées et de leur nécessité, mais qu'il ne pouvait mener lui-même à bien cette politique. Néanmoins, au cours des dix années qui avaient suivi sa démission, on avait toujours continué à lui demander conseil. C'était encore le rôle qu'il jouait ce soir.

Les Opérations consulaires avaient un nouveau directeur. Un agent secret, nommé Daniel Congdon, avait été libéré de ses tâches à la National Security Agency pour occuper dans la clandestinité ce poste important du ministère des Affaires étrangères. Il venait de remplacer le premier successeur de Winthrop. C'était, en fait, l'homme qu'il fallait pour prendre les dures décisions indispensables aux Opérations consulaires. Mais il était en poste depuis peu de temps et se posait certaines questions. Il avait, par exemple, un problème qu'il ne savait trop comment résoudre avec un certain Scofield. Ce dont il était sûr, c'est qu'il voulait se débarrasser de cet homme, le tenir à l'écart du ministère des Affaires étrangères. Ce qu'avait fait Brandon Alan Scofield à Amsterdam n'était pas supportable. Sa manière d'agir révélait un homme instable, un homme dangereux. On pouvait évidemment se demander s'il ne serait pas encore plus redoutable loin du contrôle des Opérations consulaires. C'était évidemment une question importante. Le nom de code de cet homme était Beowulf Agate. Il savait plus de choses sur le réseau clandestin du ministère des Affaires étrangères que n'importe quel homme vivant. Et puisque Scofield avait été mis en place à Washington, il y a bien des années, par l'ambassadeur Robert Winthrop, Congdon remontait à la source.

Winthrop avait été absolument d'accord pour voir Congdon, mais il n'avait pas voulu que la rencontre eût lieu dans un bureau impersonnel. Au cours des années, l'ambassadeur avait appris que les hommes travaillant dans des réseaux clandestins prenaient volontiers l'aspect des choses qui les entouraient. On communiquait alors grâce à des phrases courtes, sèches, décharnées, au lieu de se livrer à une conversation à bâtons rompus qui fournissait généralement un bien plus grand nombre d'informations, aussi bien sur le sujet débattu que sur la personnalité de l'interlocuteur. L'ambassadeur avait donc invité le nouveau directeur à dîner.

Le repas était fini, mais rien encore n'avait été mis sur le tapis. Congdon n'était pas étonné : l'ambassadeur examinait la surface avant de sonder plus avant. Maintenant, les choses sérieuses allaient commencer.

« Allons dans la bibliothèque, voulez-vous ? » dit Winthrop en éloignant son fauteuil roulant de la table.

Une fois installés dans la pièce aux murs tapissés de livres, l'ambassadeur alla droit au fait.

« Vous voulez me parler de Brandon ?

— En effet.

— Il n'est pas possible, n'est-ce pas, de remercier de tels hommes pour ce qu'ils ont fait, pour ce qu'ils ont perdu ? lança Winthrop. Sur le terrain, ils paient toujours un prix terrible.

— Personne ne les oblige à y aller, répliqua Congdon. D'une certaine manière, pour quelque raison, ils en ont besoin. Mais une fois qu'ils en sont sortis vivants, on peut se poser une autre question : que faire d'eux ? C'est de la dynamite ambulante.

— Que voulez-vous dire ?

— Je ne sais pas trop, monsieur l'ambassadeur. Je

voudrais le connaître mieux. Qui est-il ? D'où vient-il ? Sa famille ?...

— Parce que tel père, tel fils ?

— Pourquoi pas ? J'ai lu son dossier à plusieurs reprises : je n'ai pas encore trouvé quelqu'un qui le connaisse réellement.

— Je ne suis pas sûr que vous puissiez trouver cette personne. Brandon... (L'homme d'Etat marqua un temps et sourit.) A propos, on l'appelle Bray pour des raisons que je n'ai jamais réussi à percer

— Ah ! je peux vous renseigner là-dessus, coupa le directeur des Opérations consulaires en adressant un sourire à Winthrop tandis qu'il s'asseyait dans un fauteuil de cuir. Il avait une petite sœur qui ne pouvait pas prononcer Brandon : elle l'appelait Bray. Ce surnom lui est resté.

— On doit l'avoir ajouté au dossier depuis que je suis parti. A vrai dire, pas mal de choses ont été ajoutées à ce dossier. Quant à ses amis ou à l'absence d'amis... C'est un homme extrêmement secret, encore plus secret depuis la mort de sa femme.

— Elle a été tuée, n'est-ce pas ? murmura Congdon.

— Oui.

— En fait, il y aura juste dix ans, le mois prochain, qu'elle a été tuée à Berlin-Est. C'est ça, n'est-ce pas ?

— Oui.

— Et le mois prochain, il y aura juste dix ans que vous avez donné votre démission de directeur des Opérations consulaires. Ce service hautement spécialisé que vous aviez mis sur pied. »

Winthrop se tourna légèrement pour regarder en face le nouveau directeur.

« Ce que j'avais imaginé et ce qui a été finalement réalisé étaient deux choses totalement différentes. Au départ le service des Opérations consulaires avait un but humanitaire. Il avait été créé pour faciliter le passage à l'Ouest de milliers de personnes qui ne supportaient pas un certain système politique. Mais au cours des années – et les circonstances semblaient justifier cette nouvelle direction –, les objectifs se sont spécifiés. Les milliers de personnes sont devenues quelques centaines, et finalement les quelques centaines quelques douzaines. Nous n'étions plus intéressés par ces hommes et ces femmes qui, quotidiennement, nous demandaient de leur venir en aide. Nous ne nous occupions plus que des personnes que nous considérions comme importantes à cause de leur talent propre ou des informations qu'elles emportaient avec elles. Quelques techniciens, quelques militaires et quelques agents secrets suffisaient pour faire marcher ce service. Il en est toujours ainsi. Ce n'était pas du tout ce qui avait été prévu au départ.

– Mais vous avez fait remarquer à juste titre, monsieur, que les circonstances avaient justifié le changement.

– Ne vous méprenez pas, je ne suis pas naïf. J'ai eu affaire aux Russes à Yalta, à Potsdam, à Casablanca. J'ai vu avec quelle brutalité ils sont intervenus en Hongrie, en 1956. J'ai vu toutes sortes d'horreurs en Tchécoslovaquie et en Grèce. Je sais de quoi les Soviétiques sont capables aussi bien que n'importe quel responsable des services secrets. Pendant des années, j'ai permis qu'on écoute, qu'on prenne en considération les positions les plus dures. J'en comprenais la nécessité. Pensez-vous que je ne la comprenais pas ?

– Bien sûr que non. Je voulais simplement dire... »

Congdon hésita.

« Vous avez simplement établi un rapprochement entre l'assassinat de la femme de Scofield et ma démission, dit doucement l'homme d'Etat.

– Oui, monsieur. Je m'excuse, et je n'ai pas l'intention de me mêler de ce qui ne me regarde pas. Malheureusement, les circonstances...

– ... ont justifié le changement. En vérité c'est ce qui est arrivé. C'est moi qui ai recruté Scofield, c'est dans le dossier. D'ailleurs, je suppose que c'est pour cela que vous êtes ici ce soir.

– Il y avait donc un rapport ?... dit Congdon avec hésitation.

– C'est exact. Je me sentais responsable.

– Mais il y a eu sûrement d'autres incidents, d'autres hommes... d'autres femmes...

– Ce n'était pas la même chose, monsieur Congdon. Savez-vous pourquoi on a pris pour cible la femme de Scofield, cet après-midi-là à Berlin-Est ?

– Je suppose que c'était un piège qu'on tendait à Scofield lui-même. Elle est tombée dedans et pas lui.

– Un piège à Scofield, à Berlin-Est ?

– Il avait des contacts dans le secteur soviétique. Il pénétrait fréquemment dans leur territoire pour organiser son travail. J'imagine qu'ils voulaient s'emparer de lui et démanteler ses réseaux. Le corps de sa femme avait été fouillé, son sac avait disparu. Ce n'est pas tellement surprenant.

– Vous pensez que Scofield avait utilisé sa femme dans cette opération ? » demanda Winthrop.

Congdon acquiesça.

« Ce n'est pas tellement surprenant, monsieur.

– Pas surprenant ? Dans le cas de Scofield, en tout cas, c'était parfaitement impossible. Elle lui servait de couverture à l'ambassade, mais elle n'a jamais été ni de loin ni de près mêlée à ses activités clandestines. Non, monsieur Congdon, vous avez tort. Les Russes savaient très bien qu'ils ne pourraient jamais piéger Bray Scofield à Berlin-Est. Il était trop fort, trop efficace... Insaisissable. Ils ont attiré sa femme au-delà de la ligne de démarcation et ils l'ont tuée pour une tout autre raison.

– Je ne comprends pas.

– Un homme rendu fou furieux manque de prudence. C'est ce à quoi voulaient arriver les Soviétiques. Mais pas plus que vous ils ne savaient à qui ils avaient affaire. La fureur de Scofield s'est transformée en détermination. Il allait frapper l'ennemi partout où cela était possible. Si c'était un professionnel sans pitié avant la mort de sa femme, il est devenu d'une férocité diabolique après.

– Je ne suis pas absolument certain de comprendre.

– Faites un effort, monsieur Congdon. Il y a vingt-deux ans, j'ai rencontré un étudiant en sciences politiques à Harvard. Un jeune homme qui avait un don indiscutable pour les langues et une forte personnalité qui présageaient au mieux de son avenir. Mes agents l'ont recruté, nous l'avons envoyé à Syracuse à l'école Maxwell. Ensuite il est revenu à Washington pour entrer aux Opérations consulaires. C'était un bon début pour une brillante carrière au ministère des Affaires étrangères. (Winthrop marqua un temps d'arrêt, les yeux perdus dans les souvenirs.) Je ne pensais pas une seconde qu'il allait rester dans le service des Opérations consulaires. Curieusement, je croyais que ce bureau pouvait lui servir de tremplin pour atteindre les échelons les plus élevés du corps diplomatique. Une ambassade, peut-être. Ses dons devaient pouvoir s'exprimer à la table des conférences internationales... Mais quelque chose s'est déréglé, poursuivit l'homme d'Etat en jetant un regard absent au nouveau directeur. Au fur et à mesure que les Opérations consulaires changeaient, Brandon Scofield changeait lui aussi. Comme les transfuges étaient des personnalités de plus en plus importantes, la violence augmentait, dans des proportions considérables, des deux côtés. Très vite, Scofield a demandé de recevoir un entraînement de commando parachutiste. Il a passé cinq mois en Amérique centrale pour apprendre les techniques de survie les plus efficaces et les plus dures – les techniques offensives et les techniques défensives. Il est devenu un spécialiste du codage et du décodage : il aurait pu être cryptanalyste à la National Security

Agency. Il est ensuite retourné en Europe, et là, il est devenu *le* spécialiste.

– Il comprenait les exigences de sa tâche, fit Congdon impressionné. Tout à fait louable, en vérité.

– Certes, certes ! reconnut Winthrop. Mais, si vous voulez, c'était arrivé. Je veux dire qu'il avait atteint un point de non-retour, il ne pouvait plus revenir en arrière. On ne l'aurait plus jamais admis autour d'une table de conférence. On l'aurait rejeté avec diplomatie, certes, mais avec force. Sa réputation était bien établie; le brillant étudiant en sciences politiques recruté par le ministère des Affaires étrangères était maintenant un tueur. Peu importe la justification, il était devenu un tueur professionnel. »

Congdon remua dans son fauteuil.

« Je crois qu'on dirait plus volontiers que c'était un soldat sur le champ de bataille, un champ de bataille sans limites précises, extrêmement dangereux... Un combat sans fin. Il devait rester en vie monsieur Winthrop.

– Evidemment. Et il a parfaitement réussi, lança le vieux monsieur. Scofield a pu changer, a pu s'adapter à de nouvelles règles. J'en étais incapable. Quand sa femme a été tuée, je savais que je n'étais plus à ma place. Je me suis rendu compte de ce que j'avais fait : j'avais engagé un jeune homme dans une voie qui n'était pas celle que j'avais prévue. Les activités humanitaires des Opérations consulaires s'étaient curieusement transformées – évidemment, les circonstances justifiaient ces changements. Je devais regarder la situation en face. Je ne pouvais plus rester en poste.

– Mais pendant plusieurs années, vous avez demandé à être informé du travail de Scofield. C'est dans son dossier, monsieur. Puis-je vous demander pourquoi ? »

Winthrop grimaça comme s'il se posait la question à lui-même.

« Je ne sais pas trop. Un véritable intérêt pour ce

garçon, sans doute, peut-être même une sorte de fascination. Ou peut-être voulais-je me punir, ce n'est pas hors de question. Les rapports restaient parfois plusieurs jours dans mon coffre avant que je ne les lise. Et évidemment, après ce qui s'est passé à Prague, j'ai demandé à ne plus les recevoir.

— Par Prague, je suppose que vous faites allusion à l'incident concernant un courrier.

— Incident est un mot tellement impersonnel, n'est-ce pas ? Il s'applique parfaitement à Scofield dans ce rapport. Le professionnel qui agissait pour survivre, qui agissait en soldat se révèle soudain être un tueur assoiffé de sang, frappant par pure vengeance. La transformation était totale. »

Le nouveau directeur des Opérations consulaires remua de nouveau sur son siège et croisa les jambes d'un air gêné.

« Il a été établi que le courrier de Prague était le frère de l'agent du K.G.B. qui avait ordonné la mort de la femme de Scofield.

— C'était le frère, ce n'était pas l'homme qui avait donné l'ordre. C'était un tout jeune homme, un messager sans importance.

— Il aurait pu monter en grade.

— Où les choses s'arrêtent-elles ?

— Je ne peux pas répondre à cette question. Mais je peux comprendre Scofield, je peux comprendre ce qu'il a fait. Je ne suis pas sûr que je n'aurais pas agi de la sorte.

— Sans me flatter, dit l'homme d'Etat vieillissant, je ne suis pas sûr que j'aurais fait de même. Et je ne suis pas sûr non plus que le jeune homme de Harvard aurait agi ainsi. Est-ce que je me fais comprendre, est-ce que vous voyez ce que je veux dire ?

— Parfaitement, monsieur. Mais pour ma défense et pour celle du Scofield actuel, ce n'est pas nous qui avons créé le monde dans lequel nous agissons. Je pense qu'il est juste de préciser ce point.

– J'en conviens, monsieur Congdon, j'en conviens. Mais vous le perpétuez. »

Winthrop dirigea sa chaise roulante vers son bureau pour prendre une boîte de cigares. Il la tendit au directeur qui secoua la tête en signe de refus.

« Je ne les aime plus, mais sous le règne de Kennedy nous devions toujours avoir une réserve de havanes.

– Etes-vous contre ?

– Non. Autant que je me souvienne, le négociant canadien qui les fournissait était un des meilleurs informateurs du président à Cuba.

– Etes-vous dans ce métier depuis si longtemps ?

– Je suis entré à la National Security Agency quand Kennedy était sénateur... Savez-vous que depuis peu Scofield s'est mis à boire ?

– Je ne sais plus rien du Scofield actuel, comme vous l'appelez.

– Dans son dossier, on mentionne qu'il fait usage d'alcool, mais jamais avec excès.

– C'est évident, autrement il ne pourrait pas faire le travail qu'il fait.

– Il est possible que ça le gêne, maintenant.

– Possible ? Ça le gêne ou ça ne le gêne pas ? Ce n'est pas très difficile à démontrer. S'il boit avec excès, de toute évidence, ça le gêne. Je suis désolé d'apprendre ça, mais à vrai dire je n'en suis pas tellement surpris.

– Oh ? (Congdon se pencha légèrement en avant. Visiblement, il pensait qu'il était sur le point d'obtenir l'information dont il avait besoin.) A l'époque où vous le connaissiez, y avait-il chez lui des signes d'instabilité ?

– Absolument pas.

– Mais vous venez de dire que vous n'êtes pas tellement surpris.

– C'est vrai. Ça ne m'étonnerait pas du tout qu'un homme intelligent en arrive à boire après avoir passé tant d'années à vivre d'une manière si peu naturelle. Scofield est – ou était – un homme sensible, et Dieu sait qu'il a vécu d'une manière peu naturelle. Ce qui m'étonne, c'est qu'il ait fallu tant de temps pour que cela lui arrive, pour que cela le touche. Comment survivre tout au long des nuits ?

– Une question d'adaptation. Comme vous l'avez dit, il s'est adapté brillamment.

– Tout cela est si peu naturel, soupira Winthrop. Qu'allez-vous faire de lui ?

– On l'a rappelé à Washington, je ne veux plus le voir en activité.

– Bien. Mettez-le dans un bureau, donnez-lui une jolie secrétaire et plongez-le dans des problèmes d'analyses théoriques. C'est ce qu'on fait généralement, n'est-ce pas ? »

Congdon hésita un instant avant de répondre.

« Monsieur Winthrop, je veux qu'il quitte le ministère des Affaires étrangères. »

Le père des Opérations consulaires leva les sourcils.

« Vraiment ? Vingt-deux ans de service ne suffisent pas pour obtenir une petite pension ?

– Ce n'est pas le problème. On peut faire de très généreux transferts de fonds. Ça se pratique communément, de nos jours.

– Que va-t-il faire de sa vie ? Quel âge a-t-il ? Quarante-cinq, quarante-six ?

– Quarante-six.

– Il n'est pas prêt pour s'asseoir dans un truc comme ça, dit l'homme d'Etat en donnant une petite tape à la roue de son fauteuil. Puis-je vous demander comment vous en êtes arrivé là ?

– Je ne veux plus le voir mêlé à nos activités clandestines. Selon nos toutes dernières informations, il devient agressif, hostile à certains principes fondamentaux. Il pourrait avoir une influence négative.

– Quelqu'un a dû faire une sacrée bévue, dit Winthrop en souriant. Bray n'a jamais montré beaucoup de patience avec les imbéciles.

– J'ai parlé de principes fondamentaux, monsieur, les personnes ne sont pas en cause.

– Malheureusement, monsieur Congdon, les personnes sont mêlées aux principes fondamentaux, ce sont elles qui les émettent. Mais il ne s'agit probablement pas de ça... au point où nous en sommes. Pourquoi êtes-vous venu me voir ? Vous avez de toute évidence pris votre décision. Que puis-je ajouter ?

– Donnez-moi votre avis. Comment va-t-il accepter tout ça ? Peut-on lui faire confiance ? Il connaît plus de choses sur nos opérations, nos contacts, nos tactiques que n'importe quel homme en Europe. »

Le regard de Winthrop devint brusquement glacé :
« Et quelle est l'alternative, monsieur Congdon ? »

Le nouveau directeur rougit légèrement, il saisissait parfaitement l'insinuation.

« Surveillance, filature, table d'écoute, courrier intercepté. Comme vous voyez, je suis franc.

– Vraiment ? (Winthrop dévisagea l'homme assis en face de lui.) Ou attendez-vous un mot de moi ou une question qui puisse vous fournir une autre solution ?

– Je ne vois pas ce que vous voulez dire.

– Je pense que vous voyez très bien. J'ai entendu parler de ça par hasard. Ça me terrifie. On envoie des messages à Prague, à Berlin, à Marseille, disant que l'homme en question n'est plus en activité, qu'il est hors circuit. Mais il est nerveux, il boit trop, il risque de parler, de donner les noms de contacts, tout un réseau peut être dévoilé... Le sens profond du message est celui-ci : « Vos vies sont en danger. » On se met donc d'accord pour qu'un autre homme, peut-être deux ou trois prennent l'avion à Prague, à Berlin, à Marseille... Ils se retrouvent à Washington avec un seul objectif : rendre définitivement muet l'homme qui est hors circuit. Ensuite, tout le monde se sent mieux, et les services de renseignement américains – qui, bien entendu, se sont tenus à l'écart – peuvent de nouveau respirer tranquillement. Oui, monsieur Congdon, cela me terrifie. »

Le nouveau directeur des Opérations consulaires, immobile dans son fauteuil, répondit d'une voix monotone.

« Dans la mesure où je suis au courant de pas mal de choses, monsieur Winthrop, je peux affirmer que l'éclairage dirigé sur cette solution a été excessif. Ça n'a rien à voir avec la réalité. Je serai tout à fait franc avec vous. En quinze ans d'activité, je n'ai entendu parler de cette solution qu'à deux reprises... et dans les deux cas, ces agents étaient absolument irrécupérables. Ils avaient été achetés par les Russes, ils donnaient des noms.

– Est-ce que Scofield est irrécupérable ? C'est le mot que vous avez employé, n'est-ce pas ?

– Si vous voulez dire par là que je pense qu'il a été acheté par les Russes, je réponds non d'une manière catégorique. C'est la dernière chose qu'il ferait. Franchement, je suis venu ici pour en savoir plus à son sujet. Je suis sincère. Comment va-t-il réagir lorsqu'il apprendra qu'on ne veut plus de lui ? »

Winthrop se tut quelques secondes : il se sentait soulagé. Puis son front se plissa de nouveau :

« Je n'en sais rien parce que je ne connais pas le Scofield actuel. C'est tout l'un, tout l'autre, n'est-ce pas ? Il ne peut pas y avoir de demi-mesure ?

– Si je pensais qu'il y a une solution acceptable pour tous les deux, je sauterais dessus.

– A votre place, j'essaierais d'en trouver une.

– En tout cas pas à l'intérieur de l'agence, dit Congdon d'un ton ferme. De ça, je suis absolument sûr.

– Alors puis-je vous suggérer quelque chose ?

– Je vous en prie.

– Envoyez-le à l'autre bout du monde dans un

endroit tranquille où il se fera oublier. Soufflez-lui ça dans l'oreille, il comprendra.

— Croyez-vous ?

— Oui. Bray ne s'est jamais fait d'illusions, il ne s'est jamais mis d'œillères. C'était une de ses qualités essentielles. Il comprendra parce que moi je comprends. Vous venez de me parler d'un moribond, n'est-ce pas ?

— Sa santé est excellente.

— Oh ! Je vous en prie », jeta Robert Winthrop.

Scofield éteignit le poste de télévision, il n'avait pas vu d'informations à la télévision américaine depuis plusieurs années, depuis qu'il avait été rappelé à Washington pour une consultation interopérationnelle. Il n'était pas absolument certain qu'il voulait en voir d'autres avant un sacré bout de temps. Il ne pensait pas que les nouvelles dussent être dites sur un ton d'enterrement, mais les ricanements et les clins d'œil au public qui accompagnaient l'annonce des incendies et des viols lui paraissaient intolérables.

Il était sept heures vingt. Il consulta sa montre. Elle indiquait minuit vingt; elle était toujours réglée sur l'heure d'Amsterdam. Il avait rendez-vous au ministère des Affaires étrangères à huit heures du soir. C'était la norme pour les gens de sa sorte et de sa position. Ce qui était un peu bizarre, c'était l'endroit du rendez-vous : le ministère des Affaires étrangères. Presque toujours, ou même toujours, les chargés de mission des Opérations consulaires étaient convoqués dans des lieux sûrs : dans une maison de la campagne du Maryland ou dans une suite d'un hôtel international dans le centre de Washington. Jamais au ministère des Affaires étrangères. En tout cas pas pour les agents en activité. Donc Bray savait qu'il était fini. On l'avait rappelé dans un seul but : pour le liquider. Vingt-deux ans, et puis voilà; c'était fini. Une toute petite parcelle de temps dans laquelle étaient entassées les choses qu'il savait – tout ce qu'il avait appris, compris, enseigné. Il s'attendait à avoir une quelconque réaction, il n'en avait aucune. Il avait l'impression d'être au spectacle, de voir la silhouette de quelqu'un d'autre sur le mur blanc. La fin était évidente, mais il avait le sentiment que ce n'était pas lui qui était mêlé à ces événements. Ils n'éveillaient que sa curiosité : comment allait-on s'y prendre ?

Le bureau du sous-secrétaire d'Etat Daniel Congdon était peint en blanc. C'était déjà ça, pensait Scofield en écoutant le discours monotone de son directeur. Un tas d'images défilaient devant lui, des visages, des tas de visages apparaissaient avec une étonnante netteté puis s'évanouissaient. Des visages sur lesquels il pouvait mettre un nom, d'autre à peine entr'aperçus, des visages concentrés pour voir, pour penser, des visages en pleurs, des visages souriant, éclatant de rire, des visages en train de mourir, des visages morts.

Sa femme. A cinq heures du soir. Unter den Linden.

Des hommes et des femmes en train de courir, s'arrêtant brusquement. En pleine lumière.. Dans la pénombre.

Mais où donc était Scofield ? Il n'était pas là.

Il était devenu spectateur.

Et puis, brusquement, il était de nouveau concerné. Il n'était pas très sûr de ce qu'il venait d'entendre, de quoi avait parlé ce diplomate froid et efficace ? De Berne en Suisse ?

« Pardonnez-moi, mais...

– Les fonds seront versés sur un compte à votre nom, chaque année.

– En plus de la pension qui me revient normalement ?

– Exactement, monsieur Scofield. D'ailleurs, à ce propos, vos années de service ont été nettement allongées, vous obtiendrez le maximum.

– Vous êtes très généreux. »

C'était vrai. Bray fit rapidement un calcul mental : il aurait un revenu de plus de cinquante mille dollars par an.

« Pour revenir à des questions terre à terre, cet argent vous est donné pour remplacer tout ce que vous pourriez gagner en vendant des livres ou des articles parlant de vos activités en tant qu'agent des Opérations consulaires.

– Je vois, je vois, dit Bray doucement. Un tas de livres sur ce sujet sont sortis récemment, n'est-ce pas ? Marchetti, Agee, Snepp.

– Précisément. »

Scofield commençait à s'énerver, les salauds n'apprennent jamais :

« Voulez-vous dire par là que si vous leur aviez ouvert un compte en banque, ils n'auraient pas écrit ce qu'ils ont écrit ?

– On peut écrire pour différentes raisons, mais en effet je ne rejetterais pas cette hypothèse.

– Rejetez-la, coupa Bray sèchement. Je connais deux de ces hommes.

– Vous refusez l'argent ?

– Fichtre, non, je le prends. Quand je déciderai d'écrire un livre, vous serez le premier informé.

– Je ne vous le conseille pas, monsieur Scofield. Certains secrets ne peuvent être dévoilés, c'est la sécurité de l'Etat. Vous seriez poursuivi, condamné à des années de prison.

– Et si les tribunaux me donnaient raison, il y a d'autres moyens, n'est-ce pas ? Par exemple, une balle dans la tête alors qu'on conduit une voiture prise dans un embouteillage.

– Les lois ne sont pas faites pour les chiens, grogna le sous-secrétaire d'Etat. Je ne vois pas ce que vous voulez dire.

– Jetez un coup d'œil dans mon dossier zéro-zéro. J'ai suivi un entraînement avec un type en Honduras, je l'ai abattu à Madrid. Il était originaire d'Indianapolis, son nom était...

– Le passé ne m'intéresse pas, coupa brutalement Congdon. Je voudrais simplement qu'on se comprenne un peu l'un l'autre.

– Nous nous comprenons parfaitement ! Vous pouvez vous rassurer, je ne vais pas... dévoiler des secrets d'Etat. Je sais que je ne fais pas le poids, et je ne suis pas tellement courageux.

– Ecoutez, Scofield, dit le sous-secrétaire d'Etat en se penchant en avant avec un sourire, je sais que ce que je vais dire ressemble à un lieu commun, mais chacun de nous, à un moment donné, doit renoncer à son travail sur le terrain. Je serai franc avec vous.

– Ça m'énerve quand j'entends ça, répondit Bray avec un sourire sinistre.

– Pardon ?

– Quand on me parle de franchise ! Comme si vraiment il pouvait être question de ça.

– Je suis franc, croyez-moi.

– Moi aussi. Si vous cherchez une dispute, vous serez déçu, je vais tranquillement m'évanouir dans la nature.

– Mais nous ne voulons pas de ça, fit Congdon en posant ses coudes sur son bureau.

– Oh ?

– Bien sûr que non ! Pour nous, vous êtes un homme d'une valeur incalculable. Le monde ne va pas s'arrêter, les tensions vont continuer. Nous voulons pouvoir compter sur vous à n'importe quel moment. »

Scofield dévisagea l'homme assis en face de lui.

« Pas au niveau opérationnel, pas au niveau stratégique.

– En effet, vous serez en disponibilité. Evidemment, nous voulons connaître votre adresse, les voyages que vous avez l'intention d'entreprendre...

– Je m'en serais douté. Mais je suis rayé de la liste, je suis liquidé.

– Si vous voulez... Mais vous ne serez pas rayé de la liste, simplement une note dans le dossier zéro-zéro. »

Scofield se sentait de marbre, il avait l'impression qu'il était en train de négocier, dans l'ombre, une affaire particulièrement difficile :

« Un instant, s'il vous plaît, je cherche à comprendre. Vous voulez me liquider officiellement, mais personne ne doit être au courant. Et, bien que je sois mis hors circuit, je dois rester en contact avec vous à tout moment.

– Je vous l'ai dit, ce que vous savez a une valeur inestimable pour nous, nous payons pour ça.

– Pourquoi cette note, alors, dans le dossier zéro-zéro ?

– J'ai pensé vous être agréable. Si vous n'avez plus de responsabilité officielle, vous êtes encore parmi nous, vous gardez un certain statut.

– J'aimerais savoir pourquoi.

– Je serai... (Congdon marqua un temps d'arrêt, un sourire embarrassé apparut sur son visage.) Nous ne voulons absolument pas vous perdre...

– Alors pourquoi me liquider ? »

Le sourire disparut :

« Je vous ai dit ce que je pense. Vous pouvez en avoir confirmation en parlant avec un de vos vieux amis, Robert Winthrop. Je lui ai dit exactement la même chose.

– Winthrop ? Ça remonte loin. Que lui avez-vous dit ?

– Que je ne voulais plus vous voir en activité... Je suis prêt à tirer sur le budget et à rallonger vos années de service pour cela. J'ai entendu ce que vous avez dit à Amsterdam, Charles Englehart avait un micro sur lui. »

Bray émit un petit sifflement :

« Cette vieille fripouille de Charlie... J'aurais dû m'en douter.

— Je pensais que vous le saviez, que vous nous envoyiez un message personnel. De toute façon, nous l'avons reçu. Il y a beaucoup de travail, ici, et nous n'avons absolument pas besoin de cette sorte d'entêtement, de ce cynisme.

— Voilà qui est parfaitement clair.

— Mais le reste est vrai aussi. Nous avons besoin de vous en tant qu'expert. Il faut que nous puissions vous atteindre à n'importe quel moment, que vous puissiez nous atteindre à n'importe quel moment. »

Bray hocha la tête :

« Et la note dans le dossier zéro-zéro signifie que ma liquidation est top secret. Les mecs sur le terrain ne sauront pas que je suis liquidé.

— Exactement.

— Très bien, fit Scofield en enfonçant la main dans sa poche pour prendre une cigarette. Je pense que vous faites beaucoup d'embarras pour avoir prise sur moi. Mais, comme vous dites, vous payez pour ça. Une suite d'instructions aux types sur le terrain aurait eu exactement le même effet, hors circuit jusqu'à nouvel ordre, classification spéciale.

— On aurait posé trop de questions, c'est plus simple comme ça.

— Vraiment ? (Bray alluma une cigarette, il y avait un peu de malice dans ses yeux.) Alors tout est parfait.

— Je suis content que nous nous soyons compris. Tout ce que vous avez reçu, vous l'avez toujours gagné, j'espère qu'il en sera encore ainsi... Ce matin, j'ai jeté un coup d'œil à votre dossier. Vous aimez l'eau, vous avez pris des centaines et des centaines de contacts à bord de bateaux, la nuit. Pourquoi ne pas essayer de faire la même chose en plein soleil ? Vous avez de l'argent, pourquoi ne vous installeriez-vous pas dans un endroit comme les Caraïbes pour profiter un peu de la vie ? Franchement, je vous envie. »

L'entrevue était terminée. Bray se leva :

« Merci du conseil. C'est une chose en effet que je peux faire. J'aime les pays chauds. (Il tendit le bras en direction de Congdon, les deux hommes se serrèrent la main.) Vous savez que cette note dans le dossier zéro-zéro m'inquiéterait si vous ne m'aviez pas demandé de venir ici.

– Que voulez-vous dire ? »

La poignée de main était maintenant figée.

« Eh bien, nos hommes ne sauront pas que je suis terminé, mais les Soviétiques le sauront. Ils me ficheront la paix, maintenant. Quand quelqu'un comme moi est mis à l'écart, beaucoup de choses changent. Les contacts, les codes, les noms de code, les planques... Tout est bouleversé. Ils connaissent la règle du jeu, ils me laisseront tranquille. Merci beaucoup.

– Je ne suis pas sûr de comprendre ce que vous me dites là, fit le sous-secrétaire d'Etat.

– Oh ! rien de particulier, je vous dis simplement merci. Vous savez aussi bien que moi que le K.G.B. à Washington a ses caméras braquées sur vos fenêtres vingt-quatre heures sur vingt-quatre. Aucun agent en activité n'a jamais été convoqué ici. Depuis une heure, ils savent que je suis liquidé. Merci encore monsieur Congdon. Vous êtes plein de considération. »

L'homme du ministère des Affaires étrangères, le directeur des Opérations consulaires, regarda Scofield traverser le bureau et refermer lentement la porte derrière lui.

Et voilà, c'était fini, tout était fini. Il n'aurait plus jamais à courir vers des chambres d'hôtel transformées en planques pour voir si un message codé était arrivé. Il n'aurait plus jamais besoin de changer trois fois de véhicule pour aller d'un point A à un point B. Mais il était nécessaire de mentir à Congdon. Probablement, les Soviétiques savaient déjà qu'il avait été liquidé. S'ils ne le savaient pas encore, ils le sauraient bientôt. D'ici quelques mois, lorsque le K.G.B. se serait vraiment rendu compte de son inactivité, ils décideraient de le considérer comme un homme fini. C'était la règle. On transformerait les codes, on changerait de tactique, les Russes le laisseraient tranquille, ils ne l'abattraient pas.

Mais rien que pour voir sa tête à ce moment-là, ça valait le coup d'avoir menti à Congdon. *Nous aimerions ne pas vous rayer de la liste, une simple note dans le dossier zéro-zéro.* Quelle naïveté ! Il était convaincu d'avoir réussi à créer les conditions de l'exécution d'un de ses hommes, d'un homme qu'il considérait comme dangereux. Un supposé agent secret serait abattu par les Soviétiques, tout simplement parce qu'ils aimaient tuer. Alors – mettant en avant l'exclusion officielle – le ministère des Affaires étrangères déclinerait toute responsabilité. On irait même jusqu'à dire que l'homme abattu avait refusé toute protection.

Les salauds ne changent jamais. Heureusement, ils ne savent pas grand-chose. On ne tue jamais pour tuer, il faut une raison. Les retombées risqueraient autrement d'être catastrophiques. On vise toujours un but : apprendre quelque chose en supprimant un maillon essentiel dans une chaîne, empêcher que quelque chose n'arrive... ou encore donner une leçon. Il y a toujours une raison.

En dehors de quelques exceptions, comme ce qui s'était passé à Prague. Cela d'ailleurs pouvait être considéré comme une leçon : *un frère contre une femme.*

Et tout cela était fini. Il n'était plus question de créer de nouvelles stratégies, de prendre des décisions qui finiraient par aboutir à une défection ou à un retournement d'un vivant ou, quelquefois, d'un mort. Tout cela était fini. Finis aussi, sans aucun doute, les chambres d'hôtel, les lits crasseux dans les quartiers pouilleux des grandes villes. Il en avait tellement assez de tout ça, il les haïssait tellement, ces chambres. A part une brève période – tellement brève, terriblement brève –, il n'avait jamais eu un endroit à lui depuis vingt-deux ans.

Mais cette brève période – vingt-sept mois, pour être exact – lui avait permis par la suite de surmonter les affres de milliers de cauchemars. Ces souvenirs ne le quitteraient jamais, ils le soutiendraient jusqu'à la fin de ses jours.

C'était un tout petit appartement à Berlin-Ouest. Mais c'était un lieu d'amour, de rêves et de rires, un endroit qu'il pensait ne pouvoir jamais connaître. Carine, cette enfant si belle, si merveilleuse, avec ses grands yeux curieux, avec ses fous rires qui la secouaient tout entière, et cette sérénité qui s'emparait d'elle lorsqu'elle le caressait. Ils s'appartenaient vraiment...

Morte à cinq heures du soir dans la Unter den Linden.

Horrible ! Un appel téléphonique, un mot de passe. Son mari avait besoin d'elle, désespérément. S'adresser à l'un des gardes au poste de contrôle. Vite !

Et un des fumiers du K.G.B. avait bien ri. En attendant Prague. Après Prague, le rire s'était éteint à jamais chez cet homme.

Scofield sentit un picotement sous ses paupières, essuya ses yeux avec son gant et traversa la rue.

De l'autre côté, il apercevait la devanture éclairée d'une agence de voyages. Sur les affiches s'étalaient des corps idéalisés, irréels, baignant dans le soleil. Cet imbécile de Congdon n'avait pas tort. Les Caraïbes, ce n'était pas si bête que ça. Aucun service secret au monde qui se respecte n'envoie d'agents dans les Caraïbes. On ne sait jamais ce qui pourrait arriver... Une fois que Scofield serait là-bas, ce serait clair pour les Soviétiques qu'il était hors circuit. Il avait toujours voulu aller aux Grenadines... Pourquoi pas maintenant ? Demain matin...

Un reflet dans la vitre. Une mince silhouette impersonnelle, là-bas, de l'autre côté de la rue, se tenait dans l'ombre. En fait, Bray ne l'aurait pas remarquée si l'homme n'était pas passé un bref instant dans la flaque de lumière d'un réverbère. L'inconnu en tout cas aimait l'ombre. Indiscutablement, Scofield était suivi, et l'homme qui le suivait n'était pas un débutant, il ne s'était pas écarté brusquement du cercle de lumière, il marchait avec décontraction, se fondant avec ce qui l'entourait. Les mouvements étaient coulés, glissés. Scofield se demanda si ce n'était pas un de ses élèves.

Il aimait les vrais professionnels, il allait féliciter le type et lui souhaiter de tomber sur un travail moins difficile la prochaine fois. Le ministère des Affaires étrangères ne perdait pas de temps. Congdon voulait avoir un rapport tout de suite. Bray esquissa un sourire. Le sous-secrétaire d'Etat pouvait compter dessus, il allait avoir son premier rapport. Certainement pas celui qu'il attendait, mais celui qu'il méritait.

Et la danse commença, une petite pavane entre deux professionnels. Scofield s'éloigna de la devanture de l'agence de voyages, marchant de plus en plus vite au fur et à mesure qu'il se rapprochait du coin de la rue, là où les taches de lumière des quatre lampadaires se chevauchaient. Brusquement, il tourna à gauche comme s'il voulait retraverser la rue, puis il s'arrêta au beau milieu de la chaussée pour regarder la plaque sur le mur. Un homme plus très sûr de son chemin, de l'endroit où il se trouve. Ensuite, il fit demi-tour pour retourner au coin de la rue, il courait presque en y arrivant. Il suivit le trottoir pendant quelques mètres puis se plaqua dans l'ombre d'une porte au moment où il atteignait la première vitrine non éclairée. Il s'immobilisa.

A travers la vitrine en angle droit, il avait une vue d'ensemble du coin de la rue. L'homme qui le suivait serait maintenant obligé de passer dans les ronds de lumière, il ne pouvait pas les éviter. Une proie était en train de s'échapper, il n'y avait pas de temps à perdre, il n'était plus question de chercher l'ombre.

La silhouette emmitouflée traversa la rue à toute vitesse. Le visage était en pleine lumière.

Ses yeux lui faisaient mal, le sang bourdonnait dans sa tête. Scofield se mit à trembler. Il essaya en vain de contrôler la rage et la stupeur qui venaient de s'emparer de lui, qui le bouleversaient. L'homme au coin de la rue n'appartenait pas au ministère des Affaires étrangères, ce n'était pas un homme des services secrets américains.

C'était un homme du K.G.B., du K.G.B. de Berlin-Est !

C'était l'un de la demi-douzaine de visages que Scofield avait étudiés sur des photographies à Berlin dix ans plus tôt au point de pouvoir les reconnaître après de nombreuses années et sous n'importe quel déguisement.

Morte à cinq heures du soir dans la Unter den Linden. Son enfant chérie, son adorable Carine, piégée au poste de contrôle par l'équipe du plus horrible tueur de l'Union soviétique, l'équipe de Vasili Taleniekov. L'ordure !

C'était un des hommes qui avaient participé à l'opération, un des tueurs de Taleniekov.

Ici, à Washington, quelques minutes à peine après sa liquidation !

Ainsi le K.G.B. était au courant, quelqu'un à Moscou avait décidé de donner un certain éclat à la liquidation de Beowulf Agate. Un seul homme était capable d'une telle chose, d'une telle précision, Vasili Taleniekov. L'ordure !

Tout en regardant à travers la vitre, Bray prit rapidement une décision. Il savait ce qu'il allait faire, il allait envoyer un dernier message à Moscou. Ce serait une sorte de couronnement, un point d'orgue pour marquer la fin d'une ère et le commencement d'une nouvelle – quelle qu'elle pût être.

Il allait piéger le tueur du K.G.B. et l'abattre.

Il quitta l'encoignure de la porte et se mit à courir le long du trottoir en zigzaguant dans la rue déserte. Il entendit derrière lui un bruit de course.

6

L'AVION de l'Aéroflot, parti de Moscou en fin de soirée, approchait maintenant de la mer d'Azov située au nord-est de la Crimée. Il arriverait à Sébastopol à une heure du matin, après cinquante minutes de vol. L'appareil était plein, les passagers, dans l'ensemble, joyeux. Ils partaient en vacances, laissant derrière eux leurs bureaux et leurs usines. En revanche, les militaires qui se trouvaient là – des soldats et des marins – étaient nettement moins gais. Pour eux, la mer Noire n'était nullement évocatrice de farniente. Leur permission, passée à Moscou, était terminée et ils retournaient à leur base maritime ou aérienne. Assis à l'arrière de l'avion se trouvait un homme tenant entre ses genoux serrés une boîte à violon en cuir sombre. Ses vêtements froissés n'avaient rien de particulier mais ils contrastaient avec le visage aigu et énergique, et les yeux clairs et perçants. Le nom porté sur ses papiers d'identité était Piotr Rydoukov. C'était un musicien. Son laissez-passer indiquait brièvement qu'il rejoignait l'orchestre symphonique de Sébastopol en tant que troisième violon. Tout cela était faux. Il s'agissait en fait de Vasili Taleniekov, un des maîtres indiscutables des services secrets soviétiques. Un ancien grand stratège, un ancien directeur des services opérationnels du K.G.B. à Berlin-Est, à Varsovie, à Prague, à Riga et dans le secteur sud-ouest qui comprenait Sébastopol, le Bosphore, la mer de Marmara et les Dardanelles. C'était à ce dernier poste qu'il avait émis les papiers qui lui permettaient de prendre l'avion en direction de Sébastopol. C'était aussi le début d'un voyage qui devait le conduire hors de Russie.

Il y avait des dizaines de filières pour sortir d'Union soviétique. Cela faisait partie de son travail de les découvrir et de les rendre inutilisables. Il agissait sans pitié, abattant presque toujours les agents de l'Ouest qui les tenaient ouvertes, qui poussaient les mécontents à trahir la Russie grâce à des mensonges et à de l'argent. Il ne se départait jamais de sa férocité. Toutes les filières, aussi petites fussent-elles, retenaient son attention.

Sauf une. Celle qui passait par le Bosphore, la mer de Marmara et les Dardanelles. Elle n'était pas très importante. Il l'avait découverte quelques mois plus tôt, alors qu'il occupait encore, pour quelques semaines, le poste de directeur du K.G.B. du secteur sud-ouest. A ce moment-là, il n'arrêtait pas de se trouver en opposition avec des militaires imbéciles à la tête chaude qui obéissaient, au pied de la lettre, à une réglementation absurde venant de Moscou.

Sur le moment, il s'était demandé pourquoi il ne l'avait pas divulguée. Pendant un certain temps, il avait réussi à se convaincre qu'en la laissant ouverte et en observant de près le trafic, il parviendrait à tomber sur un réseau plus important. Mais, tout au fond de lui, il savait que ce n'était pas la véritable raison.

C'était à lui de jouer maintenant. Il s'était fait trop d'ennemis dans beaucoup d'endroits. Certains d'entre eux pensaient certainement qu'une retraite tranquille au nord de Grasnov n'était pas possible pour un homme qui avait en mémoire presque tous les secrets du K.G.B. Et maintenant, il était au courant d'un autre secret plus terrible encore, plus effrayant que tous ceux connus par les services secrets soviétiques. Les Matarèse. C'était ce secret qui le faisait sortir de Russie.

Tout s'était passé si vite, pensait Taleniekov en buvant le thé chaud que venait de lui servir le steward, après la conversation avec le vieil Alexis Kroupski sur son lit de mort et les surprenantes révélations qu'elle contenait. Des tueurs chargés d'abattre l'élite de la nation – à la vérité celles des deux superpouvoirs –, excitant l'Union soviétique et les Etats-Unis l'un contre l'autre jusqu'à ce que ces Matarèse puissent prendre le pouvoir dans l'un des deux pays. Le premier ministre d'Union soviétique et le président des Etats-Unis étaient, l'un ou l'autre, ou l'un et l'autre, la prochaine cible. Qui étaient ces gens ? Quelle était cette peste dont les premiers symptômes étaient apparus en Corse au début de ce siècle ? La peste corse. Les Matarèse.

Ils existaient. Leur organisation ne pouvait plus être mise en doute, leur vitalité pour apporter la mort était effrayante. Taleniekov savait cela, maintenant. Uniquement parce qu'il avait prononcé ce nom, on avait projeté en haut lieu de l'arrêter, lui, et très certainement la condamnation à mort ne tarderait pas à suivre.

Puisque Kroupski lui avait dit qu'il n'était pas question d'intervenir auprès du premier ministre, Taleniekov avait demandé à rencontrer quatre hommes qui avaient été parmi les plus puissants du Kremlin. Ils finissaient maintenants leurs jours dans une retraite dorée, ils étaient intouchables. Avec chacun d'entre eux, il avait parlé de cet étrange phénomène, de la peste corse, des Matarèse, des paroles qu'avait murmurées le vieil *istrebitel* sur son lit de mort.

Un des hommes visiblement ne savait rien, il avait été aussi étonné que Taleniekov lui-même. Deux ne voulurent rien dévoiler, mais la frayeur dans leur voix et leurs yeux égarés en disaient suffisamment. Ils ne voulaient ni l'un ni l'autre entendre parler de telles stupidités, ils avaient mis Vaseli à la porte.

Le dernier de ces hommes était originaire de Géorgie. C'était le plus âgé, il était même plus âgé que le vieux Kroupski. Il se tenait encore raide et droit. mais plus pour très longtemps : il avait quatre-vingt-seize ans. Son esprit, encore alerte. céda vite à la panique dès qu'il fut question des Matarèse; ses mains décharnées, aux veines apparentes, se mirent à trembler; des tics nerveux commencèrent à secouer son vieux visage; sa pomme d'Adam montait et descendait sur son cou décharné. Les paroles qu'il prononçait d'unc voix blanche étaient à peine audibles.

C'était un nom enfoncé dans les profondeurs du passé, avait soupiré le vieil homme, un nom que plus personne ne voulait entendre. Il avait, quant à lui, survécu aux grandes purges, aux actes déments de Staline, à la cruauté de Beria..., mais personne n'échappait aux Matarèse lorsqu'ils avaient condamné quelqu'un à mort.

« Au nom de tout ce qu'il y a de plus sacré en Russie, avait supplié le vieillard en tremblant, tenez-vous à l'écart des Matarèse ! Nous étions fous, mais nous n'étions pas les seuls. Tous les hommes au pouvoir, partout dans le monde, étaient séduits par l'idée de voir leurs ennemis éliminés. La garantie était totale. Leurs méthodes étaient telles qu'il était absolument impossible de remonter à la source; tous les accords passaient par un réseau parfaitement cloisonné. Les hommes qui procédaient à des achats fictifs ne savaient même pas de quoi il était question... Kroupski avait très bien vu le danger. Dès 1948, il nous avait demandé de renoncer à ces sortes d'« arrangements ».

– Pourquoi ? avait demandé Vasili. Si les garanties étaient totales ! Je parle en professionnel.

– Parce que les Matarèse nous imposaient une

condition : il fallait que leur grand conseil fût d'accord. C'est ce qu'on m'a dit.

– Le droit de décision du tueur à gages, je suppose, avait lancé Taleniekov. Certaines exécutions sont absolument impossibles.

– Ce droit de décision n'avait jamais été réclamé auparavant. »

Kroupski ne pensait pas qu'il se fût agi d'un problème d'exécution.

« Pourquoi alors ?

– En vue d'un chantage final.

– Quelle était la filière pour atteindre le grand conseil ?

– Je ne l'ai jamais connue. Alexis non plus.

– Quelqu'un devait être au courant.

– Ces gens, même s'ils sont vivants, ne parleront pas. Kroupski avait raison à ce sujet.

– Il a appelé les Matarèse la peste corse, il m'a dit que la réponse à mes questions pouvait se trouver en Corse.

– C'est possible. C'est là que tout a commencé. C'est là qu'est né le dément sadique, Guillaume de Matarèse.

– Vous avez encore une grande influence sur nos dirigeants, monsieur. Accepteriez-vous de m'aider ? Kroupski m'a dit que ces Matarèse devaient être...

– Non, avait hurlé le vieillard. Laissez-moi en paix ! J'ai parlé plus que je ne devais, plus que je ne l'admettrai jamais. Uniquement pour vous mettre en garde, pour que vous renonciez à votre enquête ! Les Matarèse ne peuvent que nuire à la Russie, n'ayez jamais affaire à eux.

– Vous m'avez mal compris, monsieur. C'est moi qui veut mettre un terme à leur activité, qui veux abattre le grand conseil. J'ai donné ma parole d'honneur à Alexis que...

– Nous ne nous sommes jamais parlé ! avait lancé l'homme, qui autrefois faisait régner la terreur, avec une voix d'enfant effrayé. Je nierai tout, je nierai que vous êtes venu ici. Vous m'êtes totalement étranger, je ne vous connais absolument pas. »

Après avoir quitté le vieil homme, Vasili s'était senti inquiet, embarrassé. Il était retourné à son appartement en se disant qu'il passerait la nuit à essayer de comprendre l'énigme des Matarèse, à mettre au point une stratégie. Comme toujours, il avait regardé dans la boîte aux lettres accrochée au mur. Il avait déjà parcouru quelques mètres avant de se rendre compte qu'il y avait quelque chose à l'intérieur.

C'était un message de son contact à la V.K.R., un message elliptique utilisant le code qu'ils avaient mis au point ensemble. Le texte était parfaitement banal : on acceptait de souper à onze heures trente. C'était signé d'un prénom féminin. La platitude du message cachait sa véritable signification. Il s'agissait en fait d'un problème important, l'utilisation du chiffre onze indiquait qu'il y avait urgence, qu'il fallait prendre contact immédiatement. Son ami le retrouverait à la place habituelle.

Il s'était rendu au rendez-vous. Dans un *piva kafe* près de l'université Lomonossov. C'était une brasserie bruyante, pleine d'étudiants qui profitaient du relâchement des mœurs. Ils s'étaient installés au fond de la salle. L'homme était venu aux faits immédiatement.

« Trouvez quelque chose très vite, Vasili, vous êtes sur leur liste. C'est insensé, mais c'est comme ça.

— A cause du juif ?

— Oui, c'est complètement idiot. Quand a eu lieu cette imbécile conférence de presse à New York, nous, à la V.K.R., nous avons ri comme des fous. Nous avons appelé ça la petite surprise de Taleniekov. Un des responsables du groupe Neuf a même dit qu'il admirait ce que vous aviez fait, que vous aviez remis à leur place les têtes de lard. Depuis hier, tout a changé, ce que vous avez fait n'est plus du tout une plaisanterie. Vous sortez carrément de la ligne.

– Hier ? avait demandé Vasili.

– Hier en fin d'après-midi, certainement après quatre heures. Cette salope de directrice marchait dans le bureau comme une guenon en chaleur. Elle reniflait une odeur de viol collectif et ça l'excitait. Elle a exigé que tout le monde fût au bureau à cinq heures. Nous y étions évidemment. Ce qu'elle nous a dit était incroyable. C'était comme si vous étiez personnellement responsable de tous nos échecs depuis deux ans. Les dingos du groupe Neuf étaient là aussi, à l'exception de leur chef.

– Ils vont me laisser combien de temps ?

– Trois à quatre jours au maximum. On cherche des preuves « irréfutables » contre vous. En douce, évidemment. Personne ne doit parler.

– Hier... ?

– Que s'est-il passé, Vasili ? Tout cela ne ressemble pas à une opération de la V.K.R. C'est autre chose. »

Bien sûr que c'était autre chose, et Taleniekov avait vu immédiatement ce que c'était. Hier, c'était précisément le jour où il avait rencontré les deux anciens manitous du Kremlin qui l'avaient mis à la porte. De toute évidence, il avait en face de lui les Matarèse.

« Un jour, mon vieux, je vous raconterai tout ça, avait répondu Vasili. Mais pour le moment, faites-moi confiance.

– Evidemment que je vous fais confiance. Vous êtes le plus fort, le meilleur que nous ayons jamais eu.

– A partir de maintenant, j'ai besoin, disons, de trente-six, peut-être quarante-huit heures. Puis-je les avoir ?

– Je pense, oui. Ils veulent votre tête, mais ils vont mettre des gants. Ils vont interroger un tas de gens.

– Je connais leurs méthodes. Il faut savoir quoi dire devant le cadavre. Merci. Ne vous inquiétez pas, vous aurez de mes nouvelles. »

Vasili n'était pas retourné à son appartement mais à son bureau. Il était resté assis dans le noir pendant des heures. Et c'est là qu'il avait pris son extraordinaire décision. Quelques heures auparavant, cela lui aurait paru impensable, mais plus maintenant. Si les Matarèsc étaient capables de corrompre les gens au plus haut niveau du K.G.B., ils pouvaient faire exactement la même chose à Washington. Si le simple fait de prononcer ce nom correspondait à une sentence de mort pour un stratège de son envergure – il ne pouvait absolument pas se tromper à ce sujet, c'était bien de mort qu'il s'agissait –, alors ils possédaient un pouvoir absolument fantastique. S'ils étaient vraiment responsables des meurtres de Blackburn et de Yourievitch, alors Kroupski avait raison, il y avait un calendrier. Lentement, les Matarèse arriveraient à mettre dans leurs lunettes de tir le premier ministre d'Union soviétique et le président des Etats-Unis.

Vasili devait entrer en contact avec l'homme qu'il haïssait le plus au monde. Il devait rencontrer un tueur américain du nom de Brandon Alan Scofield.

Dès le lendemain matin, Taleniekov avait mis en mouvement un certain nombre de rouages. Tout au moins, pendant un petit moment encore, il était parfaitement libre de prendre n'importe quelle décision. Pour tout le monde, il allait voyager sous un faux nom pour assister à une conférence sur la Baltique. Il avait parcouru le registre des musiciens fonctionnaires et était tombé sur le nom d'un violoniste qui avait pris sa retraite cinq ans plus tôt dans l'Oural. C'était ce qu'il lui fallait. Un peu plus tard, il avait interrogé les ordinateurs pour avoir une vague idée de l'endroit où se trouvait Brandon Scofield. L'Américain avait disparu à Marseille, mais un incident à Amsterdam portait la marque distinctive de l'agent secret américain. Vasili avait envoyé un message codé à un de ses agents à Bruxelles. Un homme sur qui il pouvait compter parce qu'il lui avait sauvé la vie à plusieurs reprises.

Approchez Scofield. Statut blanc.
Amsterdam. Collez.
Rapport code sud-ouest.

Ensuite, tout s'était déroulé extrêmement vite. Taleniekov était heureux d'avoir été obligé au cours de toutes ces années de prendre des décisions rapides. Il n'y avait pas une heure de vol d'ici à Sébastopol et il allait pouvoir, là-bas et dans les endroits où il se rendait, tester l'expérience qu'il avait acquise si durement.

Il prit une petite chambre d'hôtel boulevard Chersonesus et appela le K.G.B. sur une ligne qu'il savait ne pas être surveillée. Il l'avait installée lui-même.

La V.K.R. de Moscou n'avait pas encore sonné l'alarme, autrement on n'aurait pas reçu son appel aussi chaleureusement : simplement un vieil ami était de passage. Cela lui donnait le temps qu'il lui fallait.

« Pour être franc, dit-il à l'officier de service cette nuit-là, qui était un de ses anciens adjoints, nous continuons d'avoir des problèmes avec la V.K.R. De nouveau, elle se mêle de ce qui ne la regarde pas, on va sûrement vous questionner par télex. Vous ne savez pas où je suis, d'accord ?

– Aucun problème tant que vous ne vous pointez pas ici et que vous appelez sur la bonne ligne. Clandestin ?

– Oui, je ne vais pas vous embêter avec tous mes changements d'adresse. Nous essayons de voir ce qui se passe du côté d'Odessa, des camions qui prennent la direction du sud dans les montagnes. Apparemment un réseau de la C.I.A.

– C'est mieux que les bateaux de pêche dans le Bosphore. A propos, est-on au courant de vos intentions, à Amsterdam ? »

Taleniekov sursauta. Il ne s'attendait pas à ce que son agent là-bas eût fait si vite.

« Ça se pourrait. Qu'avez-vous reçu ?

– C'est arrivé il y a deux heures et ça a pris un temps fou de le décrypter. Notre cryptanalyste – le type que vous avez amené de Riga – a finalement reconnu un de vos vieux codes. On se préparait à envoyer le tout à Moscou avec les messages du matin.

– Ne faites pas ça, lisez-le-moi plutôt.

– Attendez une minute. (Taleniekov entendit un bruit de papier à l'autre bout du fil.) Voilà : « Beowulf hors orbite. Nuages d'orage à Washington. Si impératif, poursuivrai statut blanc. Envoyer instruction dépôt-capitol. » C'est tout.

– Parfait.

– Ça paraît sérieux, Vasili. Statut blanc ? Vous êtes sur un coup à un très haut niveau, j'imagine. C'est bon, ça. Est-ce que c'est lié à Odessa ?

– Je le pense, mentit Taleniekov. Ne parlez de rien, et surtout gardez la V.K.R. en dehors.

– Avec le plus grand plaisir. Vous voulez que j'envoie vos câbles ?

– Non, merci. Je peux très bien le faire, c'est le train-train. Je vous appelle ce soir, disons à vingt et une heures trente. Ça me laissera assez de temps. Dites bonjour de ma part à mon vieil ami de Riga, à personne d'autre en dehors de lui, n'est-ce pas ? Et merci.

– Quand vous aurez fini avec Odessa, venez donc dîner avec moi un soir. Ça me fait plaisir de vous savoir à Sébastopol.

– Oui, c'est agréable d'être de retour. On parlera de tout ça. »

Taleniekov raccrocha et se concentra sur le message qui venait d'Amsterdam. Scofield avait été rappelé à Washington, dans de curieuses circonstances. Beowulf Agate était pris dans une tempête au ministère des Affaires étrangères. Ça justifiait amplement la poursuite transatlantique de l'agent de Bruxelles, même en dehors de sa dette envers Taleniekov. Un statut blanc, ça veut dire qu'il y a une trêve, que quelqu'un est sur le point de faire quelque chose de critique. S'il y avait la moindre possibilité que le légendaire Scofield pût changer de camp, ça valait vraiment la chandelle. L'homme qui amènerait Beowulf Agate en Union soviétique aurait tous les services de sécurité à ses pieds. Mais il n'était pas question de défection pour Scofield... pas plus que pour lui-même. L'ennemi était l'ennemi. Ça ne changerait jamais.

Vasili décrocha de nouveau le téléphone. Il y avait un numéro dans les entrepôts du quai où les hommes d'affaires grecs et iraniens dictaient les câbles qu'ils voulaient envoyer à leur bureau à Athènes ou à Téhéran. On pouvait appeler ce numéro toute la nuit. En donnant un mot de passe, Taleniekov aurait la priorité. Dans quelques heures, son message atteindrait le « dépôt-capitol ». C'était, en fait, un hôtel dans la Nebraska Avenue à Washington.

Il voulait rencontrer Scofield sur un terrain neutre où aucun des deux adversaires n'aurait l'avantage, à l'intérieur des limites de sécurité d'un grand aérodrome comme Berlin-Ouest ou Tel-Aviv. La distance n'avait pas d'importance. Il devait rencontrer Scofield, il fallait donc le convaincre de la nécessité de cette rencontre. Le message codé, adressé à Washington, demandait à l'agent de Bruxelles de faire parvenir le texte suivant à Beowulf Agate.

Nous nous sommes trouvés mêlés tous les deux à l'assassinat d'un être cher. Sans doute avec plus de responsabilité de mon côté que du vôtre. Mais vous

ne pouviez pas le savoir. Maintenant certains vou-
draient nous charger de meurtres à l'échelle interna-
tionale. Meurtres si nombreux que ni vous ni moi ne
pouvons en accepter l'idée de gaieté de cœur. Je
travaille en ce moment pour mon propre compte et
seul. Malgré notre haine réciproque, nous devons
avoir un échange de vues. Choisissez un terrain neu-
tre, à l'intérieur, par exemple, d'un enclos de sécu-
rité d'un aéroport. Je suggère Tel-Aviv ou Berlin-
Ouest. Mon messager peut me transmettre votre
réponse.

                    Vous connaissez mon nom.

Il était quatre heures du matin lorsque Vasili s'en-
dormit finalement. Il n'avait pas dormi depuis trois
jours. Il se mit au lit avant que le soleil ne se levât à
l'est et se réveilla une heure après qu'il se fut couché
à l'ouest. C'était parfait. Son esprit tout autant que
son corps avaient besoin de repos, et pour aller là
où il devait aller à Sébastopol, il fallait y aller de
nuit.

L'officier de service du K.G.B. n'arriverait pas à
son bureau avant trois heures, et il était préférable
de n'impliquer personne d'autre à l'état-major. Le
moins de monde serait au courant, le mieux ce
serait. Evidemment le cryptanalyste avait tout
deviné grâce au message codé venu d'Amsterdam.
Mais l'homme ne parlerait pas. Taleniekov lui avait
servi de moniteur et l'avait arraché à la vie austère
de Riga pour le faire nommer dans cette ville relativement libre qu'était Sébastopol.

Mon temps sera bien employé, pensa Vasili. Il
commencerait par manger puis ferait les démarches
nécessaires pour pouvoir monter à bord d'un cargo
grec qui traverserait la mer Noire en ligne droite
pour longer ensuite la côte sud du Bosphore et
atteindre les Dardanelles. Si des agents iraniens ou
grecs de la C.I.A. ou du S.A.V.A.K. le reconnais-
saient – c'était tout à fait possible –, il agirait comme

un professionnel responsable. En tant que directeur du K.G.B. du secteur nord-ouest, il n'avait pas découvert la filière pour des raisons personnelles. Toutefois, si un musicien nommé Pyotr Rydoukov n'appelait pas par téléphone Sébastopol d'ici deux jours, la filière serait démantelée avec acharnement par le K.G.B. Ce serait dommage. Certains hommes privilégiés pouvaient avoir besoin d'utiliser cette route plus tard, et leur talent ou les informations qu'ils apportaient avec eux ne devaient pas être négligés.

Taleniekov enfila un manteau informe, enfonça un vieux chapeau sur sa tête, se colla sur le nez une paire de lunettes à monture métallique et se cassa en deux. Il jeta un coup d'œil à sa silhouette dans le miroir, ce n'était pas mal du tout. Evidemment, il emporta son violon avec lui, car aucun musicien ne laisse son instrument dans une chambre d'hôtel. Il s'avança dans le couloir et descendit l'escalier – il ne prenait jamais l'ascenseur. Un instant plus tard, il était dans les rues de Sébastopol. Il se dirigea immédiatement vers les quais, car il savait où aller et quelles paroles prononcer.

Le brouillard montait de la mer et adoucissait la lumière crue des projecteurs qui éclairaient la jetée. Il régnait là une activité intense, tandis qu'on chargeait les cales des cargos. Des grues géantes soulevaient d'énormes containers qui ballottaient un instant au bout des câbles avant de s'enfoncer dans les entrailles des navires. Les dockers étaient russes, mais les contremaîtres, grecs. Des sentinelles, l'arme à la bretelle, faisaient leur ronde. Leur zèle semblait assez limité : les soldats s'intéressaient plus au spectacle des machines en mouvement qu'aux éventuelles irrégularités.

Vasili aurait pu les renseigner. Il s'approcha de l'entrée de la grille où se tenait l'officier de service.

C'était à l'intérieur de ces énormes containers, qui frôlaient la coque des bateaux, que se trouvaient les « irrégularités ». Des hommes et des femmes, protégés par des morceaux de carton, étaient entassés à l'intérieur. Ils avaient des tuyaux enfoncés dans la bouche pour pouvoir respirer, et on leur avait demandé, quelques heures plus tôt, d'aller aux toilettes. Ils ne pourraient plus satisfaire leurs besoins avant d'être en pleine mer, c'est-à-dire bien après minuit.

L'officier posté devant la grille était un jeune lieutenant qui, visiblement, n'aimait pas son travail. Son visage était à la fois maussade et agacé. Il regarda avec mauvaise humeur le vieillard voûté aux lunettes métalliques qui se tenait devant lui.

« Qu'est-ce que vous faites là ? Il faut un laissez-passer pour pénétrer sur la jetée. (Il tendit l'index vers l'étui à violon.) Qu'est-ce que c'est que ça ?

– Ça me fait vivre, lieutenant. Je suis l'un des membres de l'orchestre symphonique de Sébastopol.

– On ne m'a pas dit qu'il allait y avoir un concert sur les docks.

– Quel est votre nom ? demanda Vasili sans élever la voix.

– Pardon ? »

Taleniekov se redressa lentement, il n'avait plus rien d'un bossu :

« Je vous ai demandé votre nom, lieutenant !

– Pour quelle raison, je vous prie ? »

L'officier était un peu moins agressif. Vasili enleva ses lunettes et plongea ses yeux dans ceux du militaire ahuri.

« Pour un compliment ou une engueulade !

– De quoi parlez-vous ? Et d'abord, qui êtes-vous ?

– K.G.B. – Sébastopol. Cela fait partie du programme d'inspection des quais. »

Le jeune lieutenant était maintenant poli, mais hésitant. Il n'était pas stupide.

« Excusez-moi, mais je n'ai pas été prévenu. Il faut me montrer votre carte.

– Si vous ne me l'aviez pas demandée, vous auriez eu droit à ma première engueulade, dit Taleniekov en fouillant dans sa poche pour trouver la carte du K.G.B. Et vous ne couperiez pas à la seconde si vous parliez à quiconque de ma venue ici ce soir. Votre nom, s'il vous plaît ? »

Le lieutenant dit son nom puis ajouta :

« Est-ce que, chez vous, on n'est pas tranquille avec ce qui se passe ici ? »

Il examina la carte plastifiée et la rendit.

« Tranquille ? demanda Taleniekov en souriant malicieusement avec un air de conspirateur. Non, lieutenant, je ne suis pas tranquille du tout, on m'a privé d'un bon dîner en compagnie d'une dame. J'ai l'impression que nos nouveaux chefs à Sébastopol ont envie de gagner leur salaire. Ils savent parfaitement que vous, les militaires, vous faites du bon travail, mais ils se refusent à l'admettre. »

Soulagé, le jeune officier sourit à son tour.

« Merci. Nous essayons de faire de notre mieux un travail assez monotone.

– Vous ne parlez surtout à personne de ma venue ici. Ils ne plaisantent pas avec ça. Deux officiers de garde ont été signalés la semaine dernière. (Vasili sourit de nouveau.) Nos dirigeants aiment la discrétion. Grâce à elle, la sécurité est assurée. C'est leur boulot. »

Le lieutenant grimaça un sourire.

« Je comprends. Vous avez une arme, dans cette boîte ?

– Non. C'est un très bon violon. J'aimerais pouvoir en jouer. »

Les deux hommes échangèrent un signe de connivence, et Taleniekov se fraya un chemin parmi les machines, les dockers et les contremaîtres. En fait, il cherchait un chef d'équipe grec de Kavalla, nommé

Zaimis. Cet homme d'ascendance grecque portait le nom de sa mère et avait un passeport américain.

Karras Zaimis appartenait à la C.I.A. Auparavant responsable du bureau de Salonique, il s'occupait maintenant de la filière en question. Vasili avait vu plusieurs photographies de cet agent dans les dossiers du K.G.B.

Il avançait lentement dans le brouillard en dévisageant les gens éclairés par les faisceaux des projecteurs sans parvenir à trouver l'homme qu'il cherchait. Il se faufila parmi les grues et les dockers énervés pour se diriger vers l'entrepôt. Il ne faisait pas très clair à l'intérieur de l'énorme bâtisse : les ampoules entourées de grillage étaient accrochées beaucoup trop haut. Des hommes, portant des torches électriques, éclairaient les containers pour relever leur numéro. Vasili, durant un court instant, se demanda combien d'hommes de talent étaient enfermés dans ces énormes boîtes, combien d'informations étaient arrachées à la Russie. Probablement, assez peu. C'était une très petite filière. Pour les hommes de grand talent et pour les porteurs d'informations capitales, les Américains offraient des routes plus confortables.

Taleniekov avançait avec une démarche de vieillard, les lunettes métalliques maladroitement posées sur son nez. Il s'excusa en passant devant un chef d'équipe qui réprimandait un docker russe et se dirigea vers le fond de l'entrepôt où étaient entassées des boîtes en carton. Les allées étaient encombrées de chariots. Vasili regardait avec attention le visage des hommes qui portaient les lampes électriques. Il commençait à s'énerver. Il n'avait pas de temps à perdre. Où était Zaimis ? Aucun changement n'était intervenu dans l'organisation de la filière. Le cargo était le moyen de transport, le chef d'équipe, le passeur. Il avait lu tous les rapports en provenance de Sébastopol, aucun d'entre eux n'avait mentionné la filière. Où donc était Zaimis ?

Taleniekov éprouva une violente douleur au moment où le canon d'une arme s'enfonça avec force dans ses reins. Une poigne de fer s'accrocha à l'étoffe de son manteau et écrasa le bas de sa cage thoracique. On le poussa brutalement dans une allée déserte et une bouche écrasée contre son oreille lui lança des phrases en anglais.

« Je ne prendrai pas la peine de parler grec ou d'essayer de m'adresser à vous en russe. On m'a dit que vous parliez l'anglais aussi bien que n'importe quel homme politique à Washington.

— Probablement mieux, répliqua Vasili entre ses dents. Zaimis ?

— Connais pas. Nous pensions que vous n'étiez plus à Sébastopol.

— C'est exact. Où est Zaimis ? Je dois absolument parler à Zaimis. »

L'Américain ne prêta aucune attention à la demande.

« Vous avez un sacré culot. Il n'y a pas un seul homme du K.G.B. à moins de cinq cents mètres.

— En êtes-vous sûr ?

— Absolument. Nous avons ici une foule de curieux oiseaux de nuit qui voient très bien dans le noir. Ils vous ont vu. Un étui à violon, incroyable !

— Regardent-ils dans l'eau ?

— Nous avons des pingouins partout.

— Vous êtes drôlement bien organisés. Je veux dire tous ces oiseaux.

— Apparemment, vous êtes moins brillant qu'on ne le dit. A quoi pensiez-vous ? Une petite visite pour se rendre compte, ou quoi ? »

La pression sur ses côtes se relâcha. Il entendit le bruit sourd d'un objet qu'on dégageait de son enveloppe de caoutchouc. Du sérum. Une aiguille.

« Ne faites pas ça, dit-il avec force. Surtout, ne faites pas ça ! Vous ne voyez pas que je suis ici tout seul ? Je veux foutre le camp.

— C'est justement là que je vous conduis. A mon

118

avis, ce sera des interrogatoires pendant trois ans dans un hôpital, quelque part en Virginie.

– Non. Vous ne comprenez pas. Je dois prendre contact avec quelqu'un, mais pas de cette manière.

– Vous direz ça à nos gentils petits médecins. Ils écouteront absolument tout ce que vous leur direz.

– Je n'ai pas le temps ! »

Effectivement, il fallait faire vite. Taleniekov eut conscience que l'homme déplaçait son centre de gravité. Dans quelques secondes, une aiguille percerait ses vêtements et s'enfoncerait dans sa chair. Ce n'était pas possible ! Il ne pouvait pas rencontrer Scofield officiellement !

Personne n'ose parler. Le reconnaître serait catastrophique... pour les gouvernements, partout dans le monde. Les Matarèse.

Si on voulait l'abattre, lui, à Moscou, les Américains ne prendraient sûrement pas de gants pour le faire taire.

Vasili déplaça son épaule droite – un geste occasionné par la douleur qu'il sentait dans ses reins. On appuya un peu plus fort l'arme dans son dos par pur réflexe. Mais à cet instant toute la force de la main appuyait sur 'la crosse de l'arme. L'index, sur la détente, était momentanément inutilisable. Le mouvement de Taleniekov coïncida avec cet instant.

Il pivota sur la gauche, son bras se soulevant puis écrasant le coude de l'Américain, le tordant contre sa hanche jusqu'à ce que l'avant-bras craque, et enfonça les doigts de sa main droite dans la gorge de l'homme pour lui bloquer la trachée-artère. Le pistolet tomba sur le sol, mais le bruit fut couvert par l'agitation, qui régnait dans l'entrepôt. Vasili le ramassa et poussa l'agent de la C.I.A. contre un container. Terrassé par la douleur, l'Américain qui tenait encore la seringue dans sa main gauche la laissa tomber à son tour. Mais son regard brouillé ne signifiait pas une perte totale de conscience.

« Maintenant, vous allez m'écouter, dit Taleniekov, son visage contre celui de Zaimis. Depuis plus de six mois, je suis parfaitement au courant de votre « opération Dardanelles ». C'est une filière sans importance. Mais ce n'est pas la raison pour laquelle je ne l'ai pas fait sauter. J'ai pensé qu'un jour elle pourrait m'être utile, et ce jour est arrivé. Vous pouvez me croire ou non.

– Taleniekov passe à l'Ouest ? dit Zaimis en se frottant la gorge. Impossible. Vous êtes une ordure de Soviétique. Un agent double, peut-être, pas un transfuge.

– Vous avez raison, je ne passe pas à l'Ouest. De toute façon, si j'en avais l'intention un jour – ce qui est impensable –, je m'adresserais aux Anglais ou aux Français avant de m'adresser à vous. Je veux sortir de Russie, mais je ne suis pas un traître.

– Vous mentez, fit l'Américain en glissant sa main vers le col de son gros manteau. Vous pouvez aller où vous voulez.

– Pas en ce moment, malheureusement. Il y a certaines « complications ».

– Qu'est-ce qui se passe ? Vous emportez la caisse ?

– Allons, allons ! Zaimis, lequel d'entre nous n'a pas quelques petites ressources secrètes ? A juste titre la plupart du temps. Les fonds officiels ont parfois bien du retard. Où avez-vous votre compte ? Ni à Athènes ni à Rome, c'est trop peu sûr. Probablement à Berlin ou à Londres. Le mien est des plus courants : la Chase Manhattan à New York. »

Le visage de l'homme de la C.I.A. restait sans expression. Son pouce s'enfonça sous le col de son manteau.

« Ainsi vous êtes coincé, dit-il d'un air absent.

– Nous n'avons pas de temps à perdre ! gronda Vasili. Conduisez-moi aux Darnanelles. Ensuite, je me débrouillerai tout seul. Si vous ne faites pas ce que je vous dis, si un coup de téléphone n'est pas reçu à Sébastopol à l'heure dite, votre filière sera démantelée. Vous serez... »

Zaimis porta rapidement la main à sa bouche. Taleniekov s'empara des doigts de l'homme de la C.I.A. et les tordit violemment. Un petit comprimé était collé au pouce.

« Pauvre idiot ! Qu'est-ce que vous faites ? »

Zaimis grimaça de douleur.

« Je préfère foutre le camp de cette manière que de me retrouver à la *Loubianka*.

— Imbécile ! Si quelqu'un va à la *Loubianka*, ce sera moi. Parce qu'il y a un tas de cinglés — juste comme vous — qui restent assis derrière leur bureau à Moscou. Et des idiots — juste comme vous — qui préfèrent avaler une pilule plutôt que d'écouter la vérité. Vous voulez mourir, d'accord, je m'en chargerai. Mais d'abord conduisez-moi aux Dardanelles. »

L'Américain, qui respirait avec difficulté, regarda Taleniekov. Vasili arracha le comprimé du pouce de Zaimis et lui lâcha la main.

« Vraiment ? demanda Zaimis.

— Vraiment. Voulez-vous m'aider ?

— Je n'ai rien à perdre. Vous pourrez monter sur notre bateau.

— Il y a quelque chose à quoi vous devez penser. N'oubliez pas. A Sébastopol, on attendra un message téléphonique en provenance des Dardanelles, s'il n'arrive pas à l'heure dite, vous êtes foutu. »

Après avoir réfléchi une seconde, Zaimis dit :

« D'accord. Affaire conclue.

— Affaire conclue, répéta Taleniekov. Maintenant, dites-moi où je peux trouver un téléphone. »

A l'intérieur de l'entrepôt, il y avait une sorte de grande cabine en parpaing qui contenait deux postes téléphoniques. La ligne avait été installée par les Russes. Le S.A.V.A.K et la C.I.A. la surveillaient constamment, à l'aide d'appareils électroniques, pour s'assurer qu'elle n'était pas branchée sur les tables d'écoute du K.G.B. On pouvait être tranquille : elle était stérile. L'agent américain décrocha l'autre poste dès que Taleniekov se fut mis à parler.

« C'est toi, mon vieux ? »

C'était lui et ce n'était pas lui. Ce n'était pas le responsable à qui il avait parlé tout à l'heure. C'était le cryptanalyste que Taleniekov avait eu comme élève quelques années plus tôt à Riga et qu'il avait fait nommer à Sébastopol. L'homme parlait lentement d'une voix étouffée.

« Notre ami a été appelé au bureau des codes. On s'est mis d'accord. Je lui ai dit que j'attendrais votre coup de téléphone. Il faut que je vous voie tout de suite. Où êtes-vous ? »

Zaimis posa ses doigts blessés sur le microphone. Taleniekov secoua la tête. Même s'il faisait confiance au cryptanalyste, il n'avait nullement l'intention de répondre à cette question.

« Ça n'a pas d'intérêt. Est-ce que le câble est arrivé du « dépôt » ?

— Il est arrivé bien d'autres choses, mon vieux.

— Mais est-il arrivé ? insista Vasili.

— Oui. Mais je n'ai jamais vu un code pareil. Rien de ce que vous et moi utilisons habituellement, rien de ce que nous avons appris à Riga ou ici.

— Lisez-le-moi.

— Mais il y a autre chose, dit le cryptanalyste d'une voix tendue. Ils vous recherchent, ouvertement. J'ai envoyé le câble à Moscou pour être sûr qu'il venait bien d'eux et j'ai brûlé l'original. Ça va me revenir dans deux heures. Je n'arrive pas à y croire, je ne veux pas y croire.

— Du calme, mon vieux. Qu'est-ce que c'est ?

— Tous nos services, depuis la mer Baltique jusqu'à la frontière mandchoue, sont alertés pour vous retrouver.

122

– V.K.R. ? » demanda Vasili d'une voix qui voulait être calme.

Il s'était attendu à ce que le groupe des Neuf agisse rapidement, mais pas aussi rapidement.

« Pas seulement la V.K.R., le K.G.B. aussi et tous nos services secrets. Même les militaires. Partout. Ce n'est pas possible que ce soit de vous que l'on parle.

– Que disent-ils ?

– Que vous avez trahi l'Etat, qu'il faut qu'on vous attrape à tout prix. Mais il n'y aura ni détention ni interrogatoire. Vous devez être... exécuté... sans délai.

– Je vois », dit Taleniekov.

Et c'était vrai, il voyait parfaitement ce qui allait se passer, il s'y attendait. Ce n'était pas la V.K.R. C'étaient des hommes bien plus puissants qui avaient appris que lui, Taleniekov, prononçait un mot qui ne devait pas l'être. *Les Matarèse.*

« Je n'ai trahi personne. Croyez-moi.

– Je vous crois. Je vous connais depuis longtemps.

– Lisez-moi le câble du « dépôt ».

– D'accord. Avez-vous un crayon ? Ça n'a aucun sens. »

Vasili fouilla dans sa poche pour trouver de quoi écrire.

« Allez-y, mon vieux. »

L'homme détacha ses mots.

« Voilà : « Invité Casimir. Schrankenwarten. Cinq buts... »

Le cryptanalyste s'arrêta brusquement. Taleniekov pouvait entendre des voix dans le lointain. Je ne peux pas continuer, des gens arrivent.

« J'ai besoin de la suite.

– Dans une demi-heure. « Amar Magazin. » J'y serai. »

On avait raccroché.

Vasili donna un coup de poing sur la table puis

replaça le téléphone sur son support. Zaimis fit de même.

« Il me le faut, dit Taleniekov en anglais.

— Qu'est-ce que c'est « Amar Magazin » ? Un marchand de poissons ?

— Un restaurant de fruits de mer dans la rue Kerenski, à environ sept cents mètres du Bureau central. Les gens qui connaissent un peu Sébastopol n'y vont jamais, la nourriture est infâme. Mais c'était parfait pour ce que nous avions à nous dire.

— Et c'était quoi ?

— Quand ce cryptanalyste voulait que je voie quelque chose, que j'obtienne une information avant les autres, il me donnait toujours rendez-vous au Amar.

— Pourquoi n'allait-il pas vous voir à votre bureau ? »

Taleniekov regarda l'Américain.

« Allons, allons, Karras Zaimis, c'est vous qui avez inventé la surveillance électronique. Nous n'avons fait que vous la faucher. »

L'homme de la C.I.A. fixa Vasili.

« Ils veulent votre peau ?

— Une erreur monumentale !

— C'est toujours comme ça, dit Zaimis en fronçant les sourcils. Vous lui faites confiance ?

— Vous l'avez entendu aussi bien que moi. A quelle heure levez-vous l'ancre ?

— A onze heures trente, dans deux heures. En gros, ce sera le temps qu'il faudra pour que le câble de confirmation revienne de Moscou.

— J'embarquerai avec vous.

— Je le crois en effet, dit l'homme de la C.I.A. Je ne vous lâche pas.

— Quoi ?

— Cette ville ne m'est pas totalement hostile. On me protège. Evidemment, vous me rendez mon arme et vous me donnez la vôtre. Nous allons bientôt savoir si vous avez vraiment envie de traverser le Bosphore.

– Pourquoi faites-vous ça ?

– Imaginez que vous changiez d'avis, que vous décidiez de passer à l'Ouest... Je veux pouvoir vous y conduire. »

Vasili secoua la tête d'un air pensif.

« Rien ne change jamais, vous le savez bien. Je peux encore mettre votre filière par terre, et vous ignorez comment. Et en mettant cette filière par terre, je démantèle tout le réseau de la mer Noire. Il vous faudra des années pour le rétablir et l'on manque toujours de temps, n'est-ce pas ?

– Nous verrons bien. Vous voulez aller dans les Dardanelles ?

– Evidemment.

– Alors, donnez-moi votre pistolet. »

Le restaurant était plein et les tabliers des serveurs étaient aussi sales que la sciure répandue sur le sol. Taleniekov s'assit seul à une table contre le mur du fond. Zaimis s'installa deux tables plus loin, à côté d'un marin de la marine marchande grecque. Le dégoût qu'il éprouvait pour les lieux se lisait sur son visage. Vasili buvait des rasades de vodka glacée pour faire passer le goût du caviar de très mauvaise qualité qu'on lui avait servi.

Le cryptanalyste apparut dans l'encadrement de la porte. Il vit Taleniekov et s'avança vers lui en se frayant un chemin parmi les serveurs et les clients. Ses yeux, derrière des lunettes aux verres épais, exprimaient de la joie et de la crainte. On sentait qu'il avait envie de poser une centaine de questions.

« C'est incroyable, dit-il en s'asseyant à la table de Vasili. Pourquoi vous font-ils ça ?

– C'est à eux qu'ils font du tort. Ils ne veulent pas m'écouter, ils ne veulent pas entendre ce qui doit être entendu, arrêter ce qui doit être arrêté. C'est tout ce que je peux dire.

– Mais qu'on veuille vous exécuter ! C'est incroyable !

– Ne vous faites pas de souci, mon vieux. Je reviendrai, et, comme on dit ici, je serai réhabilité avec tous les honneurs, dit Taleniekov en souriant et en touchant le bras de l'homme. Il y a quelque chose qu'il ne faut jamais oublier. Il y a des hommes courageux et honnêtes à Moscou qui placent leur pays au-dessus de tout, au-dessus même de leur peur et de leurs ambitions. Il y aura toujours de tels hommes, et ce sont eux qui m'aideront. Ils m'accueilleront à bras ouverts et me remercieront pour ce que j'aurai fait. Croyez-moi... Maintenant, il faut se presser. Où est le câble ? »

Le cryptanalyste ouvrit la main, le morceau de papier était plié et replié au milieu de la paume.

« Je voulais pouvoir le jeter si c'était nécessaire. Je l'ai appris par cœur. »

Il tendit le message de Washington à Vasili.

En le lisant, Taleniekov reçut une douche froide.

Invité Casimir. Schrankenwarten. Cinq buts. Unter den Linden. Przseclav zéro. Prague. Répétez. Zéro. Répétez encore. Et encore. Zéro.

Beowulf Agate.

Quand il eut fini de lire, le maître stratège du K.G.B. soupira :

« Rien ne change jamais !

– Qu'est-ce que c'est ? demanda le cryptanalyste. Je n'ai rien compris, nous n'avons jamais utilisé ce code.

– Non, vous ne pouviez absolument pas le comprendre, répondit Vasili d'une voix frémissante. On a utilisé deux codes en même temps, un des leurs et un des nôtres. Celui que nous utilisons à Berlin-Est et celui qu'ils utilisaient à Prague. Ce câble n'a pas été envoyé par le type de Bruxelles, il a été envoyé par un tueur qui n'arrêtera jamais de tuer. »

Ça arriva si vite qu'il fallut réagir en moins de quelques secondes. C'est le marin grec qui bougea le premier. Son visage ravagé se tourna vers les nouveaux arrivants et il lança entre ses dents :

« Merde ! »

Taleniekov leva les yeux, tandis que le cryptanalyste pivotait sur sa chaise. A cinq mètres environ, au milieu d'une allée pleine de serveurs, se tenaient deux hommes. Visiblement, ils n'étaient pas venus pour manger. Leurs visages étaient de marbre et leurs yeux furetaient autour de la pièce. Ils cherchaient quelqu'un, mais sûrement pas des amis.

« Vacherie ! dit l'homme du K.G.B en se retournant vers Vasili. La ligne était sur table d'écoute, c'est ce que je craignais.

— Non, ils vous ont suivi, dit Taleniekov en jetant un coup d'œil à Zaimis — l'imbécile s'était à moitié levé. Ils savaient que nous étions amis, vous étiez surveillé. Ce n'est pas le téléphone. S'ils avaient été certains que je fusse là, ils seraient arrivés avec une patrouille au grand complet. Je les connais. Ils appartiennent à la V.K.R. du coin. Maintenant du calme. Prenez votre chapeau et dégagez-vous de la chaise. On va prendre le couloir là-bas en direction des toilettes. Il y a une sortie de ce côté, souvenez-vous.

— Oui, oui, je me souviens », bredouilla le cryptanalyste.

Il se leva sans redresser les épaules et se dirigea vers l'étroit couloir. Malheureusement c'était un intellectuel, ce n'était pas un homme d'action. L'un des types de la V.K.R. le repéra immédiatement et s'avança vers lui en écartant les serveurs. Puis il vit Taleniekov. Sa main droite s'enfonça sous son manteau pour prendre son arme. A ce moment-là, le marin grec se leva de sa chaise en titubant et en agitant les bras comme un homme qui a trop bu de vodka. Il heurta le type de la V.K.R. qui essaya de l'écarter d'un mouvement brusque. Le Grec fit semblant d'être pris d'une colère d'ivrogne, il repoussa de toutes ses forces le Russe qui s'écroula sur une table derrière lui, écrasant des assiettes pleines de nourriture.

Vasili bondit sur ses pieds et se mit à courir en direction du couloir en entraînant son vieil ami de Riga. C'est alors qu'il aperçut Zaimis l'arme au poing. L'imbécile !

« Rentrez ça, cria Taleniekov. Ne révélez pas... »

C'était trop tard. Un coup de feu claqua, recouvrant les bruits du restaurant et provoquant la panique parmi les clients. L'homme de la C.I.A. porta les mains à sa poitrine et s'effondra. Sa chemise dans l'entrebâillement de sa veste commença à se couvrir de sang.

Vasili empoigna le cryptanalyste par les épaules et le poussa violemment dans le couloir. Un deuxième coup de feu claqua. Le cryptanalyste se plia en deux dans une sorte de spasme et serra ses jambes l'une contre l'autre. Des lambeaux de chair et du sang sortaient de sa gorge, une balle lui avait traversé le cou.

Taleniekov se jeta à plat ventre sur le sol du couloir. Ce qui se passa ensuite fut incroyable. Il entendit un troisième coup de feu, et un cri strident couvrit le vacarme. Le marin grec se précipita alors dans le couloir, une arme à la main.

« Est-ce qu'on peut sortir par là ? hurla-t-il avec un incroyable accent. Nous avons intérêt à foncer, le premier flic a mis les bouts, d'autres vont arriver. »

Taleniekov se remit debout tant bien que mal et fit signe au Grec de le suivre. Ils traversèrent en courant une cuisine pleine de cuistots et de serveurs et se retrouvèrent dans une ruelle. Ils tournèrent sur leur gauche et se mirent à courir dans un dédale de petits passages sombres qui reliaient les vieux immeubles entre eux. Finalement, ils atteignirent les petites rues du centre de Sébastopol.

Ils coururent pendant plus d'un kilomètre. Vasili

connaissait chaque pavé de la ville, pourtant c'était le Grec qui montrait le chemin. Alors qu'ils se trouvaient dans une petite rue mal éclairée, le marin prit le bras de Taleniekov, il était à bout de souffle.

« Nous pouvons nous reposer ici pendant une minute, dit-il en essayant de reprendre sa respiration, là, ils ne nous trouveront pas.

— Ce n'est pas à ce genre d'endroit qu'on pense d'abord lorsqu'on cherche quelqu'un, admit Vasili en regardant la longue rangée d'immeubles cossus.

— Il faut toujours se cacher dans un endroit résidentiel, dit le marin. Les habitants qui n'ont aucune envie de se mettre en infraction vous livrent à la police en moins d'une minute. Tout le monde sait cela : on ne cherche donc pas dans ce genre d'endroit.

— Vous dites que nous pouvons rester là pour une minute, mais je ne sais pas très bien où nous irons après. Il me faut un peu de temps pour réfléchir.

— Vous renoncez au bateau ? demanda le Grec entre deux respirations. Je m'en doutais.

— Evidemment. Zaimis avait les papiers sur lui. Pire encore, il avait aussi mon pistolet. Une petite armée de la V.K.R. va envahir la jetée d'ici une heure. »

Le Grec rapprocha son visage de celui de Vasili pour le dévisager.

« Ainsi le fameux Taleniekov quitte la Russie parce qu'on ne l'accepte plus qu'à condition qu'il soit mort.

— Non, je ne quitte pas la Russie. Je m'éloigne d'hommes qui ont peur, pour un certain temps. Mais encore faut-il que je sache comment.

— Je connais un moyen, dit le marin grec. On gagne la côte nord-ouest puis on s'enfonce dans les montagnes en direction du sud. Vous serez en Grèce en moins de trois jours.

— Comment ?

— Il y a un convoi de camions qui passe par Odessa... »

Taleniekov était assis sur un banc de bois à l'arrière du camion. Les premières lueurs de l'aube passaient à travers la bâche qui claquait au vent. Dans un moment, il aurait, comme les autres occupants, à se cacher sous le plancher. Ils resteraient alors immobiles et silencieux derrière un bout de carrosserie entre les deux essieux. C'est ainsi qu'ils franchiraient le poste-frontière. Pour le moment, pendant encore un peu plus d'une heure, ils pouvaient se détendre et respirer l'air frais au lieu de l'odeur de mazout et de graisse. Vasili fouilla dans sa poche pour en sortir le message codé de Washington, le câble qui avait déjà coûté la vie à trois personnes.

Invité Casimir. Schrankenwarten. Cinq buts. Unter den Linden. Przseclav zéro. Prague. Répétez. Zéro. Répétez encore. Et encore. Zéro.

Beowulf Agate.

Deux codes, une seule signification.
Vasili écrivit la traduction du message au crayon.

Venez donc et essayez de m'attraper comme vous avez attrapé quelqu'un d'autre au poste de contrôle à cinq heures du soir dans la Unter den Linden. J'ai mis votre envoyé en bouillie et l'ai tué. Exactement comme un autre envoyé a été tué à Prague. Je répète : Venez donc me trouver. Je vous tuerai.

Scofield.

Certes la réponse du tueur américain était brutale. Mais il y avait autre chose de plus terrifiant encore : Scofield n'était plus au service de son pays. On l'avait mis à l'écart. Etant donné tout ce qu'il avait fait et toutes les forces incontrôlées qui s'agitaient en

130

lui, la séparation avait dû être particulièrement dure. Car aucun agent au service de son gouvernement n'aurait abattu l'envoyé des services secrets soviétiques de cette manière. Et Scofield, il fallait bien l'admettre, était un véritable professionnel.

Les nuages d'orage au-dessus de Washington s'étaient abattus sur Beowulf Agate et ils l'avaient terrassé.

Comme ceux de Moscou avaient terrassé un maître-stratège nommé Taleniekov.

C'était étrange, presque macabre. Deux hommes, qui se haïssaient l'un l'autre, avaient été choisis par les Matarèse pour servir d'appâts mortels – manœuvres de diversion, avait dit le vieux Kroupski. Mais un seul était au courant, l'autre ne savait rien et ne voulait que gratter ses cicatrices pour les rouvrir, pour que le sang coule à nouveau à flots.

Vasili remit le message dans sa poche et respira profondément, les jours à venir allaient être pleins de manœuvres et de contre-manœuvres. Deux experts, deux pisteurs exceptionnels allaient se chercher dans le noir jusqu'à ce qu'ils tombent l'un sur l'autre.

Je m'appelle Taleniekov. Nous nous tuerons ou nous parlerons.

7

LE sous-secrétaire d'Etat Daniel Congdon bondit de son fauteuil, le téléphone à la main. Depuis ses débuts à la National Security Agency, il avait appris qu'on pouvait contrôler un accès de colère en déplaçant son corps. Et le contrôle de soi était indispensable dans sa profession, tout au moins l'apparence. Il écoutait maintenant un ministre des Affaires étrangères en colère parler de la dernière crise.

Nom de Dieu, il était maître de lui maintenant !

« Je viens d'avoir un entretien privé avec l'ambassadeur d'Union soviétique. Nous sommes d'accord pour que l'incident ne soit pas rendu public. Ce qu'il faut, c'est attraper Scofield.

— Etes-vous certain que c'était Scofield, monsieur le ministre ? Je n'arrive pas à y croire.

— Disons que jusqu'à ce qu'il nous donne des preuves du contraire, des preuves irréfutables qu'il se trouvait à plusieurs milliers de kilomètres d'ici au cours de ces dernières quarante-huit heures, nous devons considérer que c'est bien lui le coupable. Personne d'autre travaillant dans la clandestinité n'aurait pu commettre une chose pareille. C'est impensable. »

Impensable ! Incroyable ! Le corps d'un Russe avait été amené à l'ambassade soviétique dans un taxi à huit heures trente du matin, au moment où la circulation, à Washington, est la plus dense. Le chauffeur n'était au courant de rien. Il avait simplement fait monter dans son taxi deux ivrognes. Pas un. Deux. Evidemment, l'un des deux était nettement en plus mauvais état que l'autre. Qu'était devenu le deuxième homme ? Celui qui paraissait être russe, qui portait un chapeau et des lunettes noires. Il disait que le soleil était éblouissant après une nuit consacrée à boire de la vodka. Où était-il passé ? Et est-ce que le type sur le siège arrière n'était pas trop mal foutu ? Il avait l'air complètement écroulé.

« Qui était la victime, monsieur le ministre ?

— Un agent secret soviétique, en poste à Bruxelles. L'ambassadeur a été tout à fait franc avec moi. Il a reconnu que le K.G.B. n'était pas au courant de l'arrivée de l'homme à Washington.

— Une défection, peut-être ?

— Rien ne peut étayer cette hypothèse.

— Alors, quel est le lien avec Scofield ? En dehors

de cette façon, un peu spéciale, d'empaqueter et d'envoyer un colis. »

Le ministre des Affaires étrangères marqua un temps puis répondit doucement.

« Vous devez comprendre, monsieur Congdon, que l'ambassadeur et moi-même avons une relation assez exceptionnelle qui dure depuis des années. Nous sommes souvent bien plus francs l'un avec l'autre que la plupart des diplomates. En ayant toujours en tête, bien entendu, que rien de ce que nous disons ne peut être tenu pour officiel.

– Je comprends, monsieur le ministre », dit Congdon.

De toute évidence, la réponse qu'il allait obtenir ne devrait jamais être divulguée.

« L'agent secret en question était un des membres du K.G.B. à Berlin-Est, il y a une dizaine d'années. Il me semble, étant donné vos récentes décisions, que vous connaissez parfaitement le dossier de Scofield.

– Sa femme ? demanda Congdon en s'asseyant. L'homme était un de ceux qui ont tué la femme de Scofield ?

– L'ambassadeur ne m'a pas parlé de la femme de Scofield. Il m'a simplement fait savoir que l'homme en question avait fait partie d'une division relativement autonome du K.G.B à Berlin-Est, dix ans plus tôt.

– Cette division était sous les ordres d'un stratège du nom de Taleniekov. C'est lui qui a donné les ordres.

– Oui, en effet, répondit le ministre des Affaires étrangères. Nous avons parlé de M. Taleniekov et de l'incident qui s'est produit, il y a plusieurs années, à Prague. Nous en avons parlé en détail, nous nous sommes demandé s'il n'y avait pas un rapport avec ce qui s'est passé aujourd'hui. C'est possible.

– Comment cela, monsieur le ministre ?

– Vasili Taleniekov a disparu depuis deux jours.

– Disparu ?

– Oui, monsieur Congdon. Taleniekov venait d'apprendre qu'on voulait se débarrasser de lui. Il est passé dans la clandestinité et a disparu.

– Scofield aussi a été évincé... murmura Congdon.

– Précisément. Cette similitude nous ennuie profondément. Deux spécialistes mis sur la touche, qui, maintenant, risquent de faire ce qu'ils n'osaient pas faire officiellement : se tuer l'un l'autre. Ils ont des contacts partout, un tas d'hommes leur sont dévoués pour toute sorte de raisons. Leur vengeance personnelle risque de soulever des problèmes pour nos deux gouvernements durant ces mois de précieuses négociations. Cela ne doit pas arriver. »

Le directeur des Opérations consulaires grimaça, il y avait quelque chose qui clochait dans les conclusions du ministre des Affaires étrangères.

« J'ai parlé avec Scofield, il y a trois jours, il ne semblait ni en colère ni assoiffé de vengeance. Rien de tout cela. C'était une personne fatiguée, un agent qui avait vécu... depuis trop longtemps, d'une manière anormale. Depuis des années, en fait. Il m'a dit qu'il allait quitter la scène, et je l'ai cru. A propos, j'ai parlé de lui avec Robert Winthrop. Nos avis concordent. Il m'a dit...

– Winthrop n'y connaît rien, coupa le ministre des Affaires étrangères avec une sécheresse inattendue. Robert Winthrop est un homme brillant, mais il n'a aucune idée de ce que c'est que l'affrontement sur le terrain. Pour lui, un affrontement peut être quelque chose de civilisé. Croyez-moi, monsieur Congdon, Scofield a tué cet agent des services secrets soviétiques qui venait de Bruxelles.

– Peut-être y avait-il des circonstances particulières que nous ne connaissons pas.

– Vraiment ? (Le ministre marqua de nouveau un temps d'arrêt avant de poursuivre. La signification qui se cachait derrière ses paroles était évidente.) Si vous avez raison, s'il y a de telles circonstances, nous avons affaire à une situation particulièrement dangereuse, plus dangereuse que celle qui pourrait venir d'une vengeance personnelle. Scofield et Taleniekov sont au courant des opérations des services secrets des deux super-pouvoirs : ils en savent plus que n'importe quel autre homme vivant. Ils ne doivent pas entrer en contact. Quelles que soient leurs intentions. Que ce soit pour se tuer ou pour agir en fonction de circonstances que nous ne connaissons pas. Est-ce que je me fais comprendre ? En tant que directeur des Opérations consulaires, vous êtes responsable des décisions à prendre. La manière dont vous mettrez à exécution vos décisions ne me concerne pas. Vous avez peut-être là un homme « irrécupérable ». C'est à vous de décider. »

Daniel Congdon ne bougea pas d'un pouce lorsqu'il entendit qu'on raccrochait au bout de la ligne. Au cours de toutes les années qu'il avait passées au service de l'Etat, il n'avait jamais reçu un ordre si clair et aussi trouble. On pouvait discuter la forme, mais l'ordre était là. Il replaça l'appareil sur son support, en décrocha un autre qui se trouvait à sa gauche sur le bureau, appuya sur un bouton et composa trois chiffres sur le cadran.

« Sécurité intérieure, dit une voix d'homme.

— Le sous-secrétaire d'Etat Congdon à l'appareil. Trouvez Brandon Scofield. C'est clair ? Amenez-le-moi tout de suite.

— Un instant, je vous prie, répondit l'homme poliment. Il me semble bien qu'une surveillance de niveau 2 a été enregistrée à propos de Scofield, il y a un jour ou deux. Je vais interroger l'ordinateur, toutes les données sont là.

— Un jour ou deux ?

— Oui, monsieur. Voilà, j'ai tout ça sur l'écran maintenant. Scofield a quitté son hôtel le 16 vers vingt-trois heures.

— Le 16 ? Mais nous sommes le 19.

— En effet, monsieur. Il n'y a pas de temps mort

pour faire entrer les données dans la machine, l'information était dans l'ordinateur une heure après la prise de décision.

– Où est-il ?

– Il a demandé qu'on fasse suivre son courrier à deux adresses, mais il n'a pas donné la date. La maison de sa sœur à Minneapolis et un hôtel à Saint-Thomas dans les îles Vierges.

– A-t-on vérifié tout ça ?

– Oui, oui. Les adresses existent, monsieur. Une de ses sœurs vit à Minneapolis, et une chambre a été réservée au nom de Scofield dans l'hôtel de Saint-Thomas pour le 17. De plus, un ordre de virement a été donné à une banque de Washington.

– Donc il est là-bas.

– Il n'y était pas à midi, monsieur. Comme toujours dans ces sortes de cas, nous avons appelé l'hôtel. Il n'était pas arrivé.

– Et chez sa sœur ? coupa Congdon.

– Nous avons appelé aussi. Elle nous a dit que Scofield lui avait téléphoné qu'il avait l'intention de passer la voir. Il n'a pas dit quand. Elle a ajouté qu'il agissait généralement de cette manière, qu'il donnait rarement une date. Elle pense qu'il va arriver au cours de la semaine. »

Le directeur des Opérations consulaires eut de nouveau envie de bondir de son siège, mais il se retint.

« Etes-vous en train de me dire que vous ne savez pas où il est ?

– Eh bien, monsieur Congdon, d'après le rapport que nous avons reçu sur la surveillance de niveau 2, le contact visuel a été perdu. Nous allons passer au niveau 1 d'un instant à l'autre. Aucun problème à Minneapolis, en revanche, ça risque d'être difficile aux îles Vierges.

– Pourquoi ?

– Nous n'avons personne là-bas, monsieur. Personne n'envoie d'agent dans ce coin. »

Cette fois, Daniel Congdon ne put se retenir et se leva de son fauteuil.

« Attendez, je voudrais comprendre. Vous me dites qu'on a déclenché le système de surveillance de niveau 2 pour Scofield... Pourtant, mes ordres étaient parfaitement clairs. Vous deviez savoir, à tout moment, à quel endroit il se trouvait. Pourquoi n'a-t-on pas déclenché le système de niveau 1 ? Pourquoi avez-vous perdu le contact visuel ? »

L'homme de la sécurité du territoire répondit avec hésitation.

« Ce n'est pas moi qui ai donné l'ordre, monsieur, mais je comprends pourquoi il a été donné. Si un système de surveillance de niveau 1 avait été déclenché pour Scofield, celui-ci s'en serait aperçu immédiatement et... par esprit de contradiction, il se serait arrangé pour nous induire en erreur.

— Mais, bon Dieu ! qu'a-t-il fait jusqu'à maintenant ? Trouvez-le en vitesse ! Vous me tenez au courant de ce qui se passe toutes les heures. »

Congdon retomba sur son fauteuil. Il était furieux. Il raccrocha avec une telle violence que la sonnette se mit à tinter. Il reprit le combiné et composa un nouveau numéro.

« Ici Miss Andros, des communications internationales, dit une voix de femme.

— Le sous-secrétaire d'Etat Congdon à l'appareil, Miss Andros. Demandez, s'il vous plaît, à un cryptanalyste de venir dans mon bureau immédiatement. Code A. Sécurité et priorité.

— En urgence, monsieur ?

— Oui, Miss Andros, en urgence. Le texte sera prêt dans une demi-heure. Gardez toutes les lignes disponibles sur Amsterdam, Marseille et Prague. »

Scofield entendit des pas dans le couloir, se leva de son fauteuil, s'avança vers la porte et regarda dans le petit viseur circulaire qui se trouvait au milieu du panneau. Un homme passa rapidement sans s'arrêter devant la porte, de l'autre côté du couloir, qui était celle de l'appartement précédemment occupé par le courrier de Taleniekov. Bray retourna s'asseoir dans son fauteuil, se renversa pour appuyer sa nuque contre le haut du dossier et regarda le plafond.

Cela faisait maintenant trois jours qu'avait eu lieu cette poursuite dans les rues de Washington. Trois nuits depuis qu'il avait coincé le messager de Taleniekov – messager il y a trois nuits mais tueur dix ans plus tôt dans la Unter den Linden. Ça avait été une nuit vraiment étrange, une curieuse poursuite. Tout aurait pu se terminer différemment.

L'homme pourrait être encore en vie. Bray, au fur et à mesure que le temps passait, avait de moins en moins envie de le tuer. Il avait de moins en moins envie de quoi que ce fût. Il ne croyait plus à grand-chose. Mais le Russe s'était condamné lui-même à mort. Pris de panique, il avait tiré un poignard avec une lame d'une dizaine de centimètres coupante comme un rasoir, dissimulé dans un des fauteuils de l'hôtel. Il s'était jeté sur Bray. Scofield l'avait tué en se défendant. Ça n'avait rien à voir avec le meurtre projeté dans la rue.

Décidément, les choses ne changeaient pas. Taleniekov s'était servi d'un agent du K.G.B. Le type était convaincu que Beowulf Agate pouvait être retourné. Et, bien sûr, celui qui arriverait à amener Scofield en Russie recevrait une magnifique médaille à Moscou, avec tous les privilèges attenants.

« Vous vous êtes fait avoir, avait dit Bray au messager en lisant attentivement le câble dans l'appartement de l'hôtel de la Nebraska Avenue.

– Impossible ! avait lancé le Russe. Ce texte est bien celui de Taleniekov.

– Bien sûr. Et il a choisi un homme ayant participé à l'opération de la Unter den Linden pour me contacter, un homme qui avait un visage que je ne pouvais pas oublier. On a pensé que j'allais perdre mon sang-froid et vous descendre. A Washington, je suis repéré, je suis vulnérable... Vous vous êtes fait avoir.

– Vous vous trompez. C'est un contact blanc.

– Comme à Berlin-Est, fils de pute !

– Qu'allez-vous faire ?

– Gagner une partie de ma prime de licenciement, je vais vous donner.

– Non !

– Si. »

Le Russe s'était jeté sur Scofield. Ça faisait trois jours maintenant que la bagarre avait eu lieu. Ça faisait trois jours depuis qu'au petit matin, Scofield avait déposé un colis encombrant à l'ambassade d'Union soviétique et envoyé un message codé à Sébastopol. Et pourtant personne ne s'était présenté devant la porte de l'autre côté du couloir. Ce n'était pas normal. L'appartement avait été loué par une maison d'agents de change à Berne, pour servir de pied-à-terre à ses « directeurs ». C'était une manière d'agir habituelle aux hommes d'affaires qui travaillent à l'échelle internationale. C'était aussi une couverture transparente pour une planque utilisée par les agents des services secrets soviétiques.

Bray avait voulu forcer quelqu'un à prendre une décision. Le message chiffré et la mort du courrier devaient obligatoirement déclencher quelque chose. Quelqu'un devait venir voir ce qui se passait dans l'appartement. Et pourtant personne n'était venu. C'était vraiment bizarre !

En tout cas, le câble de Taleniekov contenait au moins quelque chose de vrai : le Russe agissait seul. Il n'y avait qu'une seule explication à cela : le tueur soviétique avait été liquidé. Et avant de se retirer dans la région de Grasnov, il avait décidé de régler une de ses dettes. Une dette de quelque importance.

En tout cas, c'est ce qu'il avait juré à Prague. Le

message avait été parfaitement clair : *Je t'aurai, Beowulf Agate. Un jour, quelque part. Je te verrai rendre ton dernier soupir.*

Un frère pour une femme. Un mari pour un frère. La haine s'enracinait dans la haine et ne prendrait jamais fin. Il n'y aurait pas de répit, pour l'un ou l'autre, tant que l'un des deux ne serait pas mort. C'était mieux de le savoir maintenant plutôt que de le découvrir dans une rue encombrée ou sur une plage déserte, et de se retrouver avec un couteau entre les côtes ou une balle dans la tête.

La mort du courrier était un accident, celle de Taleniekov serait voulue. Il n'y aurait aucun repos jusqu'à ce qu'ils se rencontrent, et alors la mort apparaîtrait, sous une forme ou sous une autre. Il fallait maintenant attirer le Russe ici. C'était lui qui avait fait le premier pas. C'était lui le pisteur. Les rôles étaient distribués.

La tactique serait des plus simples : laisser des traces parfaitement claires pour que le pisteur n'ait aucun mal à les suivre. Puis, à un moment donné, lorsqu'il s'y attend le moins, les traces disparaissent. Le pisteur, dérouté, devient vulnérable, et quelque chose surgit brutalement.

Comme Scofield, Taleniekov pouvait aller partout où il avait envie, avec ou sans l'accord de ses supérieurs. Au cours des années, les deux hommes avaient appris un tas de trucs. On pouvait acheter des faux papiers presque partout. Des centaines d'hommes, dans des milliers d'endroits, étaient prêts à apporter leur aide, à fournir des moyens de transport, des planques, une couverture ou des armes. Il ne fallait que deux choses : des papiers et de l'argent.

Ni Scofield ni Taleniekov n'en manquaient. C'était lié à leur profession. En fait, il était plus facile d'avoir des papiers que de l'argent. Il arrive parfois qu'on soit coincé à cause d'un virement de fonds retardé par des services administratifs tatillons. Aussi tout agent ayant une certaine importance avait des fonds personnels à sa disposition. On gonflait les notes, on détournait certaines sommes pour alimenter des comptes dans des pays sûrs. Ce n'était pas du vol. Il n'était pas question de devenir riche : on voulait survivre. Il suffisait qu'un agent secret se soit laissé coincer une fois ou deux pour découvrir rapidement la nécessité d'avoir un soutien financier permanent.

Bray avait des comptes en banque, sous différents noms, à Paris, à Munich, à Londres, à Genève et à Lisbonne. D'une manière générale, on évitait Rome et les pays appartenant au bloc communiste. En Italie, le marché financier était insensé, et la corruption régnait au cœur des banques des pays de l'Est.

Scofield pensait rarement au pouvoir d'achat de l'argent qu'il possédait. Au fond de lui, il croyait qu'un jour ou l'autre il le rendrait. Si ce chien de Congdon n'avait pas agi aussi mesquinement, s'il n'avait pas compliqué à plaisir le licenciement de Bray, celui-ci serait allé le trouver, le lendemain matin, pour lui restituer les fonds.

Plus maintenant. Le sous-secrétaire d'Etat s'était conduit d'une manière inadmissible. On ne rend pas des centaines de milliers de dollars à un homme qui essaie – même si c'est d'une manière timorée – d'orchestrer votre élimination, tout en restant lui-même hors du coup. Certes, c'était digne d'un professionnel. Scofield se rappelait l'époque où cette technique avait été portée à sa perfection par les tueurs Matarèse. Mais c'étaient des tueurs à gages. On n'avait pas vu ça, depuis des siècles, à vrai dire, depuis Hasan ibn as-Sabbãh. Il n'y aurait plus jamais de gens comme eux à l'avenir. Daniel Congdon n'était qu'un pâle histrion à côté.

Congdon. Scofield se mit à rire et chercha son paquet de cigarettes dans sa poche. Le nouveau directeur des Opérations consulaires n'était pas un imbécile. Et seul un imbécile pourrait le sous-estimer. Malheureusement, l'homme avait la mentalité typique des fonctionnaires de Washington s'occupant des services secrets : il se sentait supérieur. Il ne comprenait pas vraiment à quel point le « terrain » influe sur un homme. Certes, il faisait de belles phrases, employait des termes de psychologie tordus pour parler des gens sur le terrain. Mais il n'était pas capable de voir quelque chose d'aussi simple que le lien entre action et réaction. En fait, très peu d'hommes le voyaient, voulaient le voir. L'admettre aurait été reconnaître une sorte d'anomalie chez un subordonné, dont les services secrets n'avaient rien à faire. C'était très simple : une conduite pathologique était tout à fait normale pour un homme sur le terrain. Il n'y avait aucune raison de monter ça en épingle. Tout agent envoyé sur le terrain acceptait d'être considéré comme un criminel avant même d'avoir commis aucun crime. Donc, à la moindre alerte, il s'arrangeait pour se protéger lui-même avant que quoi que ce soit n'arrive. C'était une seconde nature.

Bray avait agi ainsi. Alors que l'envoyé de Taleniekov était assis à l'autre bout de la pièce dans l'hôtel de la Nebraska Avenue, Scofield avait appelé plusieurs personnes au téléphone. Tout d'abord sa sœur à Minneapolis. Il lui avait dit qu'il partait pour le Middle West et qu'il passerait la voir dans un jour ou deux. Ensuite, un ami qui habitait le Maryland, un pêcheur de haute mer qui avait des trophées sur tous les murs de sa maison. Bray lui avait demandé où il pourrait trouver un bon petit endroit dans les Caraïbes, très rapidement. Cet ami avait un ami qui possédait un hôtel à Charlotte Amalie. Il gardait toujours deux ou trois chambres libres pour les copains de passage. Le pêcheur du Maryland allait l'appeler pour lui recommander Bray.

Donc Bray, en principe, était en route la nuit du 16 vers le Middle West ou les Caraïbes. En tout cas, ces deux endroits étaient à plusieurs milliers de kilomètres de Washington. C'était pourtant dans cette dernière ville qu'il se trouvait, ayant échappé à toute surveillance, ne quittant pas l'appartement situé en face de la planque soviétique.

Combien de fois n'avait-il pas rabâché la même leçon aux nouvelles recrues, aux agents les moins expérimentés ? Bien trop souvent pour pouvoir en tenir le compte. Un homme immobile dans une foule est difficile à repérer, mais c'est encore plus difficile de découvrir un homme qui court sur place.

Tellement simple.

Mais Taleniekov n'était pas une âme simple. Au fur et à mesure que le temps passait, la complexité ne faisait que croître. Il fallait examiner toutes les explications possibles. Apparemment, le Russe avait remis en activité une planque, plus ou moins abandonnée, connue de lui et de son courrier. On avait tranquillement envoyé des instructions à Berne, et l'appartement avait été loué par télex. Il faudrait des semaines avant que l'information ne parvienne à Moscou. Une planque parmi des milliers d'autres, partout dans le monde.

S'il en était ainsi – et c'était peut-être la seule explication possible –, non seulement Taleniekov agissait seul, mais il s'opposait aussi aux hommes du K.G.B. Son désir de vengeance était plus grand que son attachement à l'Etat. Ce terme « attachement à l'Etat » avait-il encore une signification pour lui ? Il n'en avait pratiquement plus pour Scofield. En tout cas, c'était la seule explication possible, sinon l'appartement d'en face grouillerait de Soviétiques. Ils pouvaient bien sûr attendre vingt-quatre ou trente-six heures pour voir ce qu'allait faire le F.B.I. mais pas plus longtemps, et il y avait tant de façons de tromper la surveillance du F.B.I.

Bray sentait au fond de ses tripes qu'il avait raison. Tout au long des années, il avait développé une sorte d'intinct auquel il faisait implicitement confiance. Il devait maintenant se mettre à la place de Taleniekov, penser comme Vasili Taleniokov pensait. C'était sa seule protection

L'homme du K.G.B. n'avait pas le choix. C'était lui qui avait commencé à manœuvrer. Il devait venir à Washington, trouver un lieu pour entrer en contact. Ce lieu était la planque à demi oubliée qui se trouvait de l'autre côté du couloir. Dans quelques jours, peut-être dans quelques heures maintenant, Taleniekov atterrirait à Dulles Airport et la chasse commencerait.

Mais le Russe n'était pas idiot, il ne tomberait pas dans un piège. Il enverrait quelqu'un d'autre, quelqu'un qui n'était au courant de rien, qui aurait été payé pour servir d'appât. Un passager quelconque avec qui on se serait soigneusement lié au cours du vol transatlantique. A moins que ce ne fût un des nombreux « agents » involontaires que Taleniekov avait l'habitude d'utiliser à Washington : des hommes et des femmes qui ignoraient totalement que l'Européen, qui payait si généreusement les petits services qu'on lui rendait, était, en fait, un des grands stratèges du K.G.B. C'est parmi eux qu'on trouverait l'appât ou les appâts, et peut-être aussi les faucons. Les appâts ne savent rien, ils servent d'appâts, c'est tout. Les faucons guettent. Ce sont eux qui lancent l'alarme quand l'appât risque de se faire prendre. Faucons et appâts seraient les armes de Taleniekov.

Quelqu'un arriverait dans l'hôtel de la Nebraska Avenue. Il n'aurait d'autre tâche que de pénétrer dans l'appartement. Il ne serait en possession d'aucun nom, d'aucun numéro de téléphone. En revanche, tout autour, les faucons se rassembleraient pour guetter en attendant que la proie se précipite sur l'appât. Dès que la proie serait repérée, les faucons retourneraient vers le chasseur. Ce qui voulait dire que le chasseur était, lui aussi, dans les parages.

Ce serait certainement la tactique de Taleniekov, il n'en avait pas d'autre à sa disposition. C'était d'ailleurs la tactique qu'aurait utilisée Scofield; il suffisait d'avoir trois ou quatre personnes, cinq au maximum, pour réussir le coup. C'était facile à réaliser : quelques coups de téléphone depuis l'aéroport, un déjeuner dans un restaurant du centre ville... Peu de choses, en vérité, si l'on considérait la valeur réelle de la proie.

Bray entendit des bruits de voix dans le couloir. Il se leva de son fauteuil pour aller jeter un coup d'œil dans le bloscop, le petit viseur circulaire qui se trouvait au milieu de la porte.

Dans le couloir, une femme élégamment vêtue parlait avec le groom qui portait son sac. Ce n'était pas une valise, ce n'était sûrement pas le genre de bagage qu'on prend avec soi pour traverser l'Atlantique. C'était un petit sac de cuir, contenant tout au plus un nécessaire de toilette pour passer la nuit. L'appât était arrivé, les faucons ne devaient pas être loin. Taleniekov avait atterri, la danse allait commencer.

La femme et le groom pénétrèrent dans l'appartement.

Scofield marcha vers le téléphone, c'était le moment de lancer la contre-attaque. Ça prendrait du temps : il faudrait peut-être deux ou trois jours. Il allait falloir attendre.

Il appela d'abord le pêcheur de haute mer dans le Maryland, en passant par l'automatique. Il recouvrit en partie le microphone avec sa main droite afin de faire passer sa voix entre ses doigts écartés. Il ne perdit pas de temps en politesses inutiles, il était pressé.

« Je suis dans les îles Keys, et je n'arrive pas à atteindre ce foutu hôtel à Charlotte Amalie. Voulez-vous l'appeler pour moi ? Dites-leur que je pars de Tavernier sur un bateau de louage et que je serai là-bas dans deux ou trois jours.

— Bien sûr, Bray. Alors, en vacances, vraiment ?

— Plus que vous ne croyez. Et merci. »

L'autre coup de téléphone était un peu moins compliqué.

Bray appela une Française avec qui il avait vécu un certain temps, quelques années auparavant à Paris. Elle avait été un des agents les plus efficaces de l'Interpol, opérant sous couverture. Finalement on l'avait repérée, et elle travaillait maintenant pour une société dont le siège social était à Washington et qui appartenait à la C.I.A. Bien qu'il n'y eût plus entre eux de désir physique, ils étaient restés amis et se rendaient mutuellement de curieux services, sans jamais poser de questions.

Il lui donna le numéro de téléphone de l'hôtel de la Nebraska Avenue.

« Appelle dans une quinzaine de minutes et demande l'appartement 211. Une femme te répondra. Tu lui diras que tu veux me parler.

— Mais elle va être furieuse, mon chéri !

— Elle ne sait pas qui je suis. Mais quelqu'un d'autre le sait, crois-moi.

Taleniekov était appuyé contre le mur de brique de la ruelle obscure qui se trouvait derrière l'hôtel. Durant un instant, il resta affalé là, en remuant doucement la tête, pour essayer de se détendre, pour effacer au moins en partie sa fatigue. Ça faisait presque trois jours qu'il voyageait sans arrêt; il était resté enfermé dans un avion pendant plus de dix-huit heures. Il avait roulé dans des villes et des villages pour trouver les hommes qui lui fourniraient les faux papiers lui permettant de traverser sans encombre trois bureaux d'immigration. De Salonique à Athènes, d'Athènes à Londres, de Londres à New York. Finalement, après avoir été dans les bureaux de trois banques situées dans le bas de Manhattan, il avait pris, en fin d'après-midi, la navette en direction de Washington.

Il avait réussi ce qu'il voulait, ses pions étaient en

place : deux hommes et une femme âgée, trouvés à Washington, et une putain de luxe qu'il avait amenée avec lui de New York. Tous, en dehors de la pute, avaient déjà rendu par le passé un certain nombre de services au très généreux « homme d'affaires » de La Haye qui surveillait d'une manière presque maladive ses collaborateurs et adorait les confidences. Il était aussi d'une étonnante générosité. Ils avaient tous reçu des sommes rondelettes pour effectuer le travail de ce soir. La call-girl était déjà installée dans l'appartement qui était, en fait, la planque Berne-Washington. Dans quelques minutes, Scofield serait au courant – ce n'était pas un amateur –, il serait informé par un employé ou une téléphoniste. Il enverrait alors quelqu'un pour interroger la pute.

Et cet envoyé serait vu par les faucons de Taleniekov : les deux hommes et la vieille femme. Vasili leur avait donné à chacun un talkie-walkie miniaturisé, à peine plus grand qu'une boîte d'allumettes. Il en avait acheté quatre dans un grand magasin de la 5ᵉ Avenue. Chaque membre de l'équipe pouvait entrer en contact avec lui à tout instant, sans se faire remarquer, à l'exception de la call-girl. Il ne fallait surtout pas que ce genre d'appareil pût être trouvé sur elle. C'était préférable, en cas de nécessité de la sacrifier.

Un des deux hommes était assis devant une table dans un coin sombre du salon de l'hôtel. Une petite lampe éclairait son attaché-case et des papiers éparpillés : un homme d'affaires en train de récapituler ses opérations commerciales. Le deuxième homme, dans la salle à manger, était assis à une table pour deux qui avait été réservée par un fonctionnaire haut placé de la Maison Blanche. L'hôte, malheureusement, avait un empêchement et avait téléphoné à plusieurs reprises au maître d'hôtel pour demander qu'on l'excuse auprès de son invité. Ce dernier, évidemment, serait traité avec tous les égards qu'on doit à quelqu'un qui reçoit de telles excuses de la Maison Blanche. C'était un homme au-dessus de tout soupçon.

Mais c'était sur la vieille femme que Taleniekov comptait le plus. Elle était payée nettement plus que les autres, et à juste titre. Ce n'était pas une *nit-chevo*, ce n'était pas une pute. C'était un tueur. C'était l'arme secrète de Taleniekov. Une femme élégante, charmante, distinguée qui n'hésitait pas beaucoup pour ouvrir le feu sur quelqu'un qui se trouvait de l'autre côté de la pièce ou pour enfoncer son couteau dans le ventre de la personne avec qui elle venait de finir de dîner. Elle pouvait aussi en un instant se transformer du tout au tout, passer de la femme distinguée à la concierge et jouer, bien entendu, tous les rôles intermédiaires. Au cours des six dernières années, Vasili lui avait versé des milliers de dollars. Elle était venue en Europe, à plusieurs reprises, afin d'exécuter certaines corvées qui correspondaient fort bien à ses dons exceptionnels. Elle n'avait jamais raté quoi que ce fût. Et ce soir encore, elle réussirait. Vasili l'avait appelée juste après être arrivé à l'aéroport Kennedy. Elle avait eu toute la journée pour se préparer à la tâche qu'elle devait accomplir ce soir. C'était nettement suffisant.

Taleniekov s'écarta du mur de brique. Il secoua ses doigts, respira profondément et essaya de chasser de son esprit toute idée de sommeil. Il avait couvert ses flancs et n'avait qu'à attendre, à condition, bien sûr, que Scofield vînt au rendez-vous. Ce rendez-vous qui, aux yeux de l'Américain, devait être fatal pour l'un des deux. Et pourquoi ne viendrait-il pas ? C'était beaucoup mieux d'en finir plutôt que d'être obsédé par l'idée que chaque coin sombre ou chaque rue grouillante pouvait cacher un homme armé d'un pistolet ou d'un couteau. Oui, c'était beaucoup mieux de mettre un terme à tout ça. Ce serait sûrement l'opinion de Beowulf Agate aussi. Et pourtant il se trompait du tout au tout ! Si seulement on pouvait l'atteindre, lui parler. Il y avait les Matarèse ! Il y avait aussi ces gens qu'il fallait voir, supplier, convaincre. Ils devaient faire cela ensemble, car il y avait des hommes honnêtes à Moscou et à Washington, des hommes courageux, des hommes qui ne prendraient pas peur.

Malheureusement, il n'était pas possible de rencontrer Brandon Scofield sur un terrain neutre. La neutralité n'existait pas pour Beowulf Agate. Dès qu'il verrait son ennemi, l'Américain utiliserait immédiatement toutes les armes qu'il avait à sa disposition pour supprimer son adversaire. Vasili comprenait tout ça parfaitement. A la place de Scofield, il aurait agi de même. Donc il fallait attendre, tourner en rond, sans oublier que c'était l'autre la proie et qu'elle finirait par se montrer. Tout mettre en œuvre pour obliger l'adversaire à commettre cette faute.

En fait, et c'était dérisoire, la seule faute qui pouvait vraiment importer serait que Scofield l'emporte. Taleniekov devait empêcher cela à tout prix. Quel que fût l'endroit où se trouvait Scofield, il fallait le coincer, l'immobiliser et l'obliger à écouter. C'était pourquoi on devait attendre, maintenant. Et le stratège de Berlin-Est, de Riga et de Sébastopol était un homme de grande patience.

« La patience paie, monsieur Congdon, lança d'une voix joyeuse la personne au bout du fil. Scofield est parti de Tavernier sur un bateau de louage en direction des îles Keys. Nous pensons qu'il arrivera dans les îles Vierges après-demain.

– D'où tenez-vous cette information ? » demanda le directeur des Opérations consulaires avec une certaine réticence, tout en essayant de donner un ton ferme à sa voix endormie.

Il consulta le réveil sur la table de nuit. Il était trois heures du matin.

« D'un hôtel à Charlotte Amalie.

– Et d'où tiennent-ils leur information ?

– On les a appelés au téléphone du continent pour retenir une chambre. On leur a dit qu'il serait là dans deux jours.

– Qui a appelé ? Et d'où a-t-on appelé ? »

On marqua un temps d'arrêt à l'autre bout du fil.

« Nous pensons que c'est Scofield lui-même qui a appelé des îles Keys.

– Je ne vous demande pas de penser ! Trouvez qui a appelé.

– Nous vérifions tout, évidemment. Notre agent dans les îles Keys est parti pour Tavernier. Il épluchera tous les registres des agences de location de bateaux.

– Trouvez qui a appelé et tenez-moi au courant. »

Congdon raccrocha, s'adossa à l'oreiller et jeta un coup d'œil à sa femme qui dormait dans le lit jumeau à côté du sien. Elle avait tiré les draps sur sa tête, elle avait appris à dormir malgré les coups de téléphone nocturnes. Son mari réfléchissait à celui qu'il venait de recevoir. Ça paraissait trop simple, trop plausible, Scofield était en train de se dissimuler au milieu de tout ça. Le voyage impromptu, aux îles Vierges, d'un homme fatigué qui cherche un peu de repos. Là, précisément, résidait la contradiction. Scofield n'était pas un homme à commettre des négligences à cause de la fatigue. Il ne commettait jamais aucune négligence. Il était en train de brouiller les pistes... Donc c'était lui qui avait tué l'agent russe qui venait de Bruxelles.

K.G.B. Bruxelles. Taleniekov.

Berlin-Est.

Taleniekov et l'homme de Bruxelles avaient travaillé ensemble à Berlin-Est. « Dans un bureau relativement autonome du K.G.B. » Ce qui signifiait en fait Berlin-Est et au-delà...

Jusqu'à Washington, par exemple ? Ce bureau relativement autonome de Berlin-Est avait-il envoyé certains de ses hommes jusqu'à Washington ? Ce n'était pas impossible. Le mot « autonome » avait deux sens. Non seulement les supérieurs n'étaient pas tenus responsables des actes de leurs subordonnés, mais de plus, à l'intérieur du bureau, la liberté de mouvement était totale. Par exemple, un agent de la C.I.A. à Lisbonne pouvait poursuivre un homme jusqu'à Athènes si c'était lui qui était le mieux renseigné sur l'opération. Parallèlement, un agent du K.G.B. à Londres pouvait poursuivre un suspect jusqu'à New York. Ça faisait partie de son travail. Taleniekov avait déjà travaillé à Washington. On pensait qu'il avait traversé l'Atlantique au moins une douzaine de fois au cours de ces dix dernières années.

Taleniekov et l'homme de Bruxelles, voilà la connexion qu'il fallait étudier de près. Congdon se pencha en avant pour prendre le téléphone puis se ravisa. Les questions de temps étaient capitales maintenant, ça faisait presque douze heures que les câbles étaient arrivés à Amsterdam, à Marseille et à Prague. On savait, de source sûre, que les destinataires avaient été bouleversés. Les agents clandestins, dans ces trois villes, avaient été pris de panique en apprenant que Scofield était « irrécupérable ». Des noms allaient être donnés à l'adversaire, des hommes et des femmes seraient torturés, tués, des réseaux entiers démantelés. Beowulf Agate devait être éliminé dans les plus brefs délais. On avait appris, en début de matinée, que deux hommes avaient déjà été choisis, l'un à Prague, l'autre à Marseille. Ils volaient vers Washington en ce moment même. Il n'y avait eu aucun problème au niveau des passeports ni lors du passage au bureau d'immigration. Un troisième homme avait quitté Amsterdam à l'aube, car là-bas c'était déjà le matin.

Avant midi, une équipe de tueurs professionnels, qui n'avaient rien à voir avec le gouvernement des États-Unis, serait en place à Washington. Chacun de ces hommes devait appeler un numéro de téléphone dans le quartier noir de Baltimore, un numéro impossible à repérer. Toutes les informations concernant Scofield seraient communiquées à cette adresse. Un seul homme pouvait envoyer des informations sur Scofield à Baltimore, le directeur des Opérations consulaires. Personne dans le gouvernement, en dehors de lui, n'était en possession de ce numéro de téléphone.

Pouvait-on entrer en contact avec les Russes ? se demandait Congdon. Il n'y avait malheureusement pas beaucoup de temps. Ce serait vraiment une extraordinaire coopération. Etait-il possible de coopérer sur ce terrain ? Et comment s'y prendre ? Il n'y avait jamais eu de précédent, mais c'était faisable. On pouvait brûler la planque et obtenir une double exécution.

Congdon avait hésité à appeler le ministre des Affaires étrangères pour lui suggérer une rencontre inhabituelle, en tout début de matinée, avec l'ambassadeur d'Union soviétique. Malheureusement, les complications diplomatiques risquaient de faire perdre beaucoup trop de temps. Ni d'un côté ni de l'autre, on ne souhaitait reconnaître la violence des objectifs. Il y avait un meilleur moyen, nettement plus dangereux, mais beaucoup plus rapide.

Congdon sortit du lit tout doucement et descendit au rez-de-chaussée pour se rendre dans la petite pièce qui lui servait de bureau chez lui. Il s'approcha de sa table de travail qui était fixée solidement au sol. Le tiroir du bas à droite était en fait un coffre-fort à combinaison. Congdon alluma la lampe, fit pivoter le panneau et composa le numéro. Un petit cliquetis se fit entendre et la porte d'acier s'ouvrit. Congdon chercha un moment à l'intérieur du coffre et en sortit une fiche sur laquelle était inscrit un numéro de téléphone.

C'était un numéro qu'il pensait ne jamais avoir à appeler. L'indicatif était le 902 – Nova Scotia, au

Canada. Ce numéro, qui répondait toujours, était le numéro du centre informatique soviétique qui stockait toutes les informations concernant le travail des agents secrets soviétiques en Amérique du Nord. En appelant ce numéro, Congdon dévoilait une information qui n'aurait pas dû l'être. Les Russes ne savaient pas que leur centre informatique de Nova Scotia était connu des services secrets américains. Mais le manque de temps et des circonstances exceptionnelles reléguaient la prudence au second plan. Il y avait un homme à Nova Scotia, qui comprendrait, qui ne se laisserait pas démonter par les apparences, car il avait ordonné un trop grand nombre d'exécutions. C'était aussi l'homme qui avait le plus haut rang parmi les agents du K.G.B. travaillant hors de Russie.

Congdon décrocha le téléphone.

« Cabot Strait Exporters, dit une voix d'homme à Nova Scotia. Service de nuit.

— Le sous-secrétaire d'Etat Congdon à l'appareil, le directeur des Opérations consulaires, Washington. Vérifiez, s'il vous plaît, que j'appelle d'une propriété privée à Herndon Falls en Virginie. Mettez aussi en action votre appareillage électronique pour vous assurer que la ligne n'est pas surveillée. Vous verrez qu'elle ne l'est pas. J'attendrai aussi longtemps que vous le désirerez. Je veux parler avec Voltage Un. *Volt Odin*, comme vous l'appelez. »

A Nova Scotia, on restait muet. Un silence impressionnant. Ce n'était pas difficile d'imaginer un opérateur ahuri, appuyant sur tous les boutons d'urgence. Finalement, on parla de nouveau.

« Apparemment, il y a des interférences sur la ligne. Voulez-vous répéter ce que vous m'avez dit ? »

Congdon répéta.

De nouveau, le silence. Puis :

« Ne quittez pas, je vous passe le surveillant. Cependant, nous pensons que vous avez été dirigé par erreur ici au Cap-Breton.

– Vous n'êtes pas au Cap-Breton. Vous êtes dans la baie de Saint-Pierre dans l'île du Prince-Edouard.

– Restez en ligne, je vous prie. »

L'attente dura environ trois minutes. Congdon se laissa tomber sur une chaise. Ça marchait.

Voltage Un était sur la ligne.

« Attendez encore un instant s'il vous plaît », dit le Soviétique. Congdon entendit un son creux. La ligne était branchée, mais personne ne disait mot : tout un appareillage électronique était mis en branle. Le Soviétique parla de nouveau : « Vous appelez en effet d'une propriété privée à Herńdon Falls en Virginie. Nos appareils n'ont détecté aucun signe de surveillance. Mais cela n'a pas forcément une grande signification.

– Je ne vois pas quelle autre preuve je pourrais vous donner...

– Vous vous méprenez, monsieur le sous-secrétaire d'Etat. Le fait que vous possédiez ce numéro de téléphone n'est pas en soi une chose tellement étonnante. Mais que vous osiez vous en servir et me demander sous mon nom de code est beaucoup plus surprenant. J'ai la preuve dont j'ai besoin. Quelle est donc l'affaire qui nous concerne tous deux ? »

Congdon le lui expliqua brièvement.

« Vous voulez Taleniekov, nous voulons Scofield. Le lieu de contact est à Washington. Je suis sûr de cela. Votre agent de Bruxelles m'en a donné la preuve.

– Si mes souvenirs sont exacts, son cadavre a été expédié à l'ambassade il y a quelques jours.

– Exact.

– Et vous voyez un rapport avec Scofield ?

– Votre ambassadeur a fait le même rapprochement. Il m'a fait remarquer que l'homme de Bruxelles était un agent du K.G.B. à Berlin-Est en 1968. Le groupe de Taleniekov. Il y a eu un incident auquel était mêlée la femme de Scofield.

— Je vois. Ainsi Beowulf Agate tue de nouveau par vengeance.

— Vous allez peut-être un peu loin. Puis-je vous rappeler que c'est Taleniekov qui vient vers Scofield et non l'inverse ?

— Soyez plus précis, monsieur le sous-secrétaire d'Etat. En principe nous sommes d'accord. Qu'attendez-vous de nous ?

— Une information stockée dans un de vos ordinateurs ou portée sur une fiche quelconque. Il faut remonter un certain nombre d'années en arrière. Mais elle existe. Nous croyons qu'à un moment donné l'homme de Bruxelles et Taleniekov ont travaillé à Washington. Nous avons besoin de connaître l'adresse de la planque. C'est le seul point de contact que nous ayons entre Scofield et Taleniekov. Nous pensons que c'est là qu'ils vont se rencontrer.

— Je vois, dit de nouveau le Soviétique. Et en admettant qu'il y ait une telle adresse ou de telles adresses, quelle serait la position de votre gouvernement ? »

Congdon s'attendait à la question.

« Mon gouvernement n'aura aucune position à prendre, répondit-il d'une voix neutre. Cette information sera transmise à des hommes qui se font beaucoup de souci au sujet de la récente conduite de Beowulf Agate. Personne au gouvernement, en dehors de moi, ne sera au courant.

— Un message codé, de même teneur, a été adressé à trois unités contre-révolutionnaires en Europe. A Prague, à Marseille et à Amsterdam. De telles unités ne manquent pas de tueurs.

— Je vous félicite pour la qualité de votre travail, dit le directeur des Opérations consulaires.

— Vous réussissez ce même genre de travail tous les jours. Les compliments sont superflus.

— Vous ne vous en mêlez pas ?

— Bien sûr que non, monsieur le sous-secrétaire d'Etat. Vous ne le désirez pas.

– En effet.

– Il est onze heures à Moscou. Puis-je vous rappeler d'ici une heure ? »

Congdon raccrocha et s'étira dans son fauteuil. Il avait une envie folle de boire un verre mais refusait de céder à la tentation. Pour la première fois au cours de sa longue carrière il traitait directement avec l'ennemi sans visage de Moscou. Il n'y avait pas la moindre touche d'irresponsabilité dans sa décision. Il agissait seul, et c'était cette solitude qui le protégeait. Il ferma les yeux et vit d'immenses murs blancs en béton...

Vingt-deux minutes plus tard, exactement, la sonnerie du téléphone se faisait entendre. Congdon décrocha précipitamment.

« Il y a un petit hôtel de luxe dans la Nebraska Avenue... »

8

SCOFIELD ouvrit le robinet, appuya ses mains sur le rebord du lavabo et se regarda dans le miroir. A cause du manque de sommeil, ses yeux étaient injectés de sang, son menton et ses joues étaient couverts de poils durs. Il ne s'était pas rasé depuis trois jours, et il n'avait guère dormi, en tout et pour tout, plus de deux heures. Il était quatre heures du matin, et il n'était pas question de dormir ou de se raser.

De l'autre côté du couloir, la femme trop élégante, l'agent de Taleniekov, n'avait pas dormi davantage. On l'appelait maintenant au téléphone tous les quarts d'heure.

M. Brandon Scofield, s'il vous plaît.

Je ne connais personne de ce nom. Arrêtez de me déranger. Qui êtes-vous ?

156

Une amie de M. Scofield. Il faut que je lui parle de toute urgence.

Il n'est pas là. Je n'ai même jamais entendu ce nom. Cessez de m'embêter. Vous me rendez folle. Je vais demander à la réception qu'on ne me dérange plus.

A votre place, je ne ferais pas ça. Votre ami ne serait pas d'accord. Il ne vous paierait pas.

Ça suffit, maintenant.

La petite Française travaillait comme un ange. Au moment où il lui avait demandé de lui rendre ce service, elle n'avait posé qu'une question.

« As-tu des ennuis, mon vieux ?

— Oui.

— Bon. Je ferai tout ce que tu me demanderas. Explique-moi pour que je sache quoi dire.

— Ne parle jamais plus de vingt secondes, je ne sais pas qui contrôle le standard.

— Ça va mal, en effet ! »

Dans une demi-heure, ou peut-être même avant, la femme dans l'appartement de l'autre côté du couloir serait prise de panique et quitterait l'hôtel. Tout ce qu'on lui avait promis disparaissait devant ces insupportables appels téléphoniques, en face de cette impression croissante de danger mortel. Une fois l'appât éliminé, le chasseur se sentirait coincé. Taleniekov se verrait obligé de la remplacer par ses faucons, et tout recommencerait. Simplement, les appels téléphoniques seraient plus espacés, toutes les heures environ. Juste au moment où l'on commence à s'endormir. Finalement, les faucons décamperaient aussi. Le tout était de savoir combien de temps ils allaient résister. Certes le chasseur avait des réserves, mais elles étaient limitées, car il travaillait en territoire étranger. De combien de faucons, d'appâts disposait-il ? Il ne pouvait pas indéfiniment compter sur des contacts aveugles, organiser des réunions à la hâte, donner des ordres et de l'argent.

Non, ce n'était pas possible. Les désillusions et la fatigue viendraient à bout de tous, et le chasseur sans ressources se retrouverait tout seul. Finalement il apparaîtrait lui-même, il n'avait pas le choix. Il ne pouvait pas laisser la planque sans surveillance. C'était le piège, le seul point de rencontre possible entre lui et la proie.

Tôt ou tard, Taleniekov traverserait le couloir de l'hôtel et s'arrêterait devant l'appartement 211. Et le chiffre porté sur la porte serait la dernière chose qu'il verrait.

Le Soviétique était un tueur remarquable, mais, néanmoins, l'homme qu'il appelait Beowulf Agate allait parvenir à l'abattre, pensait Scofield. Il ferma le robinet du lavabo et plongea son visage dans l'eau froide.

Il se releva immédiatement en entendant des bruits dans le couloir. Il retourna vers le bloscop. Une femme de chambre à l'allure de matrone était en train d'ouvrir la porte. Elle tenait dans sa main droite un paquet de serviettes et des draps. Une femme de chambre à quatre heures du matin ? Bray admirait l'imagination de Taleniekov : celui-ci avait payé une des femmes de chambre du service de nuit pour le tenir au courant de ce qui se passait à l'intérieur de l'appartement au cours des dernières heures de la nuit. C'était malin mais c'était raté. Une personne de cette sorte n'avait pas les compétences nécessaires, on pouvait l'éliminer trop facilement. Elle pouvait aussi être appelée à la réception. Un client avait un petit problème : une brûlure de cigarette, un vase renversé. Ce n'était vraiment pas l'idéal. C'était une erreur.

Au matin, elle ne serait plus de service. Et alors le client occupant l'appartement d'en face l'interpellerait.

Scofield retournait vers le lavabo lorsqu'il entendit de nouveau du bruit. Il revint vers le bloscop.

La femme élégante sortait de l'appartement, son

petit sac de cuir à la main. La femme de chambre se tenait immobile près de la porte, tandis que l'appât lui lançait à voix haute :

« Dites-lui qu'il aille se faire voir ! Il est complètement timbré, ma pauvre. Ce foutu endroit est plein de cinglés ! »

La femme de chambre regarda en silence la femme trop élégante s'enfoncer dans le couloir et referma la porte. C'était à son tour de rester dans l'appartement.

Cette domestique à l'allure de matrone avait été certainement bien payée. Elle le serait encore mieux le lendemain matin, par le client qui occupait l'appartement d'en face. Les négociations commenceraient dès qu'elle apparaîtrait dans le couloir. Qui était le type qui la payait ? Où se trouvait-il ?

Le jeu devenait de plus en plus serré ; il fallait maintenant s'armer de patience, et surtout rester éveillé.

Taleniekov, les jambes dans du coton, marchait dans la rue. Il faisait un effort pour rester vigilant, pour ne pas se cogner à la foule qui envahissait le trottoir. Il s'obligeait à faire un tas de calculs mentaux pour rester concentré. Il comptait ses pas, les fissures dans le goudron, le nombre de rues à traverser entre deux cabines téléphoniques. Il ne pouvait plus se servir de son poste de radio : les cibistes étaient en action. Il était furieux de ne pas avoir trouvé le moyen d'acheter un matériel plus sophistiqué. Mais il n'avait pas pensé un seul instant que cela prendrait tellement de temps. C'était de la folie !

A onze heures vingt du matin, Washington bourdonnait d'animation. Les gens se bousculaient sur le trottoir, les voitures et les bus encombraient la chaussée. Et les appels téléphoniques insensés continuaient de parvenir dans l'appartement de l'hôtel de la Nebraska Avenue.

Passez-moi Brandon Scofield, je vous prie. Je dois lui parler de toute urgence...

Complètement fou !

Qu'est-ce que fabriquait Scofield ? Où était-il ? Où étaient ses intermédiaires ?

Seule la vieille femme avait accepté de rester dans l'hôtel. La putain s'était révoltée, les deux hommes, succombant à la fatigue, ne servaient plus à rien et étaient plutôt une gêne. La femme qui était encore dans l'appartement essayait de se reposer un peu entre chaque coup de téléphone et informait Taleniekov de chaque mot de son correspondant. C'était une femme avec un accent étranger prononcé, probablement une Française. Elle ne restait jamais en ligne plus d'une dizaine de secondes. On ne pouvait pas la faire parler. Elle était extrêmement cassante. C'était une professionnelle ou elle obéissait aux ordres d'un professionnel. C'était impossible de connaître le numéro d'appel ni même le lieu d'où elle appelait.

Vasili se dirigea vers la cabine téléphonique qui se trouvait à une cinquantaine de mètres de l'entrée de l'hôtel sur le trottoir d'en face. C'était la quatrième fois qu'il appelait de cette cabine. Il se souvenait parfaitement des graffiti et des numéros étranges gravés au couteau sur la peinture grise des montants métalliques. Il entra dans la cabine, referma la porte vitrée et enfonça sa pièce dans la fente. Après avoir obtenu la tonalité, il composa le numéro.

Prague !

Sa vue était en train de lui jouer des tours. Sur l'autre côté de la Nebraska Avenue, un homme qui venait de descendre de taxi restait immobile au milieu de la chaussée pour regarder en direction de l'hôtel. Vasili connaissait cet homme.

Tout au moins, il connaissait son visage. C'était Prague !

La vie de ce type était pleine de violences politiques et autres. Sa fiche de police était remplie d'attaques à main armée, de vols et de crimes non prouvés. Il avait passé près de dix ans de sa vie en prison et se battait contre la Russie non à cause de ses idées mais par intérêt. Les Américains le payaient grassement, car il tirait avec adresse et maniait le couteau à la perfection.

De toute évidence, s'il se trouvait à Washington à moins de cinquante mètres de cet hôtel-ci, c'était parce qu'il y avait une connexion entre lui et Scofield, mais cette connexion était absolument invraisemblable. Beowulf Agate connaissait des dizaines d'hommes et de femmes dans toutes sortes de villes à qui il pouvait demander de l'aide sans être obligé de faire venir quelqu'un d'Europe. De plus, il n'aurait jamais appelé ce type-là. Les sadiques sont extrêmement difficiles à diriger. Pourquoi alors était-il là ? Qui lui avait demandé de venir ? Qui l'avait envoyé ? Y en avait-il d'autres ? Mais c'était le « pourquoi » qui martelait l'esprit de Taleniekov. Il y avait quelque chose de curieux. En dehors du fait que la planque Berne-Washington eût été dévoilée par Scofield – probablement par mégarde –, quelqu'un qui était au courant de tout avait appelé Prague pour avoir un tueur qu'on savait avoir travaillé bien souvent pour les Américains.

Pourquoi ? Qui était la cible ?

Beowulf Agate ?

Nom de Dieu ! C'est vrai qu'il y avait une curieuse technique qu'on avait déjà utilisée à Washington... Et bizarrement, cette technique avait quelque chose à voir avec celle des Matarèse. *Nuages d'orage sur Washington*... Scofield s'était trouvé pris dans une tempête qui non seulement le pousserait à l'écart, mais qui risquait aussi de l'abattre. Il fallait que Vasili s'assure de tout cela. L'homme de Prague n'était peut-être après tout qu'un brillant stratagème destiné à piéger un Russe et non pas à tuer un Américain. Sa main était encore au-dessus du cadran. Il appuya sur un bouton pour faire revenir sa pièce de monnaie. Il se demandait s'il pouvait prendre ce risque. Le type de l'autre côté de la rue consulta sa montre et se dirigea vers un café. Il avait rendez-vous, ils étaient plusieurs. Vasili ne pouvait pas se permettre de prendre ce risque. Il fallait savoir d'abord. De plus, c'était peut-être une question de minutes.

Il y avait un *prodanet* à l'ambassade, un attaché, qui avait perdu le pied gauche lors d'une opération contre des manifestants à Riga, plusieurs années auparavant. C'était un vieux routier du K.G.B. lui et Taleniekov avaient formé autrefois quelques liens d'amitié. Ce n'était peut-être pas le moment de mettre cette ancienne amitié à l'épreuve, mais Vasili n'avait pas le choix. Il savait par cœur le numéro de téléphone de l'ambassade, c'était toujours le même depuis des années. Il remit la pièce dans la fente et composa son numéro.

« Ça fait un sacré bout de temps depuis cette nuit terrible à Riga, dit Taleniekov après avoir obtenu le bureau du *prodanet*. J'ai appris que notre cryptana-lyste avait été tué à Sébastopol. Un drame affreux.

– Encore faut-il connaître les circonstances exac-tes, répondit-on d'une voix sèche, professionnelle. (Tout revenait en mémoire; les mots employés, le ton de la voix, rien n'avait été oublié.) Pour le moment, ce n'est pas clair. Ne coupez pas, on m'ap-pelle sur une autre ligne. »

Vasili leva les yeux et les baissa immédiatement pour regarder le téléphone. Si l'attente dépassait trente secondes, il connaîtrait la réponse : l'ancienne amitié n'avait pas survécu aux événements. Les Soviétiques étaient tout à fait capables de repérer d'où venait un appel, même dans la capitale fédérale des Etats-Unis. Vasili gardait les yeux fixés sur la trotteuse de sa montre. *Vingt-huit, vingt-neuf, trente, trente et un... trente-deux.* Au moment où il allait raccrocher, quelqu'un parla au bout du fil.

« Taleniekov ? Vous êtes là ? »

Vasili reconnut le petit bruit caractéristique, un appareil électronique avait été placé sur le microphone. Toute tentative d'écoute par un tiers serait immédiatement brouillée.

« Oui, mon vieux, je suis là. J'ai failli raccrocher.

– Riga, ce n'est pas si loin ! Que se passe-t-il ? On nous raconte des histoires absolument dingues.

– Je suis un traître !

– Personne ne croit ça, ici. On a l'impression que vous avez marché sur les plates-bandes d'une huile à Moscou. Pourrez-vous retourner là bas ?

– Plus tard, je pense, oui.

– Je n'arrive pas à croire toutes ces accusations. Pourtant vous êtes ici.

– Je dois être ici pour la sauvegarde de la Russie et pour notre propre sauvegarde. Faites-moi confiance. J'ai besoin d'une information urgente. Je pense que vous êtes la personne, à l'ambassade, qui peut me la fournir.

– De quoi s'agit-il ?

– Je viens de voir un type qui arrive de Prague, un homme que les Américains utilisent pour ses dons de tueur. On tenait un dossier à jour sur lui. Je suppose qu'il en est toujours de même. Savez-vous quelque chose ?...

– C'est Beowulf Agate, coupa le diplomate, c'est Scofield, n'est-ce pas, qui vous amène ici ?

– Dites-moi ce que vous savez.

– Foutez-lui la paix, Taleniekov ! Foutez-lui la paix ! Ses compatriotes vont se charger de lui. Il est foutu.

– Bon Dieu ! j'avais raison, fit Vasili, les yeux fixés sur le café de l'autre côté de la Nebraska Avenue.

– Je ne sais pas pourquoi vous pensez que vous avez raison, mais nous avons intercepté trois câbles à destination de Prague, de Marseille et d'Amsterdam.

– Ils envoient toute une équipe, coupa Taleniekov.

– Ne vous mêlez pas de ça. Vous avez votre vengeance, la plus délectable. Après avoir consacré sa
vie à son pays, il va être liquidé.

– Ce n'est pas possible ! Il y a certaines choses
que vous ne savez pas.

– C'est tout à fait possible, en dépit des choses
que je sais. Nous n'y pouvons rien. »

Soudain, l'attention de Vasili fut attirée par un
piéton qui traversait la rue à une dizaine de mètres
de la cabine téléphonique. L'homme avait quelque
chose de particulier : l'expression de son visage, les
yeux qui regardaient çà et là, derrière des lunettes
noires... Il n'était pas perdu, il inspectait les environs. Ses vêtements un peu lâches, coupés dans un
tweed bon marché mais solide, fait pour durer,
étaient français. Les lunettes étaient françaises.
C'était un Français. Il regarda lui aussi vers l'entrée
de l'hôtel et accéléra le pas.

L'homme de Marseille était arrivé.

« Venez nous voir, dit l'attaché d'ambassade à
l'autre bout du fil. Rien de ce qui s'est passé ne peut
être irréparable, étant donné les extraordinaires services que vous avez rendus à votre pays. (L'ancien
ami de Riga se voulait persuasif. Trop persuasif. On
n'employait jamais ce ton entre professionnels.) Le
fait que vous veniez de votre propre gré jouera en
votre faveur. Vous savez que nous vous défendrons
à tous crins. Nous mettrons votre venue ici sur le
compte d'une dépression temporaire, d'un état émo-
tionnel. Après tout, Scofield a tué votre frère.

– J'ai tué sa femme.

– Une épouse n'est pas du même sang ! On peut
comprendre ces choses. Faites ce qu'il faut faire,
venez nous voir, Taleniekov. »

Ses efforts pour persuader étaient stupides. On ne
se livre pas soi-même à moins d'avoir des preuves
concrètes de la bienveillance des autorités. Et certai-

nement pas lorsque l'ordre d'exécution sommaire a été lancé. Finalement l'ancienne amitié ne résistait pas à cette épreuve.

« Vous m'assurez de votre protection ? demanda Vasili.

– Evidemment. »

Un mensonge. Personne ne pouvait promettre cette sorte de protection. Il y avait quelque chose qui clochait.

De l'autre côté de la rue, l'homme qui portait des lunettes noires arrivait maintenant à la hauteur du café. Il ralentit et s'arrêta devant la façade comme s'il voulait regarder le menu accroché à la vitre. Il fouilla dans sa poche, en sortit une cigarette qu'il alluma. A l'intérieur, quelqu'un gratta une allumette. La lueur, à cause du soleil, était imperceptible. Le Français pénétra dans le café. L'homme de Prague et celui de Marseille étaient entrés en contact.

« Merci de vos conseils, dit Vasili dans l'appareil. Je vais y réfléchir et je vous rappelle.

– Ce serait mieux de ne pas trop traîner, répondit l'homme de l'ambassade sur un ton pressant qui différait nettement de celui de tout à l'heure. Ça n'arrangera pas les choses si vous vous trouvez mêlé à une histoire avec Scofield. Ce serait préférable qu'on ne vous vît pas là-bas. »

Qu'on ne vous vît pas là-bas. En entendant ces mots, Taleniekov eut l'impression qu'on venait de lui tirer une balle dans la tête. Ainsi donc, son ancien ami était au courant. C'était là qu'était la faille. Qu'on ne vous vît pas là-bas. C'est-à-dire où ? Son collègue de Riga était au courant. L'hôtel sur la Nebraska Avenue. Ce n'était pas Scofield qui avait dévoilé la planque Berne-Washington, ni volontairement ni involontairement, c'était le K.G.B. Les services secrets soviétiques coopéraient avec les Américains pour exécuter Beowulf Agate.

Pourquoi ?

Les Matarèse ? Il n'était plus temps de réfléchir, il

fallait agir... L'hôtel ! Scofield n'était pas assis quelque part, dans un endroit perdu, près d'un téléphone, attendant d'entrer en contact avec un intermédiaire, il était dans l'hôtel. Personne n'aurait à quitter les lieux pour faire son rapport à Beowulf Agate. Aucun faucon ne mènerait à la cible. Scofield avait réussi un coup de toute beauté. Il était en première ligne mais invisible, il observait sans être vu.

« Vous devez m'écouter, franchement, Vasili. »

Le *prodanet* parlait plus vite, maintenant. Il sentait l'indécision de son correspondant. Et si son ancien camarade de Riga devait être abattu, il était préférable que cela se passe à l'intérieur de l'ambassade. On avait des moyens, ici. Il fallait éviter qu'on retrouve le corps d'un ancien ami dans un hôtel de Washington où un agent des services secrets américains avait été exécuté. Cela voulait dire que le K.G.B. avait dévoilé la planque Berne-Washington aux Américains sans obtenir tout de suite l'heure exacte de l'exécution. Mais maintenant, ils étaient au courant. Quelqu'un au ministère des Affaires étrangères les avait renseignés. Les agents russes, exactement comme les agents américains, ne devaient pas s'approcher de l'hôtel, il ne fallait pas que les services secrets de ces deux pays soient mêlés à l'affaire. Vasili devait gagner quelques minutes à tout prix. Car c'était probablement tout ce qui lui restait : quelques minutes. Il allait faire diversion.

« D'accord, je me rends, dit Taleniekov d'une voix étouffée mais sincère, celle d'un homme qui accepte le point de vue de son correspondant. Vous avez raison, je n'ai plus rien à gagner, maintenant, mais tout à perdre. Je me remets entre vos mains. Si je peux trouver un taxi dans cette cohue, je serai à l'ambassade dans une demi-heure. Attendez-moi, j'ai besoin de vous. »

Vasili raccrocha, mit une autre pièce dans la fente et composa le numéro de l'hôtel. Il fallait faire vite.

« Il serait ici ? dit la vieille femme, un fond d'incrédulité dans la voix.

– A mon avis, il est tout près. Ça explique beaucoup de choses : les coups de téléphone, l'attente qui
n'en finissait pas, la connaissance qu'il avait de tout
ce qui se passait dans l'appartement. Il entendait les
bruits à travers le mur, il savait quand une porte
s'ouvrait, quand quelqu'un était dans le couloir.
Etes-vous toujours habillée en femme de chambre ?

– Oui, je suis trop fatiguée pour me déshabiller.

– Allez jeter un coup d'œil dans les appartements
proches du vôtre.

– Est-ce que vous vous rendez compte de ce que
vous me demandez ? Qu'arrivera-t-il s'il...

– Je sais parfaitement ce que je vous paie. Vous
aurez beaucoup plus si vous faites ce que je vous dis.
Allez-y. Il n'y a pas un moment à perdre. Je vous
rappelle dans cinq minutes.

– Comment saurai-je que c'est lui ?

– Il ne vous laissera pas entrer. »

Bray était assis, torse nu, entre la fenêtre ouverte
et la porte. L'air froid le faisait trembler; il y avait à
peine dix degrés dans la pièce. Il fallait avoir froid si
l'on voulait rester éveillé. Un homme fatigué qui a
froid réagit plus vite et mieux qu'un homme fatigué
qui a chaud. Il entendit un petit cliquetis dans le
couloir puis un bruit de loquet, quelqu'un ouvrait
une porte. Scofield se leva de son fauteuil et
s'avança vers la fenêtre pour la fermer. Puis, une
fois de plus, il se dirigea vers la minuscule ouverture
qui lui donnait une vue sur le petit monde qui serait
bientôt le lieu de sa vengeance. Il fallait que ce soit
bientôt car il ne savait pas très bien combien de
temps encore il pouvait tenir.

La femme de chambre à l'allure de matrone sortait maintenant de l'appartement, portant toujours
des draps et des serviettes sur le bras. Son visage

exprimait la perplexité et la résignation. Elle pensait probablement à l'énorme somme d'argent que lui avait offerte un étranger pour occuper un grand appartement sans dormir et recevoir des coups de téléphone bizarres. Evidemment quelqu'un d'autre avait dû rester éveillé pour les donner, ces coups de téléphone, quelqu'un à qui Bray devait beaucoup. Il lui rendrait la pareille un jour ou l'autre. Mais pour l'instant, il se concentrait sur le faucon de Taleniekov qui foutait le camp, qui n'était plus capable de respirer cette atmosphère. La femme de chambre quittait la planque. Ce n'était plus maintenant qu'une question de temps. Ce ne serait sûrement plus très long, le chasseur serait bien forcé de venir examiner son piège et il tomberait dedans.

Scofield ouvrit sa valise, posée sur le tabouret réservé à cet usage, pour prendre une chemise propre. Il en choisit une, au col fortement amidonné, une chemise amidonnée ressemble à une pièce froide : c'est désagréable et ça vous tient éveillé. Après l'avoir enfilée, il s'approcha de la table où se trouvait son arme, un Browning Magnum *grade four*, au silencieux fabriqué selon ses indications.

Il se retourna brusquement en entendant un bruit inattendu. On frappait discrètement à sa porte. Pourquoi ? Il avait demandé qu'on ne le dérangeât pas et il avait payé pour ça. La direction avait informé le personnel qui aurait pu avoir une raison d'entrer dans l'appartement 213 d'y renoncer. La pancarte *Ne pas déranger* devait être prise au sérieux. Pourtant quelqu'un passait outre, alors que plusieurs centaines de dollars avaient été versés. S'agissait-il de quelqu'un ne sachant pas lire ?...

C'était la femme de chambre. Le faucon de Taleniekov était toujours dans les parages. Scofield, grâce au bloscop, put examiner à loisir les traits du visage. Les yeux fatigués, cernés, pris entre des masses de chair ridée, gonflés à cause du manque de sommeil, regardèrent à gauche puis à droite et enfin vers le bas de la porte. La vieille femme voyait parfaitement la pancarte mais n'y attachait aucune importance. Il y avait quelque chose de curieux dans son comportement et dans son visage... Mais Bray n'avait pas le temps de la regarder davantage. Vu les circonstances, il fallait que les négociations commencent rapidement. Il enfonça son arme dans l'échancrure de sa chemise; le tissu amidonné dissimulait assez bien la protubérance.

« Qu'est-ce que c'est ? demanda-t-il.

— La femme de chambre, monsieur, répondit-elle avec un accent irlandais peu prononcé mais guttural. La direction m'a demandé de vérifier si toutes les chambres avaient du linge propre. »

C'était un piètre mensonge. Le faucon de Taleniekov était trop fatigué pour en trouver un autre.

« Entrez », cria Scofield en tirant le verrou.

« Le 211 ne répond pas, dit l'opératrice qui commençait à en avoir assez de l'insistance de son correspondant.

— Essayez encore, répliqua Taleniekov, les yeux fixés sur la porte d'entrée du café de l'autre côté de la rue. Ils ont pu s'absenter un moment, mais ils vont revenir tout de suite. Je le sais. Continuez de les appeler, je reste en ligne.

— Comme vous voulez, monsieur », dit l'opératrice d'un ton rogue.

Tout ça était complètement fou. Ça faisait plus de neuf minutes que la vieille femme avait commencé sa recherche. Neuf minutes pour frapper à la porte de quatre appartements qui se trouvaient dans le même couloir. Il ne fallait pas neuf minutes pour faire ça, même en admettant que tous les appartements fussent occupés et que la femme de chambre eût été obligée de donner des explications à chaque fois. D'autant plus que la quatrième conversation avait dû être brève et cassante. *Laissez-moi tran-*

quille. *J'ai demandé qu'on ne me dérange pas.* A moins...

De nouveau, une allumette dans le soleil, la lueur se refléta nettement dans la vitre sombre du café. Vasili plissa les yeux pour mieux voir. Partant d'une table à l'intérieur du café, le même signal fut répété durant une fraction de seconde. L'homme d'Amsterdam était arrivé, l'équipe de tueurs était au complet. Taleniekov regarda attentivement la silhouette qui se dirigeait vers le petit café. L'homme, de bonne taille, portait un manteau noir et une écharpe de soie grise autour du cou. Son chapeau, également gris, lui cachait une partie du visage.

Le téléphone sonnait maintenant curieusement. L'opératrice, agacée, appuyait sans arrêt sur le bouton. Aucune réponse. Vasili commença à penser à l'impensable : Beowulf Agate avait intercepté son appât. S'il en était ainsi, l'Américain était en bien plus grand danger qu'il ne pouvait l'imaginer. Trois hommes étaient arrivés d'Europe pour l'abattre. De plus, une vieille femme d'apparence anodine qu'il essaierait d'annihiler le tuerait dès qu'elle se sentirait prise au piège. Il ne s'apercevrait même pas d'où venait le coup ni de quelle arme on s'était servi.

« Je regrette, monsieur, dit la standardiste d'un ton brusque, le 211 ne répond toujours pas. Rappelez plus tard. »

Elle avait déjà raccroché.

Le standard ? L'opératrice ?

C'était une manœuvre désespérée, qu'il ne pouvait considérer qu'en dernière extrémité. Le risque était énorme. Mais c'était la dernière extrémité ! S'il y avait une alternative, Vasili était trop fatigué pour la découvrir. Tout ce qu'il savait, c'est qu'il devait agir. Agir par réflexe si c'était nécessaire : il faisait confiance à son instinct. Il sortit de sa poche cinq billets de cent dollars, puis chercha dans son passeport une lettre qu'il avait tapée sur une machine anglaise, cinq jours plus tôt à Moscou. L'en-tête était celle d'un agent de change à Berne. On y disait que le porteur de cette lettre était un des directeurs de la firme...

Vasili sortit de la cabine téléphonique pour se mêler à la foule des passants jusqu'à ce qu'il se trouve en face de l'entrée de l'hôtel. Il laissa passer quelques voitures, puis traversa rapidement la Nebraska Avenue.

Deux minutes plus tard, un des gérants de l'hôtel, plein de sollicitude, présentait un certain M. Blanchard à la standardiste. Ce même gérant – décidément très impressionné par les références de M. Blanchard et par les deux cents dollars que lui avait donnés l'homme d'affaires suisse pour le dédommager du dérangement – installait ensuite quelqu'un d'autre devant le standard pour laisser l'opératrice parler tranquillement avec le généreux M. Blanchard.

« Je vous prie de bien vouloir oublier la brusquerie, tout à l'heure au téléphone, d'un homme anxieux, dit Taleniekov, en fourrant trois cents dollars dans la main crispée de la standardiste. Le monde de la finance internationale est un monde particulièrement dur de nos jours. C'est un combat permanent, une lutte de tous les instants pour empêcher des hommes sans scrupule d'écraser d'honnêtes agents de change et des sociétés réputées. Nous avons en ce moment même cette sorte de problème. Quelqu'un dans cet hôtel... »

Une minute plus tard, Vasili avait devant les yeux la liste de tous les appels téléphoniques faits par les clients de l'hôtel. Il s'intéressa particulièrement à ceux en provenance du deuxième étage. Il y avait là deux couloirs : dans l'aile ouest, les appartements 211 et 212 se trouvaient en face du 213. À l'est, il y avait quatre chambres. Vasili regarda attentivement les appels venant des chambres 211 à 215. Les noms ne signifiaient rien pour lui. Les appels intra-urbains n'étaient pas enregistrés, seules les communications régionales ou internationales pouvaient fournir quelque indication. Beowulf Agate devait songer à se couvrir. Et ce ne serait pas à Washington où il avait tué un homme.

C'était un hôtel de luxe. Taleniekov s'en rendait compte en regardant les appels téléphoniques des clients. Ils décrochaient le téléphone pour appeler Londres ou Berlin aussi facilement que le restaurant du coin. Il examina la liste avec soin.

212... Londres, Angleterre : 26,50 dollars
214... Des Moines, Iowa : 4,75 dollars
214... Cedar Rapids, Iowa : 6,20 dollars
213... Minneapolis, Minnesota : 7,10 dollars
215... New Orleans, Louisiane : 11,55 dollars
214... Denver, Colorado : 6,75 dollars
213... Easton, Maryland : 8,05 dollars
215... Athens, Georgie : 3,15 dollars
212... Munich, Allemagne : 41,10 dollars
213... Easton, Maryland : 4,30 dollars
212... Stockholm, Suède : 38,25 dollars

Que pouvait-on en tirer ? Le 212 avait appelé à plusieurs reprises l'Europe. Mais c'était trop clair. Scofield n'aurait pas commis ce genre d'erreur. Le 214 se limitait au Middle West, le 215, au sud du pays. Vasili sentait quelque chose mais n'arrivait pas à en avoir une nette vision. Quelque chose lui revenait en mémoire.

Et soudain, tout devint clair. Les seuls coups de téléphone qui paraissaient parfaitement anodins venaient de l'appartement 213 : deux appels à Easton dans le Maryland, un à Minneapolis dans le Minnesota. Vasili revit la fiche du dossier de Scofield comme s'il l'avait devant les yeux. Beowulf Agate avait une sœur à Minneapolis, dans le Minnesota.

Taleniekov apprit les deux numéros par cœur, au

cas où il en aurait besoin, et se tourna vers l'opératrice.

« Je ne sais vraiment que dire. Vous avez été très aimable, mais je n'ai pas l'impression qu'il y ait là quelque chose qui puisse m'être utile. »

La standardiste qui était ravie d'avoir affaire à ce riche client, entra avec plaisir dans le jeu.

« Avez-vous remarqué, M. Blanchard, que le 212 a appelé, à plusieurs reprises, l'étranger ?

— En effet, j'ai vu ça. Malheureusement, aucune de ces villes n'a quoi que ce soit à voir avec la crise actuelle. Curieusement, l'appartement 213 a téléphoné à Easton et à Minneapolis. C'est drôle, parce que j'ai des amis dans ces deux endroits. Mais rien de vraiment intéressant... »

Vasili laissa tomber la fin de sa phrase comme s'il s'attendait à un commentaire.

« Entre nous, M. Blanchard, je ne pense pas que l'occupant de l'appartement 213 soit tout à fait normal... si vous voyez ce que je veux dire.

— Ah ? »

La standardiste se lança dans des explications. Le 213 ne voulait être dérangé à aucun prix. Il avait même demandé que les plateaux fussent laissés dans le couloir. Il ne voulait même pas que la femme de chambre change le linge, à moins qu'il ne le demande. Et d'après ce que savait l'opératrice, il n'avait rien demandé du tout depuis trois jours. Qui peut vivre de cette façon ?

« Evidemment, nous avons très souvent des gens comme lui. Des hommes qui restent dans leur chambre pour pouvoir s'enivrer à loisir, durant des heures et des heures, ou pour être débarrassés de leur femme pendant un certain temps, ou pour avoir des aventures avec d'autres femmes. Mais ce type doit être un peu dérangé. Trois jours sans permettre à la femme de chambre de pénétrer dans son appartement...

— En effet, il n'est pas très exigeant...

– On voit cela de plus en plus, dit la femme en confidence. En particulier chez les hommes politiques. Ils sont tellement tendus... Quand on pense qu'on paie des impôts pour ça ! Evidemment pas vous, monsieur...

– C'est un homme politique ? coupa Taleniekov.

– Nous le pensons. Le gérant, qui s'occupe du service de nuit, n'aurait pas dû parler. Mais nous nous connaissons depuis si longtemps, si vous voyez ce que je veux dire.

– De vieilles connaissances, évidemment. Qu'est-ce qui s'est passé ?

– Eh bien, un homme est arrivé hier soir très tard – en fait c'était ce matin autour de cinq heures – et a montré une photographie au gérant.

– La photographie de l'homme du 213 ? »

La standardiste jeta un rapide coup d'œil circulaire. La porte du bureau était ouverte, mais on ne pouvait pas l'entendre.

« Oui. Apparemment, il est vraiment dérangé. Un alcoolique ou quelque chose comme ça. Une sorte de psychopathe. Personne ne doit parler. On ne veut pas qu'il s'inquiète. Un médecin va venir le voir dans la journée.

– Aujourd'hui ? Et, évidemment, l'homme qui a montré les photographies a dit qu'il appartenait à la Maison Blanche, n'est-ce pas ? Je veux dire, c'est comme ça que vous avez appris que votre client était un homme politique ?

– Lorsqu'on a vécu à Washington aussi longtemps que nous, monsieur Blanchard, nous n'avons pas besoin de leur demander leur carte d'identité. Ils portent ça sur leur visage.

– Oui, bien sûr, je m'en doute. Merci beaucoup. Vous avez été vraiment très aimable. »

Vasili quitta la standardiste et retourna dans le hall. Il avait obtenu ce qu'il voulait, il avait trouvé Beowulf Agate. Malheureusement, il n'y avait pas que lui qui l'avait trouvé. Les tueurs étaient à une centaine de mètres, se préparant à agir.

Essayer d'entrer dans l'appartement de l'Américain n'aboutirait qu'à un échange de coups de feu. L'un des deux hommes serait abattu. C'était impossible de le convaincre par téléphone. Il ne croirait jamais que son plus grand ennemi voulait le protéger d'un danger imminent, d'un danger qui pour lui n'existait pas.

Pourtant, il fallait trouver une solution, et la trouver vite. Si seulement on pouvait lui envoyer quelqu'un d'autre, quelqu'un qui lui donnerait des preuves, quelqu'un qui lui expliquerait la vérité. Quelqu'un que Beowulf Agate accepterait...

On n'avait pas le temps. L'homme habillé d'un manteau noir venait de franchir le seuil de l'hôtel.

9

ALORS que la femme de chambre passait la porte, Scofield vit tout de suite ce qui le gênait dans ce vieux visage. C'étaient les yeux. Il y avait en eux une intelligence qu'on ne rencontre guère chez une domestique au franc-parler qui passe ses nuits à nettoyer des chambres d'hôtel et à servir des clients exigeants.

Pour le moment, elle avait peur, ou peut-être n'était-elle que curieuse. En tout cas, elle avait l'esprit vif. Une actrice peut-être ?

« Excusez-moi de vous déranger, monsieur, dit la femme qui remarqua le visage non rasé de Scofield et la température de la chambre avant de se diriger vers la porte ouverte de la salle de bain. J'en ai pour une seconde. »

Une actrice. L'accent sonnait faux, il n'appartenait ni à l'Irlande ni à l'Écosse. La démarche aussi était curieusement légère. On ne pensait pas un seul instant aux jambes fatiguées d'une vieille femme portant de lourds paquets de linge et se courbant pour faire les lits. Les mains étaient blanches et douces, ce n'étaient pas les mains d'une personne qui travaille avec des détersifs.

Bray. tout en la plaignant, critiquait le choix de Taleniekov. Une véritable femme de chambre aurait mieux fait l'affaire. En tout cas, les dangers n'étaient pas les mêmes.

« Je vous ai mis de nouvelles serviettes, monsieur, dit la vieille femme en sortant de la salle de bain. Je vais continuer ma tournée. Excusez-moi de vous avoir dérangé. »

Scofield fit un léger signe de la main pour l'arrêter. Une véritable femme de chambre ne l'aurait même pas remarqué.

« Oui ? interrogea la femme sur la défensive.

— Dites-moi, de quelle région d'Irlande venez-vous ? Je ne suis pas sûr de reconnaître votre accent. Comté de Wicklow ?

— Oui, monsieur.

— Le sud du pays, n'est-ce pas ?

— Oui, monsieur. Monsieur est vraiment fort, dit-elle, la main sur la poignée de porte.

— Ça ne vous ennuierait pas de me laisser une serviette de plus ? Vous n'avez qu'à la poser sur le lit.

— Ah ? (La vieille femme se retourna vivement. Son visage était perplexe.) Bien sûr, monsieur. »

Elle s'avança vers le lit.

Bray alla vers la porte pour pousser le verrou, tout en continuant de parler doucement. Il n'y avait rien à gagner à effrayer le faucon de Taleniekov.

« J'aimerais vous parler. Je vous ai vue la nuit dernière à quatre heures du matin, pour être précis... »

Un déplacement d'air, un bruit de tissu froissé.

Des sons que Bray connaissait bien. *Derrière lui, dans la chambre.*

Il se retourna d'un seul coup. Trop tard. Il entendit un crachotement étouffé et sentit comme une coupure de rasoir sur le côté de son cou. Du sang se mit à couler sur son épaule. Il plongea sur sa droite. On tira une deuxième fois. La balle s'enfonça dans le mur au-dessus de lui. Il fit un large mouvement du bras pour envoyer une lampe de bureau vers cet être incroyable qui se trouvait à quelques mètres de lui, au beau milieu de la pièce.

La vieille femme avait lâché le paquet de serviettes et tenait un revolver à la main. Il n'y avait plus rien de doux ni d'effrayé sur son visage. Toute son attitude exprimait le calme et l'autorité du tueur professionnel. *Il aurait dû s'en douter!*

Scofield plongea vers les pieds de la table en pivotant brusquement sur sa droite. Puis il se recroquevilla sur la gauche en faisant basculer la table afin de s'en faire un bélier. Il se releva et fonça en avant. On tira de nouveau à deux reprises. Le bois, à quelques centimètres de sa tête, éclata avec un bruit sec. Il repoussa brutalement la femme contre le mur en se servant du plateau de la table. La poitrine fut écrasée avec une telle force qu'un jet de salive sortit de la bouche tordue en même temps que l'air.

« Salaud! »

Le cri resta coincé dans la gorge et le pistolet tomba avec fracas sur le sol. Scofield donna un grand coup vers le bas pour écraser les pieds de la femme, tout en essayant d'atteindre l'arme. Dès qu'elle fut en sa possession, il se releva et empoigna la femme, courbée en deux, par les cheveux. Il lui donna une brusque secousse pour l'écarter du mur. La perruque rousse, couverte en partie par le bonnet de femme de chambre, lui resta dans la main. Il perdit l'équilibre. D'en dessous de sa blouse, le tueur avait sorti un couteau – un mince poignard. Bray avait déjà vu de ces armes aussi efficaces qu'une arme à feu dont la lame est trempée dans une préparation de succinyl-choline. Il suffit à l'attaquant de faire une minuscule égratignure ou même une toute petite piqûre pour que la paralysie et la mort soient immédiates.

La femme, le poignard tenu à bout de bras, se jeta sur lui. Un coup extrêmement difficile à parer lorsqu'il est porté par un spécialiste. Bray bondit en arrière en frappant avec le canon du revolver l'avant-bras de son assaillante. Elle retira rapidement la main sans pour autant renoncer à ses intentions meurtrières.

« Arrêtez, cria Scofield en visant la tête de la femme. Vous avez tiré quatre balles, il en reste deux, je vous fais sauter la cervelle. »

La femme s'immobilisa et baissa le poignard. Elle haletait. Elle regarda Scofield d'un air hagard sans dire un mot. Scofield comprit alors qu'elle ne s'était jamais trouvée dans cette situation. Elle avait toujours gagné.

Le faucon de Taleniekov était une vraie bête de proie, ce n'était pas la petite colombe grise pour laquelle elle essayait de se faire passer. Son apparence anodine l'avait toujours servie et lui donnait cette extraordinaire confiance en elle-même.

« D'où sortez-vous ? Du K.G.B. ? lui demanda Bray en s'emparant de la serviette qui se trouvait sur le lit pour l'appuyer contre la blessure de son cou.

— Quoi ? murmura-t-elle, les yeux perdus dans le vague.

— Vous travaillez pour Taleniekov. Où est-il ?

— Je suis payée par un homme qui porte toutes sortes de noms. (Le couteau empoisonné pendait toujours au bout de sa main mais la fureur était tombée. Elle était remplacée par la peur et la fatigue.) Je ne sais pas qui il est et je ne sais pas où il est.

— En tout cas, il a su où vous trouver. Vous n'êtes

pas n'importe qui. Où avez-vous appris tout ça ? Et quand ?

– Quand vous étiez enfant. Dans les camps de Belsen, de Dachau... et dans d'autres camps aussi, sur d'autres fronts. Nous, toutes.

– Mon Dieu !... » fit Scofield.

Nous, toutes. Il y en a eu des tas. Des adolescentes qu'on faisait sortir des camps pour les envoyer au front, dans des casernes, sur les terrains d'aviation, partout. Transformées en putains, elles étaient déshonorées, rejetées, mises au banc de la société. Elles devinrent les petits rongeurs de l'Europe. Taleniekov savait où recruter ces gens.

« Pourquoi travaillez-vous pour lui ? Il n'est guère meilleur que ceux qui vous ont envoyée dans les camps.

– Il m'a forcée. Il m'aurait tuée sans cela. Maintenant, c'est vous qui voulez me tuer.

– Trente secondes plus tôt, oui. Vous ne me laissiez pas le choix. Maintenant, si. Je vais m'occuper de vous. Vous êtes en contact avec cet homme. Comment ?

– Il me téléphone. Dans l'appartement de l'autre côté du couloir.

– Tous les combien ?

– Entre dix ou quinze minutes. Il va bientôt appeler.

– Allons-y, dit Bray doucement. Faites un pas sur la droite et jetez votre couteau sur le lit.

– Puis vous m'abattrez, murmura la vieille femme.

– Si j'avais dû le faire, je l'aurais fait maintenant. (Il avait besoin d'elle, il fallait qu'elle lui fasse confiance.) Je n'aurais aucune raison d'attendre. Allons retrouver ce téléphone. Je vous donnerai le double de ce qu'il vous donne.

– Je ne pense pas que je puisse marcher. Vous m'avez brisé la cheville.

– Je vais vous aider. (Bray éloigna la serviette de

son cou, fit un pas en avant et tendit la main.) Prenez mon bras. »

La vieille femme avança d'un pas à son tour en faisant une grimace de douleur. Puis brusquement, comme une tigresse, elle se lança en avant, le visage tordu, les yeux fixes.

La lame scintilla soudain devant le ventre de Scofield.

Taleniekov suivit l'homme d'Amsterdam dans l'ascenseur où il y avait déjà un couple. De jeunes Américains riches, des enfants gâtés, habillés à la dernière mode. De jeunes amants ou de nouveaux mariés qui ne se préoccupaient que d'eux-mêmes, de leurs désirs. Ils avaient dû boire un peu, car ils sentaient le vin.

Le Hollandais en manteau noir enleva son feutre gris. Vasili, le visage tourné de côté, se trouvait près de lui tout contre la boiserie. La porte se ferma et la fille se mit à rire doucement tandis que son ami appuyait sur le bouton du cinquième étage. L'homme d'Amsterdam s'avança d'un pas et enfonça le bouton du deuxième.

En reprenant sa place, il jeta un coup d'œil sur sa gauche et ses yeux rencontrèrent ceux de Taleniekov. Son sang se figea dans ses veines. En découvrant la stupeur de l'homme au moment où celui-ci le reconnaissait, Vasili comprit quelque chose d'autre : le piège avait été tendu pour lui aussi. Les tueurs devaient exécuter Beowulf Agate en priorité, mais si un agent du K.G.B. du nom de Taleniekov venait sur les lieux, il devait être abattu sans hésitation.

L'homme d'Amsterdam aplatit son chapeau contre sa poitrine et plongea sa main droite dans sa poche. Vasili se jeta sur lui, l'écrasa contre la paroi de l'ascenseur et s'empara du poignet enfoncé dans la poche. Il tentait de dégager l'arme en s'agrippant au pouce et en le tordant. Les os craquèrent, l'homme se mit à hurler et s'affaissa sur les genoux.

La fille commença à crier à son tour. Taleniekov lança d'une voix dure :

« Je ne vous ferai pas de mal. Je répète, je ne vous ferai pas de mal si vous faites ce que je vous dis. Conduisez-nous à votre chambre en silence. »

Le Hollandais fit un brusque mouvement vers la droite. Vasili lui donna un coup de genou dans la figure et bloqua la tête contre la paroi. Il sortit ensuite son arme de sa poche et dirigea le canon vers le plafond.

« Je ne m'en servirai pas à moins que vous ne refusiez d'obéir à mes ordres. Vous n'avez rien à voir dans cette affaire et je ne veux pas vous blesser. Mais vous devez m'obéir.

— Mon Dieu ! mon Dieu !... dit le jeune homme d'une voix tremblante.

— Sortez vos clefs, ordonna Taleniekov presque aimablement. Quand la porte de l'ascenseur sera ouverte, marchez tranquillement devant nous en direction de votre chambre. Vous n'avez absolument rien à craindre si vous faites ce que je vous dis. Si vous montrez la moindre résistance, si vous appelez au secours, si vous criez, je me verrai dans l'obligation de vous abattre. D'ailleurs, je ne vous tuerai pas. Je vous enverrai une balle dans la colonne vertébrale et vous serez paralysé pour le reste de vos jours...

— Oh ! je vous en prie !... dit le jeune homme en tremblant de tous ses membres.

— Je vous promets, monsieur, de faire tout ce que vous nous demanderez. »

La fille au moins était lucide. Elle prit la clef dans la poche de la veste de son ami.

« Debout », lança Vasili à l'homme d'Amsterdam en s'emparant de l'arme qui se trouvait dans la poche du manteau du tueur.

La porte de l'ascenseur s'ouvrit et le couple sortit

d'abord. Un vieil homme en train de lire un journal passa devant eux et tourna sur la droite. Taleniekov, son Graz-Burya caché sous ses vêtements, empoigna le manteau du Hollandais pour faire avancer le tueur.

« Au moindre bruit, glissa-t-il dans l'oreille de l'homme d'Amsterdam, je t'abats comme un chien. Je te fais sauter la moelle épinière. Tu n'auras même pas le temps de crier. »

Une fois à l'intérieur de la pièce, Vasili poussa le Hollandais sur une chaise, son arme toujours braquée sur lui. Puis il s'adressa aux jeunes gens terrifiés.

« Entrez dans ce placard. Vite. »

Des larmes coulaient sur le visage poupin du jeune homme. La fille le poussa en direction de la garde-robe obscure, leur prison provisoire. Taleniekov plaça une chaise inclinée sous la poignée et donna des coups de pied dedans jusqu'à ce que la porte fût parfaitement bloquée. Il se retourna ensuite vers le Hollandais.

« Tu as exactement cinq secondes pour me dire ce qui doit se passer, dit Taleniekov en levant son arme à la hauteur du visage du tueur.

— Soyez plus clair.

— Bien sûr, fit Vasili en déchirant le visage de l'homme d'Amsterdam avec le canon de son Graz-Burya. (Le sang se mit à couler et l'homme porta ses mains à son visage. Taleniekov se pencha sur la chaise et brisa les deux poignets d'un seul coup.) Pas touche ! Ça ne fait que commencer. Dépêche-toi de l'avaler, bientôt tu n'auras plus ni lèvres, ni dents, ni menton, ni mâchoires ! Et finalement tu n'auras plus d'yeux non plus. Est-ce que tu sais ça ? Le visage, ça fait très mal, mais les yeux, c'est insupportable. »

Vasili frappa de nouveau, vers le haut cette fois, déchirant les narines de l'homme au passage.

« Non... Arrêtez ! Je n'ai fait que suivre les ordres.

— J'ai déjà entendu ça. (Taleniekov leva de nouveau l'arme. Les mains tentèrent encore une fois de la repousser, et ce furent les doigts qui craquèrent sous les coups). Quels sont les ordres ? Je sais que vous êtes trois. Et maintenant les cinq secondes sont passées. Ça va devenir sérieux. (Vasili frappa d'abord l'arcade sourcilière gauche puis l'œil droit du Hollandais avec le canon du Graz-Burya. Ensuite il enfonça l'arme dans la gorge de l'homme d'Amsterdam comme si c'était une lame.) On n'a pas le temps !

— Arrêtez ! cria l'homme. (A cause du manque d'air, ça gargouillait dans sa gorge). Je vais tout vous dire ! Il a trahi. On lui a donné de l'argent pour obtenir nos noms. C'est une ordure.

— Pas de morale ! Quels sont les ordres ?

— Il ne me connaît pas, c'est moi qui devais le faire sortir de l'appartement.

— Comment ?

— Grâce à vous. Je devais l'avertir que vous vous dirigiez vers lui.

— Il n'aurait jamais cru ça. Il t'aurait abattu. C'est bien trop gros. Comment as-tu trouvé l'appartement ?

— Nous avions une photographie.

— De lui. Pas de moi ?

— De vous deux. Mais je n'ai montré que la sienne. Le responsable du service de nuit l'a tout de suite reconnu.

— Qui t'a donné cette photographie ?

— Des amis de Prague, travaillant à Washington, liés aux Soviétiques. D'anciens amis de Beowulf Agate qui savent ce qu'il a fait. »

Taleniekov dévisagea l'homme d'Amsterdam : il disait la vérité. L'explication tout au moins correspondait à une partie de la vérité. Scofield se serait méfié, mais il aurait pris au sérieux les déclarations du Hollandais. Il ne pouvait pas les ignorer, se permettre ce luxe. Il aurait pris l'homme en otage et se serait dissimulé, il aurait attendu, il aurait guetté.

Vasili appuya fermement le canon du Graz-Burya dans l'œil droit de l'homme d'Amsterdam.

« Et les types de Marseille, de Prague, où sont-ils ? Où devraient-ils être ?

— A part l'ascenseur, il y a deux autres moyens de sortie : l'escalier et l'ascenseur de service. Ils doivent garder les deux accès.

— Qui garde l'escalier ?

— Prague. Marseille est devant l'ascenseur de service.

— Quel est le timing à la minute près ?

— Souple. Je me dirige vers la porte à douze heures dix. »

Taleniekov jeta un coup d'œil à la fausse pendule ancienne posée sur le bureau de la chambre. Il était douze heures onze.

« Ils sont à leur poste, maintenant.

— Je ne sais pas, je ne peux pas voir ma montre, j'ai du sang plein les yeux.

— Comment ça devait finir ? Si tu mens, je le saurai. Tu auras une mort dont tu n'as jamais rêvé. Vas-y.

— L'heure zéro est cinq minutes après la demie. Si Beowulf ne s'est pas montré à cette heure-là, on prend d'assaut la chambre. Je n'ai aucune confiance en Prague. Je pense qu'il nous aurait poussés en avant, Marseille et moi, pour que nous essuyions le premier feu. C'est un salopard !

— Beaucoup de morale, peu de talent, fit Vasili en se levant.

— Je vous ai tout dit, ne me frappez plus, je vous en prie. Laissez-moi essuyer mes yeux, je ne vois plus rien.

— Essuie-les, tu vas avoir besoin de voir clair. Lève-toi. »

Le Hollandais se leva et porta ses mains à son visage pour essuyer les traînées de sang. Le Graz-Burya était collé à son cou.

Taleniekov immobile regardait le téléphone qui se

trouvait de l'autre côté de la pièce. Il allait parler à un ennemi qu'il haïssait depuis plus de dix ans, entendre sa voix et essayer de lui sauver la vie.

Scofield parvint à esquiver au moment où la lame déchirait le tissu; c'est l'arme cachée sous la chemise amidonnée qui reçut le coup. La vieille femme était folle, suicidaire. Il allait devoir la tuer alors qu'il ne voulait pas la tuer.

L'arme !

Il avait dit que quatre balles avaient été tirées et qu'il en restait deux : elle savait que ce n'était pas vrai.

Elle revenait maintenant sur lui en donnant des coups de couteau de droite et de gauche, tout ce qui se trouverait sur sa trajectoire serait touché, griffé. En temps normal, une égratignure sans importance, une blessure mortelle avec cette arme. Scofield visa la tête et appuya sur la détente, rien qu'un bruit de gâchette. Il lança à toute volée son pied droit en avant et atteignit la femme un peu en dessous du sein gauche. Elle fut déséquilibrée pour un instant, pour un instant seulement. Elle était déchaînée. Elle s'accrochait à son couteau comme à une planche de salut. Si elle le touchait, elle était sauvée. Elle s'accroupit et agita son bras gauche devant elle pour protéger la lame tenue dans sa main droite. Bray fit un bond en arrière, cherchant quelque chose, n'importe quoi, qui lui permettrait de contrer ses coups furieux.

Pourquoi lui avait-elle accordé un répit ? Pourquoi s'était-elle, tout à l'heure, brusquement calmée ? Pourquoi avait-elle parlé avec lui ? Pourquoi lui avait-elle dit certaines choses qui l'avaient obligé à penser ? Scofield venait enfin de comprendre. Cette bête féroce n'était pas seulement vicieuse, elle était aussi fort habile. Elle connaissait exactement le moment où elle devait reprendre des forces. Et elle ne pouvait obtenir cette trêve qu'en parlementant avec l'ennemi, qu'en le calmant. Ensuite, elle attendait le moment favorable, la moindre inattention de l'adversaire... pour le piquer avec sa lame empoisonnée.

Elle avançait en sautillant, essayant d'atteindre les jambes de Scofield qui donnait de grands coups de pied dans le vide. Elle ramena la lame vers elle puis la lança brusquement sur les côtés, manquant de quelques centimètres à peine le genou de son adversaire. Alors que son bras était tendu vers la gauche, à la fin d'un de ces mouvements latéraux, Scofield lui écrasa l'épaule avec le pied droit. Elle tomba à la renverse. L'Américain s'empara d'une lampe au pied de bronze et la lui lança de toutes ses forces, tout en continuant de sautiller devant la main qui tenait le poignard. Le poignet de la femme se tordit et la pointe d'acier, après avoir entaillé le tissu de la blouse, entra dans la chair un peu au-dessus du sein gauche.

Ce qui suivit est indescriptible. Les yeux exorbités de la vieille femme s'agrandirent démesurément et ses lèvres se tordirent en un rictus macabre. Elle se tortilla un instant sur le sol, prise de convulsions et agitée de spasmes nerveux, et se replia dans la position du fœtus en collant ses cuisses maigres contre sa poitrine. Des gémissements sortaient de sa gorge tandis qu'elle pivotait comme une toupie en s'agrippant à la moquette. De l'écume sortait de sa bouche et sa langue gonflée l'empêchait de respirer. Elle hoqueta une dernière fois. C'était la fin. Son corps eut encore quelques soubresauts puis s'immobilisa. Ses yeux, grands ouverts, fixaient le vide tandis que sa mâchoire inférieure s'affaissait en laissant la bouche béante. Tout s'était passé en moins d'une minute.

Bray se pencha vers la main et ouvrit les doigts osseux pour s'emparer du couteau. Il prit une boîte d'allumettes posée sur le bureau, en gratta une et l'approcha de la lame. Une énorme flamme jaillit brusquement, tandis qu'il éprouvait une sensation de brûlure sur le visage et que ses cheveux commençaient à roussir. Il laissa tomber le poignard et éteignit le feu à coups de pied.

Le téléphone se mit brusquement à sonner.

« Taleniekov à l'appareil, dit le Russe, bien que personne n'eût répondu à l'autre bout du fil. (On avait décroché sans dire un mot.) J'imagine que le fait d'admettre notre contact n'amoindrira en rien votre position.

— Admis, répliqua sèchement Bray.

— Vous n'avez tenu aucun compte de mon câble, de mon petit drapeau blanc... A votre place, j'aurais agi de même, mais vous avez eu tort et j'aurais eu tort. J'ai juré autrefois de tuer Beowulf Agate, et peut-être qu'un jour je le ferai, mais pas maintenant et pas de cette manière. Je ne suis pas un gosse qui crie victoire avant même d'entrer sur le terrain de foot. Les affaires qui nous concernent exigent plus de logique. Je pense que vous serez d'accord sur ce point.

— Vous avez lu mon câble, dit Bray d'une voix sourde. Vous avez tué ma femme. Venez donc me voir, je vous attends.

— Ça suffit ! Vous aussi vous avez tué. Vous avez tué mon frère. Et avant cela, une jeune fille innocente qui ne savait que crier des slogans. Elle ne représentait aucun danger pour les porcs qui l'ont violée et tuée.

— Quoi ?

— Ce n'est pas l'heure des explications, le temps presse. Des hommes veulent vous abattre, pas moi. J'en ai attaqué un, il est près de moi en ce moment...

— Vous m'avez envoyé une femme, coupa sèchement Scofield, elle est morte. Son couteau s'est retourné contre elle. La blessure n'avait pas à être profonde.

— Vous l'avez probablement provoquée et ce n'était pas prévu. Vous perdez de précieuses secondes et il ne vous en reste pas beaucoup. Écoutez-moi bien. Vous allez entendre l'homme d'Amsterdam. Son visage est en bouillie et il ne voit plus très clair, mais il peut parler. (Vasili appuya le téléphone contre la bouche sanguinolente du Hollandais et enfonça son Graz-Burya dans son cou.) Vas-y, parle.

— On a envoyé des câbles... murmura l'homme blessé, paralysé par la peur et s'étouffant dans son sang. A Amsterdam, à Marseille, à Prague. Beowulf Agate était irrécupérable, nos vies étaient en danger, on nous mettait en garde, on nous demandait de faire attention. Nous savions ce que cela voulait dire : « Inutile de prendre des précautions, attaquez « le problème à la base, supprimez Beowulf « lui-même... » Rien de nouveau pour vous, Herr Scofield, vous avez donné de tels ordres, vous savez qu'ils doivent être exécutés. »

Taleniekov reprit le téléphone d'un geste brusque mais laissa son arme enfoncée dans le cou de l'homme d'Amsterdam.

« Vous avez entendu ? Le piège que vous m'avez préparé va se refermer sur vous, ce sont vos hommes qui vont déclencher le mécanisme. (Silence. Vasili commençait à perdre patience.) Vous ne comprenez pas ? Il y a eu échange d'informations, c'était la seule manière pour eux de découvrir la planque. Moscou leur a donné le renseignement. Comprenez-vous ? Ils vont prendre prétexte de notre contact pour nous abattre l'un et l'autre. A Moscou, on n'y va pas par quatre chemins, on a donné l'ordre à tous les services de police soviétique civile et militaire de me descendre. Le ministère des Affaires étrangères américain agit un peu différemment, les bureaucrates n'aiment guère violer la légalité. On a donc envoyé des câbles à des hommes qui se foutent pas mal des abstractions mais qui tiennent à leur peau. »

Silence. Taleniekov explosa.

« Mais, bon Dieu ! que voulez-vous savoir de plus ? Le type d'Amsterdam devait vous faire sortir de l'appartement, vous n'auriez pu faire autrement, vous auriez essayé de vous placer à l'une des deux sorties : l'ascenseur de service ou l'escalier. En ce moment même, l'homme de Marseille garde l'ascenseur de service, celui de Prague l'escalier. Vous le connaissez, d'ailleurs, Beowulf, vous avez utilisé son pistolet et son couteau dans de nombreuses occasions. Il vous attend. Si dans moins d'un quart d'heure vous ne vous êtes pas montré, ils prendront d'assaut votre appartement. Que vous faut-il de plus ?

— Pourquoi me dites-vous tout ça ? demanda enfin Scofield.

— Relisez mon câble. Ce n'est pas la première fois qu'on se sert de nous à notre insu. Il se passe quelque chose d'incroyable, quelque chose qui efface nos problèmes personnels. Quelques hommes sont au courant à Washington et à Moscou, mais ils ne parlent pas. Personne n'ose parler. Toute révélation serait catastrophique.

— Quelle révélation ?

— L'utilisation de tueurs à gages, des deux côtés. Il faut remonter à des années en arrière, à des dizaines d'années.

— Comment cela peut-il me concerner ? Je me fous de vous tous.

— Youri Yourievitch.

— Eh bien ?

— On dit que c'est vous qui l'avez tué.

— Vous mentez, Taleniekov. Je vous croyais plus fort. Yourievitch penchait de notre côté, peut-être allait-il céder. Le civil qui a été tué avec lui était mon contact, je le contrôlais. Vous savez parfaitement que c'était une opération du K.G.B. On préfère un physicien mort à un physicien passé à l'Ouest. Je vous répète, venez me voir, je vous attends.

– Vous vous trompez !... Je vous expliquerai plus tard. Nous n'avons pas le temps maintenant. Vous voulez une preuve ? Alors écoutez ! J'espère que votre oreille est plus fine que votre esprit. »

Le Russe enfonça d'un geste vif le Graz-Burya dans sa ceinture et tint le microphone à bout de bras. Il empoigna la gorge de l'homme d'Amsterdam avec sa main gauche, et enfonça son pouce dans la chair pour bloquer la trachée-artère. Il appuya de toutes ses forces, sa main était comme un étau. Ses doigts écrasaient des cartilages, des os, au fur et à mesure que l'étau se resserrait. Le Hollandais fit un brusque mouvement de torsion pour se libérer, ses bras et ses mains battaient l'air pour essayer de se dégager. Inutilement. Un son rauque, qui allait en decrescendo sortait de sa bouche ouverte. L'homme d'Amsterdam s'écroula enfin sur le sol : il avait perdu connaissance.

Taleniekov parla de nouveau.

« Pensez-vous que quelqu'un qui travaillerait pour moi m'aurait laissé faire ce que je viens de faire ?

– Vous ne lui avez pas laissé le choix.

– Vous êtes stupide, Scofield ! Parfait, faites-vous descendre. (Vasili secoua la tête de désespoir, c'était une réaction à son mouvement d'humeur.) Non... il ne faut pas. Je me rends compte que vous ne pouvez pas comprendre. Il faut que je garde ça présent à l'esprit. Mais vous, de votre côté, faites un effort. C'est vrai, je déteste tout ce que vous représentez, tout ce que vous essayez de défendre. Mais en ce moment, nous pouvons faire quelque chose que personne d'autre ne peut faire. Nous pouvons nous arranger pour que des hommes nous écoutent, pour qu'ils nous parlent. Peut-être, tout simplement, parce qu'ils auront peur de nous, de ce que nous savons. La peur s'étend des deux côtés...

190

– Je ne vois pas de quoi vous parlez, coupa Scofield. Vous êtes en train de préparer un joli coup à l'intention du K.G.B. On vous donnera probablement pour ça une datcha du côté de Grasnov. Je ne marche pas. Je vous répète : venez me trouver, je vous attends.

– Assez ! hurla Taleniekov en regardant la pendule sur le bureau. Il vous reste onze minutes exactement. Vous aurez alors la preuve décisive que vous cherchez. Vous pouvez la trouver près de l'ascenseur de service ou dans l'escalier, à moins que vous ne préfériez l'avoir dans votre chambre même, en mourant sur place. Si vous tentez quoi que ce soit, tout le monde va se ruer dans les couloirs. Vos bourreaux aimeraient ça, vous le savez parfaitement. Vous connaissez le type de Prague, mais pas celui de Marseille. Vous ne pouvez pas appeler la police. De plus, vous risquez que la direction de l'hôtel ne l'appelle. Allez au-devant de la preuve que vous cherchez, Scofield, allez donc voir si votre ennemi est en train de mentir. Vous n'irez guère plus loin que la première intersection du couloir. Si vous en réchappez – ce qui est peu probable –, je serai au cinquième étage, appartement 505. J'ai fait ce que j'ai pu. »

Vasili raccrocha brutalement, par colère certes, mais aussi pour impressionner son correspondant. N'importe quoi pour ébranler l'Américain, n'importe quoi pour le faire réfléchir. Pour Taleniekov, chaque minute comptait, maintenant. Il avait dit à Beowulf Agate qu'il avait fait ce qu'il pouvait, ce n'était pas vrai. Il s'agenouilla à côté de l'homme d'Amsterdam évanoui et lui enleva son manteau.

Bray replaça le téléphone sur son socle, son esprit travaillait à toute vitesse. Si seulement il ne manquait pas de sommeil à ce point, si seulement il n'avait pas eu à se battre contre cette vieille femme déchaînée, si seulement Taleniekov ne l'avait pas troublé, les choses auraient été plus claires. Mais tout cela était arrivé, et comme il l'avait toujours fait dans le passé il devait accepter les faits aveuglément et penser en fonction du moment présent.

Ce n'était pas la première fois qu'on voulait sa peau de deux côtés. On s'y habitue forcément, d'ailleurs, lorsqu'on a affaire, quand on affronte des adversaires qui s'opposent mais qui obéissent, au fond, à une stratégie d'ensemble. Néanmoins, les assassinats n'étaient pas monnaie courante, de plus, dans cette affaire-ci, le timing était curieux : les attaques arrivaient en même temps. C'était facile à comprendre.

Le sous-secrétaire d'Etat, Daniel Congdon, n'avait pas reculé; le bureaucrate qui, apparemment, ne voulait pas se salir les mains avait eu le courage de ses convictions. Il avait manipulé Taleniekov et l'avait mis sur le chemin de Beowulf Agate. Une bonne manière de transgresser la loi pour éliminer un agent secret hors circuit que l'on considérait comme dangereux. Il n'y avait pas de meilleure raison pour prendre contact avec les Soviétiques qui ne pouvaient que se réjouir de la disparition des deux hommes.

Parfaitement clair. Parfaitement orchestré. Scofield ou Taleniekov auraient pu, l'un et l'autre, mettre au point ce coup. Surprise et désaveux iraient de pair. A Washington et à Moscou, les hommes politiques vilipenderaient la violence des anciens agents des services secrets d'une autre époque. Une époque où les haines personnelles supplantaient les intérêts nationaux. Bray entendait déjà les discours, bourrés de platitudes moralisatrices, prononcés par des hommes comme Congdon qui dissimulaient leurs abominables décisions sous une apparente respectabilité.

Malheureusement, la réalité était aussi plate que les discours. Le désir de vengeance de Taleniekov donnerait du poids à chaque parole des hommes politiques. *J'ai juré de vous abattre, Beowulf Agate, et peut-être le ferai-je un jour.*

Le jour était arrivé. Le peut-être n'avait aucun sens. Le Russe voulait descendre Beowulf Agate lui-même. Il n'acceptait pas que des tueurs recrutés et manipulés par des bureaucrates à Washington et à Moscou agissent à sa place. *Je vous verrai pousser votre dernier soupir...* C'étaient les propres paroles de Taleniekov six ans plus tôt. Il ne plaisantait pas à l'époque, et il ne plaisantait pas maintenant.

Evidemment, il allait s'arranger pour que son ennemi échappe aux balles des hommes de Marseille et de Prague, son adversaire méritait mieux que ça. C'était une de ses balles à lui qui devait l'abattre. Et aucun stratagème n'était trop compliqué, aucune parole trop convaincante pour mettre l'homme haï dans sa ligne de mire.

En lâchant le téléphone, Scofield se sentit tout à coup fatigué. Fatigué de ces attaques et contre-attaques. En fin de compte, qui se souciait de tout ça ? Ça n'avait aucune importance, c'était le néant. Qui montrait la moindre attention au fait que deux agents secrets vieillissants se mettent dans la position de devoir s'abattre l'un l'autre ?

Bray ferma les yeux, appuya ses mains sur ses paupières et sentit qu'elles étaient un peu humides. C'était des larmes de fatigue, le corps et le cerveau étaient épuisés, mais ce n'était pas le moment d'y penser. S'il devait mourir – et il ne fallait jamais perdre de vue cette possibilité – , il n'allait pas se laisser descendre par les hommes de Marseille, de Prague ou de Moscou, il y avait mieux à faire. Il avait toujours su exploiter une situation. Selon Taleniekov, il lui restait onze minutes – il y en avait déjà deux d'écoulées depuis le coup de téléphone – et l'appartement était le piège. Si l'homme de Prague était celui qu'avait décrit Taleniekov, l'attaque serait menée rondement et l'on prendrait un minimum de risques. On tirera quelques cartouches remplies de gaz, afin d'immobiliser les gens se trouvant dans la pièce, avant de passer aux choses sérieuses. L'homme de Prague aimait beaucoup cette tactique.

La première chose à faire était de sortir du piège, mais il n'était pas question d'aller dans le couloir, il n'était peut-être même pas question d'ouvrir la porte. Etant donné que l'homme d'Amsterdam n'avait pas réussi à le faire sortir, les hommes de Prague et de Marseille allaient tenter de le coincer ici. S'il n'y avait personne dans le couloir – et apparemment le silence indiquait qu'il en était ainsi –, ils n'avaient rien à perdre. Bray ne pouvait retarder le moment de leur entrée en action, mais il pouvait l'avancer.

Personne dans le couloir... Il fallait quelqu'un dans le couloir : un tas de gens, des gens affolés, pour faire diversion. En principe, les tueurs aiment la foule, en particulier s'ils connaissent la cible et si la cible ne connaît pas chacun des tueurs. Par contre, une cible au courant de l'heure de l'attaque peut s'échapper plus facilement du lieu de l'attentat si un tas de gens sont présents. On profite de la confusion et l'on change d'apparence. La modification dans la silhouette peut être minime, il suffit de provoquer un instant d'indécision. Personne ne tire au hasard lorsqu'il procède à une exécution.

Huit minutes. Peut-être moins. La préparation était de première importance. Il devait avoir ses affaires avec lui au moment où il se mettrait à courir. Il ne pouvait pas savoir combien de temps il allait devoir courir. Il ne pouvait même pas penser à cela en ce moment. Il fallait d'abord sortir du piège, tromper les trois hommes qui voulaient l'abattre. Et l'un était particulièrement dangereux, car il n'avait pas été envoyé par Moscou ou par Washington, il était venu pour son propre compte.

Bray s'avança rapidement vers la femme morte étendue sur le sol et la tira vers la salle de bain. Il poussa le corps à l'intérieur, ferma la porte, s'empara de la lampe aux pieds de bronze et écrasa la serrure : il fallait maintenant enfoncer la porte pour l'ouvrir.

Il laisserait ses vêtements dans l'appartement, il n'y avait aucune marque qui pouvait faire penser qu'ils appartenaient à Brandon Scofield. Evidemment, il y avait les empreintes digitales mais leur relevé prendrait du temps et il serait loin à ce moment-là. A condition qu'il fût encore vivant. Par contre, il devait emmener son attaché-case car son contenu révélerait immédiatement la profession de son propriétaire. Scofield rabattit le couvercle et composa le numéro de la serrure de sécurité. Il enfila sa veste, décrocha le téléphone et appela la réception.

« Ici la chambre 213, dit-il d'une voix faible, je ne veux pas vous inquiéter, mais j'ai reconnu tout de suite les symptômes. J'ai une attaque. Il faut m'envoyer quelqu'un... »

Il lâcha le téléphone. L'appareil, après avoir heurté la table, s'écrasa sur le sol.

10

TALENIEKOV enfila le manteau noir et se pencha pour dégager l'écharpe grise, toujours enroulée autour de la gorge de l'homme d'Amsterdam. Il se la mit autour du cou et ramassa le chapeau gris qui était tombé à côté du fauteuil. Il était trop grand. Vasili plissa la coiffe pour que le feutre ne lui tombe pas d'une manière ridicule sur les yeux. Il se dirigea ensuite vers la porte et, en passant devant le placard, il s'adressa au couple enfermé à l'intérieur.

« Restez où vous êtes et gardez le silence. Je vais dans le couloir. Si j'entends le moindre bruit, je reviens immédiatement et ça ira très mal pour vous. »

Une fois sorti de la chambre, il se mit à courir, tout d'abord en direction de l'ascenseur, puis vers l'ascenseur de service qui se trouvait au bout du couloir. Une petite table à roulettes à l'usage du personnel était appuyée contre le mur. Vasili dégagea son Graz-Burya de son baudrier pour l'enfoncer dans la poche de son manteau et appuya sur le bouton d'appel avec sa main gauche. La lumière rouge au-dessus de la porte s'alluma; l'ascenseur de service était au deuxième étage. L'homme de Marseille était à son poste et attendait Beowulf Agate.

La lumière s'éteignit et quelques secondes après le chiffre trois apparut, suivi peu après du chiffre quatre. Vasili se retourna au moment où la porte s'ouvrait. Personne ne dit mot, personne n'exprima la moindre surprise à la vue du manteau noir et du chapeau gris. Taleniekov fit volte-face, le doigt sur la détente de son arme. Il n'y avait personne dans la cabine. Il entra et appuya sur le bouton du deuxième étage.

« Monsieur ?... Répondez, s'il vous plaît !... Mon Dieu ! c'est le cinglé du 213. » La voix perçante de la standardiste grésillait dans l'appareil tombé sur le tapis : « Envoyez deux garçons au 213, qu'ils voient ce qu'on peut faire. J'appelle une ambulance. Il a une attaque ou quelque chose... »

La standardiste ne put terminer sa phrase : le tumulte commençait.

Scofield, debout près de la porte, tira le verrou; il n'avait plus qu'à attendre. Moins d'une minute plus tard, il entendait une course précipitée et des cris dans le couloir. La porte s'ouvrit en grand et un garçon d'étage et un groom aux larges épaules entrèrent en courant.

196

« Heureusement ce n'est pas fermé à clef. Où est... »

Bray venait de claquer la porte et faisait face aux deux hommes. Il tenait son automatique à la main.

« Je ne ferai de mal à personne. Faites exactement ce que je vous dis. Vous (Bray s'adressait au groom), enlevez votre veste et votre casquette. Et vous (il parlait maintenant au garçon d'étage), décrochez le téléphone et demandez à la standardiste d'envoyer le gérant. Vous avez peur, vous n'osez toucher à quoi que ce soit. Il semble qu'il y ait eu violence et vous pensez que je suis mort. »

Le garçon d'étage bafouilla quelque chose d'inaudible, les yeux fixés sur le revolver, et se précipita vers le téléphone. Le petit numéro avait réussi, l'homme avait une peur bleue. Il répéta les phrases presque mot pour mot.

Bray enleva sa veste et enfila celle du groom; elle était marron avec des lisérés dorés.

« La casquette maintenant. »

Le groom la lui tendit.

Le garçon d'étage parlait toujours au téléphone, les yeux fixés sur Scofield.

« Faites vite, s'il vous plaît, envoyez quelqu'un ici immédiatement. »

Scofield roula sa veste sous son bras et fit un geste avec son pistolet.

« Venez près de la porte à côté de moi, dit-il à l'homme effrayé. Quant à vous, approchez-vous du placard derrière le lit. Entrez dedans. Vite. »

Le groom aux larges épaules hésita une fraction de seconde. Bray leva imperceptiblement le bras. Le jeune homme se précipita à l'intérieur. Scofield, sans perdre le garçon d'étage de vue, s'approcha du placard, en ferma la porte et s'empara de la lampe au pied de bronze.

« Enfoncez-vous tout à fait à droite. Vous entendez ? Répondez-moi.

— Ouais, répondit-on de l'intérieur.

197

– Frappez à la porte. »

Le son arriva de l'extrémité gauche du placard : la droite du jeune homme. Bray brisa la poignée avec le pied de lampe, ensuite il leva son arme – le silencieux était en place – et tira dans le côté droit de la porte.

« Une première balle, fit-il tranquillement. Peu importe ce que vous entendez, bouclez-la. Autrement, il y en aura d'autres. Je reste devant la porte.

– Au nom du Ciel !... »

Même en cas de tremblement de terre, l'homme ne desserrerait pas les dents. Scofield se retourna vers le garçon d'étage, et ramassa son attaché-case au passage.

« Où est l'escalier ?

– Tout au fond du couloir, à côté des ascenseurs; il faut tourner à droite.

– L'ascenseur de service ?

– La même chose, mais il faut tourner à gauche...

– Ecoutez-moi bien, coupa Bray, et souvenez-vous de ce que je vais vous dire. Dans quelques secondes, le gérant et probablement d'autres personnes vont se précipiter dans le couloir. Quand j'ouvre la porte, vous vous jetez dehors et vous commencez à crier. Quand je dis crier, c'est crier à vous en faire péter les tympans. Puis vous vous mettez à courir dans le couloir à côté de moi.

– Mais que dois-je dire ?

– Hurlez que vous voulez sortir de là, j'ai l'impression que vous trouverez facilement.

– Qu'est-ce que vous voulez ? J'ai une femme et quatre enfants.

– Félicitations. Rentrez chez vous, mon vieux.

– Pardon ?

– Quel est le chemin le plus court pour atteindre le salon ?

– Je n'en sais rien.

– L'ascenseur, c'est plutôt lent.

– L'escalier ? L'escalier évidemment, s'exclama le garçon d'étage d'une voix triomphante.

– D'accord pour l'escalier », dit Scofield l'oreille collée à la porte.

Les voix étaient étouffées mais tendues. On pouvait entendre les mots : police, ambulance, service d'urgence. Il y avait trois ou quatre personnes. Bray ouvrit la porte d'un coup sec et poussa le garçon d'étage dans le couloir.

« C'est parti », dit-il.

Taleniekov se retourna de nouveau au moment où la porte de l'ascenseur s'ouvrait au deuxième étage. Là non plus le manteau noir et le feutre gris ne provoquèrent pas la moindre réaction. Il fit de nouveau volte-face, la main sur la crosse du Graz-Burya. Apparemment, l'homme de Marseille n'était pas là. Il y avait, en revanche, contre le mur de petites tables à roulettes avec des restes de nourriture... L'odeur de café des derniers petits déjeuners s'infiltrait partout.

Une porte battante, aux montants d'acier, donnait sur le couloir du deuxième étage. Il y avait une petite ouverture ronde vitrée au milieu de chaque panneau. Vasili s'en approcha pour regarder dans le couloir.

L'homme était là. La silhouette, facilement reconnaissable à cause du costume de tweed, remontait le couloir vers l'intersection qui conduisait à l'appartement 213. Taleniekov jeta un coup d'œil à sa montre; il était douze heures trente et une. Quatre minutes encore avant l'assaut. Un temps fou si Scofield gardait son sang-froid. Il fallait faire diversion : un début d'incendie serait parfait. Un coup de téléphone, une taie d'oreiller bourrée de papiers et de chiffons qui commence à brûler au beau milieu du couloir... Il se demandait si Beowulf Agate avait pensé à ça.

En tout cas, Scofield avait pensé à quelque chose. Là-bas, au bout du couloir, la lumière au-dessus de l'ascenseur s'alluma, la porte s'ouvrit et trois hommes se mirent à courir d'une manière frénétique. L'un d'eux était le gérant de l'hôtel, le deuxième, celui qui portait une serviette en cuir noir, était médecin; quant au troisième, un homme bien bâti, au visage dur, aux cheveux coupés en brosse, c'était le détective privé de l'hôtel.

Tous les trois passèrent devant l'homme de Marseille qui, effrayé, s'écarta brusquement, et continuèrent à courir en direction de l'appartement de Scofield. Le Français enfonça sa main dans sa poche pour s'emparer de son arme.

A l'autre bout du couloir, en dessous d'un panneau lumineux marqué *Sortie*, une lourde porte avec une barre de sécurité s'ouvrit lentement. L'homme de Prague s'avança de quelques pas et fit un petit signe à l'homme de Marseille. Dans sa main droite, il tenait un revolver de gros calibre, avec un canon étonnamment long; dans sa main gauche, il portait quelque chose qui ressemblait... à une grenade. Le pouce écrasait le dispositif de sécurité; la goupille avait déjà été enlevée.

S'il avait une grenade, il en avait plusieurs. L'homme de Prague était un arsenal ambulant. Afin d'abattre Beowulf Agate, il était prêt à tuer tous ceux qui se trouveraient sur son passage. Une grenade lancée dans un couloir en cul-de-sac, quelques pas de course au milieu de la fumée pour loger une balle dans la tête des survivants et s'assurer que Scofield était bien au nombre des victimes. Peu importait ce à quoi avait pensé l'Américain, il était coincé. Il n'y avait pas moyen d'échapper à la tenaille.

A moins d'immobiliser l'homme de Prague sur place. De faire éclater la grenade sous lui. Vasili sortit le Graz-Burya de sa poche et enfonça la porte battante qui se trouvait devant lui.

Il allait tirer au moment où il entendit les cris d'un homme pris de panique.

« Laissez-moi sortir d'ici ! Je veux sortir d'ici tout de suite ! »

Ce qui suivit était complètement fou. Deux hommes en uniforme de l'hôtel sortirent du couloir en courant. L'un d'eux tourna à droite et se cogna dans l'homme de Prague qui le repoussa violemment en lui enfonçant le canon de son revolver dans les côtes. L'homme de Prague cria ensuite à l'homme de Marseille de remonter le couloir. L'homme de Marseille n'était pas idiot – pas plus d'ailleurs que l'homme d'Amsterdam – et comprit la signification de la grenade dans la main de l'homme de Prague. Les deux hommes commencèrent à se lancer mutuellement des ordres.

La porte de l'ascenseur se referma. Se referma et la lumière s'éteignit. Quelqu'un était à l'intérieur. Beowulf Agate avait réussi à s'échapper.

Taleniekov retourna derrière la porte aux montants métalliques. Dans le tumulte, personne ne l'avait remarqué. Mais Prague et Marseille avaient vu ce qui se passait du côté de l'ascenseur. Ils pensèrent immédiatement à l'homme à la veste marron aux lisérés dorés qui fonçait droit devant lui, sans montrer le moindre signe de panique, sachant parfaitement ce qu'il était en train de faire... *et qui portait quelque chose sous son bras gauche.* Les deux tueurs, comme Vasili, regardaient attentivement les numéros au-dessus de la porte de l'ascenseur. Tout le monde s'attendait à ce que la cabine s'arrêtât au rez-de-chaussée. Il n'en fut rien.

L'ascenseur s'immobilisa au troisième étage.

Que faisait Scofield ? En quelques secondes, il pouvait être dans la rue, se mêler à la foule, trouver des centaines d'endroits sûrs... Et il restait sur les lieux ! C'était fou.

Ensuite Vasili comprit ce qui se passait. Beowulf Agate le cherchait.

Il regardait de nouveau dans l'ouverture circulaire de la porte de service. L'homme de Prague parlait avec excitation. L'homme de Marseille acquiesçait en tenant son index appuyé sur le bouton de l'ascenseur. Puis l'homme de Prague retourna en courant vers l'escalier et disparut. Taleniekov devait savoir ce qui s'était dit; cela pouvait lui faire gagner plusieurs secondes, à condition bien entendu de l'apprendre tout de suite. Il remit le Graz-Burya dans sa poche et passa rapidement à travers la porte battante. L'écharpe de soie grise se gonflait autour de son cou. Le chapeau, bien enfoncé sur sa tête, lui dissimulait le visage. Il cria :

« Qu'est-ce que vous avez trouvé ? »

L'homme de Marseille était perdu; tout allait trop vite, tout était trompeur. Le manteau noir, l'écharpe de soie, la phrase dite en français avec un accent hollandais suffirent à rendre confuse, pour le Français, l'image d'un homme qu'il n'avait rencontré qu'une seule fois pendant quelques minutes dans un café. Il était ahuri. Il se précipita vers Taleniekov en hurlant dans sa langue maternelle. Il parlait si vite que c'était difficile de le comprendre.

« Qu'est-ce que vous foutez là ? C'est la catastrophe ! Des hommes beuglent dans l'appartement de Beowulf, ils ont enfoncé la porte. Il s'est échappé. Prague a... »

L'homme de Marseille s'arrêta net, il venait de voir le visage de l'homme qui se tenait en face de lui. Il n'était pas ahuri, il était terrifié. Vasili, d'un geste rapide, s'empara de la main qui tenait l'arme et la tordit si brutalement que l'homme de Marseille poussa un cri et lâcha son pistolet. Taleniekov écrasa le Français contre le mur, lui donnant des coups de genou dans les couilles, tandis que sa main gauche lui déchirait l'oreille.

« Prague a fait quoi ? Tu as exactement une seconde pour me le dire ! dit-il en enfonçant plus avant son genou. Accouche, nom de Dieu !

– On essayait de gagner les toits... Etage après étage... jusqu'au toit. »

Marseille arrivait à peine à parler, il crachait ses mots entre ses dents serrées. Sa tête tressautait curieusement.

« Pourquoi ? »

Nom de Dieu, pensa Vasili, ils connaissent le toit. Ils savent qu'il y a un tuyau d'aération qui relie l'hôtel au bâtiment voisin. Etaient-ils vraiment au courant ? Il donna de nouveau un grand coup de genou dans les couilles.

« Pourquoi ?

– De l'avis de Prague, Scofield pensait qu'il y avait des hommes à vous dans la rue... à la porte de l'hôtel. Il allait donc attendre jusqu'à ce que la police arrive, profiter de la confusion. Il s'est passé quelque chose dans son appartement. Arrêtez maintenant !... »

Vasili donna un grand coup de crosse contre la tempe gauche de l'homme de Marseille. Le tueur s'évanouit et son sang se mit à couler. Taleniekov s'arrangea pour que le corps du Français tombe en travers de l'intersection des deux couloirs. Quelle que fût la personne qui sortirait de la chambre 213, elle découvrirait quelque chose de curieux; le tumulte et la panique iraient encore en augmentant et l'on gagnerait de nouveau quelques minutes.

L'ascenseur, sur la gauche, arrivait à l'étage à la suite de l'appel du Français. Vasili se précipita à l'intérieur et appuya sur le bouton du troisième. La porte se ferma au moment où, à l'autre bout du couloir, deux hommes couraient comme des fous vers l'appartement 213. L'un était le gérant de l'hôtel; en apercevant le corps du Français et la tache de sang sur la moquette, il se remit à crier.

Scofield enleva la tunique et la casquette du groom, les mit en bouchon dans un coin et remit sa veste. L'ascenseur s'arrêta au troisième étage. Bray se raidit en voyant une grosse femme de chambre, qui portait des serviettes sous le bras, entrer dans la cabine. Elle le salua d'un petit signe de tête tandis que la porte se referma et descendit au quatrième. Après son départ, Scofield se dépêcha d'appuyer sur le bouton du sixième : l'ascenseur n'allait pas plus haut.

Peut-être un chapitre de cette folle histoire serait bientôt terminé. Bray n'allait pas s'échapper maintenant pour être obligé d'ici peu de s'enfuir de nouveau, pour se demander à chaque instant où se trouverait le prochain piège. Taleniekov était dans l'hôtel, et c'était tout ce qu'il voulait savoir.

Appartement 505. Taleniekov avait donné le numéro au téléphone. Il avait dit qu'il attendrait là. Bray essaya de se concentrer, de se souvenir du code qui rendrait clair le chiffre 505. Il n'en voyait pas. Et pourtant, il doutait que l'homme du K.G.B. eût donné le bon numéro.

« Cinq – *zéro* – cinq.

Cinq – *mort* – cinq ? »

Je vous attendrai au cinquième étage. L'un de nous deux y trouvera la mort.

Etait-ce aussi simple que ça ? Taleniekov en était-il réduit à lancer cette sorte de défi ? Etait-ce l'orgueil ou la fatigue qui l'obligeait à préciser l'endroit du duel ?

Nom de Dieu, finissons-en. J'arrive, Taleniekov. Vous êtes très fort, certes, mais vous n'êtes pas à la hauteur de l'homme que vous appelez Beowulf Agate.

L'orgueil. Si nécessaire. Si fatigant.

L'ascenseur atteignit le sixième étage. Bray retint son souffle au moment où deux hommes élégants entraient dans la cabine. Ils parlaient d'affaires, de chiffres, des résultats de l'année dernière. Ils le regardèrent tous les deux d'un air désapprobateur. C'était normal à cause de la barbe, des yeux injectés de sang. Il serra son attaché-case contre lui et regarda ailleurs. Au moment où la porte commençait à se refermer, il fit un pas en avant, une de ses mains enfoncée dans la poche de son manteau.

« Excusez-moi, c'est mon étage. »

Il n'y avait personne dans le long couloir rectiligne qui se trouvait quatre étages au-dessus des appartements 211 et 213. Un peu plus loin sur la droite, on apercevait deux portes avec des petites ouvertures circulaires vitrées : l'ascenseur de service. Un des panneaux venait d'être refermé, il vibrait encore. Scofield dégagea à moitié son arme. Il s'immobilisa en entendant un bruit de vaisselle de l'autre côté de la porte battante. Quelqu'un poussait un chariot. Un homme qui se cache avec l'intention de tuer ne fait pas un tel ramdam.

Un peu plus loin sur la gauche, du côté de l'escalier, une femme de chambre venait de finir de nettoyer un appartement. Elle ferma la porte et commença à pousser son chariot vers la suivante.

Cinq – *zéro* – cinq.

Cinq – *mort* – cinq.

Si c'était bien là le terrain de la rencontre, Scofield se trouvait au-dessus. Il dominait mais ne pouvait rien voir. Et le temps passait à toute vitesse. Il pensa un instant se servir de la femme de ménage comme d'un atout dans son jeu. Mais il soupçonna que sa vue seule lui ferait peur. Son apparence douteuse l'obligeait à renoncer à pas mal de choses. Il n'avait pu s'offrir le luxe de se raser, aller aux toilettes était déjà un problème. Il fallait écouter tous les bruits, les moindres choses étaient d'une importance capitale au long de cette interminable attente. Et il était tellement fatigué.

Il fallait renoncer à utiliser l'ascenseur de service. On pouvait trop facilement l'immobiliser, coincer quelqu'un dedans. L'escalier n'était guère préférable. Il avait pourtant un avantage : personne ne pouvait monter plus haut, à moins de grimper sur le toit.

Encore fallait-il qu'il y eût un moyen d'accès. Celui qui domine a généralement l'avantage. Les rapaces fondent sur leur proie, ils attaquent rarement par en dessous.

Les requins pourtant...

Faire diversion. N'importe quelle sorte de diversion. On sait que les requins foncent bêtement sur n'importe quel leurre : objets inanimés, débris...

Bray s'avança rapidement vers la lourde porte de l'escalier et s'arrêta un instant devant le chariot de la femme de ménage. Il prit quatre cendriers en verre, les fourra dans ses poches et coinça son attaché-case sous son bras.

Sans perdre une seconde, il appuya sur la barre de sécurité. La lourde porte d'acier s'ouvrit facilement. Il commença à descendre l'escalier, le dos collé au mur. Il essayait de repérer le moindre bruit fait par son adversaire.

Voilà. Quelques étages en dessous, il entendit des pas rapides sur les marches de béton. Silence. Il s'immobilisa, ne comprenant pas tout de suite ce qui se passait. Il entendit une série de frottements rapides, un son métallique, grinçant. Qu'est-ce que c'était ?

Il jeta un coup d'œil vers le haut de l'escalier en direction de la porte métallique par laquelle il venait de passer et comprit tout de suite. L'escalier était en fait une sortie de secours. Grâce à la barre de sécurité, on pouvait ouvrir la porte de l'intérieur, on ne pouvait pas l'ouvrir de l'extérieur. C'était une manière de se protéger des cambrioleurs. Le type en dessous se servait d'une tige métallique pour donner de petits coups dans les interstices du système de fermeture. Il faisait un tas de mouvements vers le haut et vers le bas pour tenter de relâcher le ressort et d'ouvrir la porte. C'était un truc connu. On arrive pratiquement à ouvrir toutes les portes munies de barre de sécurité de cette manière. A condition, bien sûr, qu'elles ne soient pas bloquées. Mais elles ne seraient sûrement pas bloquées dans cet hôtel.

Le grincement s'arrêta. La porte était ouverte.

Silence.

La porte claqua. Scofield fit un pas sur le côté pour regarder en bas. Il ne vit rien d'autre que la rampe carrée qui s'enfonçait dans le noir. Doucement, sans faire le moindre bruit, il descendit les marches une à une pour atteindre le palier. Il était au cinquième étage.

Cinq – zéro – cinq. Un chiffre sans signification, un jeu de mots imbécile.

La tactique de Taleniekov était maintenant parfaitement claire, elle était d'une logique implacable. Dès le début du tumulte, le Russe était resté dans le hall de l'hôtel pour surveiller les ascenseurs. C'était le meilleur endroit pour avoir quelques informations sur son ennemi. Mais comme rien n'arrivait, il pensa que Beowulf était coincé, qu'il tournait en rond pour trouver une issue. C'était seulement après s'être assuré que son ennemi ne courait pas dans les rues que Taleniekov avait commencé la chasse dans l'escalier. Bondissant dans le couloir, il lèverait bientôt son arme pour atteindre la cible mouvante.

Mais le Russe ne pouvait pas tirer d'en haut, il devrait commencer sa poursuite en partant du bas de l'escalier, renoncer à l'avantage du point culminant. Pourtant la position élevée était aussi importante et vitale dans l'escalier qu'en campagne. Scofield posa son attaché-case par terre et sortit deux des cendriers en verre de sa poche. L'attente était pratiquement terminée maintenant, tout allait se passer dans quelques secondes.

La porte du dessous s'ouvrit en grand. Bray lança le premier cendrier entre les barreaux de la rampe métallique. Le verre éclata en faisant un bruit qui se répercuta contre les murs de béton et le métal.

Un bruit de pas lourds. Le son mat d'un corps qui plonge et heurte un mur. Bray s'approcha du vide pour lancer un deuxième cendrier. De nouveau, un fracas de verre brisé. Quelqu'un apparut près de la rampe dans les étages inférieurs. Bray tira immédiatement. Son adversaire poussa un cri et se jeta brusquement en arrière pour se placer en dehors de la ligne de tir.

Scofield, le dos collé au mur, descendit trois marches de plus. Il entrevit un morceau de jambe et tira de nouveau. La balle ricocha en sifflant contre la rampe métallique avant de s'enfoncer dans le mur de ciment. C'était raté. Il avait blessé le Russe mais ne l'avait pas immobilisé. Soudain, dans le lointain, on entendit un bruit de sirène qui allait en augmentant. Des cris, bien qu'étouffés par la lourde porte de la sortie de secours, commencèrent à emplir la cage d'escalier. On lançait des ordres dans le hall, dans les couloirs.

Au fur et à mesure que les bruits se rapprochaient, il y avait de moins en moins de chances de s'en sortir. Il fallait en finir. Toutes les expériences acquises dans le passé se réduisaient maintenant à ceci : *Tirer le premier; ne pas hésiter à découvrir son arme.* Ce qui signifie découvrir une partie de son corps. Une blessure superficielle n'a aucune importance si elle vous sauve la vie.

C'était maintenant une question de secondes, il n'y avait plus de choix possible.

Bray sortit les deux derniers cendriers de sa poche et les lança dans le vide au-dessus de la rampe. Tandis que le bruit du verre cassé résonnait dans la cage d'escalier, il descendit de nouveau quelques marches. Il balança son bras gauche et son épaule sur le côté en décrivant une sorte de demi-cercle. Cette partie de son corps se trouvait maintenant dans la ligne de tir du Russe. Mais il tenait fermement son arme dans la main droite pour être prêt à la riposte.

Deux coups de feu assourdissants éclatèrent presque en même temps... Le revolver de Scofield sauta de sa main. Il vit, sans pouvoir intervenir, l'arme jaillir d'entre ses doigts. Les balles ricochèrent contre la rampe, de petites gouttes de sang apparurent sur la paume de sa main.

Une balle perdue l'avait désarmé. Tué par hasard. Son Browning tomba de marche en marche avec un bruit d'enfer. Il plongea pour tenter de le rattraper, mais il savait déjà que c'était trop tard. Le tueur, à l'étage en dessous, apparut. Il se redressa et dirigea le long canon de son arme vers la tête de Scofield.

Ce n'était pas Taleniekov. Ce n'était pas le visage qu'il avait vu sur les photographies. Ce n'était pas le visage qu'il haïssait depuis plus de dix ans. C'était l'homme de Prague. Un type qu'il avait utilisé bien souvent pour servir la cause de gens qui pensaient librement. Et cet homme allait l'abattre. C'était son dernier rendez-vous.

Deux pensées traversèrent son esprit. La mort serait instantanée; de plus, il avait privé Taleniekov de sa vengeance.

« Nous devons toujours terminer notre travail, dit l'homme de Prague, les doigts serrés sur la crosse de son revolver. C'est vous qui m'avez appris ça, Beowulf.

— Vous n'arriverez jamais à sortir d'ici.

— Croyez-vous ? Vous avez oublié ce que vous nous disiez : Abandonnez vos armes, mêlez-vous à la foule. Je vais m'en tirer, pas vous. Si vous sortiez d'ici, trop de vies seraient en danger.

— *Padazdit.* »

La voix venait d'en haut, pourtant on n'avait entendu aucun grincement de porte. Le tueur de Prague se retourna d'un coup, se coucha contre le sol et fit un mouvement rapide pour diriger son arme vers Vasili Taleniekov.

Le Russe ne tira qu'une seule fois. Un énorme trou apparut au milieu du front de l'homme de Prague qui tomba sur Bray au moment où celui-ci plongeait pour s'emparer de l'arme. Il parvint à la ramasser sur une marche et se laissa rouler vers le bas, tout en tirant à plusieurs reprises en direction de l'homme du K.G.B. Il savait que Taleniekov ne lui avait sauvé la vie que pour assouvir sa vengeance.

Je vous verrai rendre votre dernier soupir...

Pas encore ! Pas ici ! Pas tant que je peux bouger !

Et puis, il ne put plus bouger. Le choc fut d'une violence incroyable, Scofield eut l'impression que son crâne s'ouvrait en deux. La lumière s'était transformée en étincelles blanchâtres. Le fracas était assourdissant. Sirènes, sifflements, cris montant du vide.

En se laissant rouler pour sortir de la ligne de tir de Taleniekov, il avait heurté de la tête l'un des angles des barreaux métalliques de la rampe d'escalier. Une balle perdue, un morceau d'acier allaient l'entraîner dans la mort.

Sa vue n'était pas très nette, mais il reconnut immédiatement l'impressionnante silhouette du Russe qui descendait l'escalier. Il essaya de lever son arme, sans résultat. Une botte la maintenait au sol. On lui arracha le pistolet.

« Allez-y, bredouilla Scofield. Mais tirez donc ! Vous avez gagné par hasard, vous ne pouviez gagner que comme ça.

— Je n'ai rien gagné du tout, je ne veux pas d'une telle victoire. Allons, venez. Les flics sont arrivés, ils vont envahir l'escalier dans un instant. »

La main ferme du Russe l'aida à se relever. Son bras entoura un large cou, une épaule se plaça sous son aisselle pour le faire avancer.

« Que faites-vous, nom de Dieu ? »

Il n'était pas sûr d'avoir prononcé ces paroles. La douleur était trop forte, il ne pouvait plus penser.

« Vous avez une blessure ouverte dans le cou qui n'est pas trop méchante et une coupure à la tête, apparemment peu profonde.

— Quoi ?

— Je connais une issue. Cet hôtel m'a servi de

planque pendant deux ans, je le connais parfaitement. Allons-y. Faites un effort, faites marcher vos
jambes. Nous allons gagner le toit.

– Mon attaché...

– Je l'ai. »

Ils se retrouvèrent dans un recoin sombre, plein
de courants d'air qui faisaient trembler les parois
métalliques ondulées. La température, proche de
zéro, produisait des vibrations. Ils rampèrent sur le
sol strié dans l'obscurité.

« C'est le principal tuyau d'aération, chuchota
Taleniekov qui se méfiait de l'écho. Cette installa-
tion est commune à l'hôtel et au bâtiment voisin.
Ces immeubles relativement petits appartiennent au
même propriétaire. »

Scofield reprenait connaissance. Le simple fait de
bouger l'obligeait à contrôler bras et jambes. Le
Russe avait déchiré une écharpe de soie en deux
pour mettre un pansement autour de la tête et du
cou de Bray. Ça continuait à saigner, mais nettement moins fort. Scofield retrouvait ses esprits mais
ne se rendait pas compte exactement de ce qui se
passait.

« Vous m'avez sauvé la vie, je voudrais savoir
pourquoi.

– Parlez moins fort, murmura l'homme du K.G.B.
Et continuez d'avancer.

– Répondez-moi.

– Je vous ai déjà répondu.

– Vous n'étiez guère convaincant.

– Vous et moi, nous baignons dans les mensonges, nous ne voyons rien d'autre.

– De vous, en effet, je n'attends rien d'autre.

– Dans quelques minutes, vous pourrez choisir, je
vous rendrai ça,

– Que voulez-vous dire ?

– Nous atteindrons le bout du conduit. Ça se ter-
mine par une sorte de trou à environ trois mètres du
sol dans une remise en haut de l'autre immeuble.

Une fois là, je sais comment gagner la rue, mais chaque seconde compte. Si par hasard il y avait des gens près du conduit, il faut leur faire peur pour qu'ils s'en aillent. Quelques coups de feu suffiront amplement. Tirez au-dessus de leur tête.

— Pardon ?

— Je vais vous rendre votre arme.

— Vous avez tué ma femme.

— Vous avez tué mon frère. Et avant cela, des fumiers appartenant à votre armée d'occupation avaient renvoyé à Berlin-Est le cadavre d'une jeune fille — presque une enfant — que j'aimais beaucoup. Ce n'était pas beau à voir.

— Je ne savais pas.

— Maintenant que vous êtes au courant, vous pouvez choisir. »

L'espace au bout du conduit, fermé par du grillage, avait peut-être un mètre cinquante de large. En dessous se trouvait une grande pièce, faiblement éclairée, qui servait de resserre. Elle était pleine de cageots et de caisses. Il n'y avait personne en vue. Taleniekov rendit son automatique à Scofield et commença à donner des coups d'épaule dans le treillis métallique pour arracher les crochets qui le retenaient. Brusquement, tout lâcha, et le grillage tomba sur le sol de ciment. Le Russe s'immobilisa un moment pour se rendre compte si quelqu'un avait remarqué le bruit. Apparemment pas.

Il se retourna et commença à se glisser hors du conduit, les jambes en avant. Après avoir dégagé ses épaules et sa tête, il se retint avec les mains pour trouver son équilibre avant de sauter par terre.

Il entendit alors un bruit curieux qui se rapprochait rapidement. *Clic... clac. Clic... clac. Clic... clac. Des pas.* Taleniekov se figea sur place, le corps suspendu entre le bout du conduit et le sol.

« Bonjour, camarade, dit quelqu'un en russe. Comme vous voyez, je marche beaucoup mieux qu'à Riga, on vient de me donner une nouvelle jambe. »

Bray fit un petit mouvement en arrière pour se plaquer dans l'ombre du conduit. En bas, à côté d'un grand cageot, se tenait un homme avec une canne, un unijambiste. Sous son pantalon, du côté droit, il avait un morceau de bois. L'infirme continuait de parler tranquillement tout en sortant un pistolet de sa poche.

« Je vous connais trop bien, mon vieux. Vous étiez un sacré professeur. J'ai pu étudier cette planque pendant plus d'une heure. Il y a plusieurs moyens de sortir d'ici, mais je savais que c'était celui-ci que vous choisiriez. Je suis désolé, cher maître, mais nous n'avons plus confiance. »

Il leva son arme.

C'est Scofield qui tira.

Ils se précipitèrent en courant dans la ruelle qui se trouvait de l'autre côté de la Nebraska Avenue. Peu après, ils s'appuyaient contre un mur de brique pour reprendre haleine, en essayant de voir ce qui se passait. Trois voitures de police, avec des feux tournants sur le toit, bloquaient l'entrée de l'hôtel; une ambulance était garée juste à côté. Des corps, dissimulés sous des couvertures, étaient allongés sur des brancards. L'un des coins d'une couverture glissa et Taleniekov reconnut la tête ensanglantée de l'homme de Prague. Des agents de police empêchaient les badauds d'approcher. Des inspecteurs en civil marchaient de long en large en hurlant des ordres dans des postes émetteurs portatifs à l'intention de leurs hommes qui se trouvaient à l'intérieur.

On était en train de cerner l'hôtel. Toutes les sorties étaient gardées, toutes les fenêtres surveillées. Des tireurs, debout, étaient prêts à faire feu à tout moment.

« Quand vous vous sentirez un peu mieux, dit Taleniekov entre deux inspirations, nous nous mêlerons à la foule et nous marcherons quelques centaines de mètres pour trouver un taxi dans un endroit plus calme. Mais je vais être franc avec vous, je ne sais absolument pas où nous irons.

— Moi je sais, dit Scofield en se dégageant du mur, et nous ferions mieux d'y aller maintenant, pendant qu'ils sont encore en pleine pagaille. Ils vont établir très vite une zone de recherche. Ils vont poursuivre les blessés. On a beaucoup tiraillé dans cet hôtel...

— Un instant, coupa le Russe en regardant Bray dans les yeux. Il y a trois jours, j'étais dans un camion dans les collines proches de Sébastopol. Je savais parfaitement ce que je vous dirais si nous nous rencontrions. Je vous le dis maintenant : Nous nous tuerons l'un l'autre, Beowulf Agate, ou nous parlerons.

— Nous pouvons faire les deux, répliqua Bray. Filons. »

11

LE refuge était situé au beau milieu des forêts du Maryland, sur les rives du Patuxent. De la verdure sur trois côtés, de l'eau en bas. La maison la plus proche se trouvait à plus d'un kilomètre. On y accédait par un chemin de terre qu'aucun taxi n'aurait accepté de prendre. Personne, d'ailleurs, ne le leur avait demandé. Bray avait préféré téléphoner à quelqu'un de l'ambassade d'Iran, un agent clandestin du S.A.V.A.K., spécialisé dans le trafic des drogues dures et les échanges d'étudiants. Son éventuelle arrestation aurait posé quelques problèmes au shah, en conséquence, une voiture de location avait été garée dans un parking payant et ses clefs glissées sous le tapis de sol.

Le refuge appartenait à un professeur de sciences

politiques à Georgetown, un homosexuel honteux qui s'était pris d'amitié pour Scofield lorsque celui-ci avait déchiré certaines parties d'un dossier rapportant des faits qui n'avaient rien à voir avec le talent de cet homme pour mettre en ordre les données secrètes reçues au ministère des Affaires étrangères. Bray avait utilisé le refuge à plusieurs reprises lorsqu'il revenait à Washington. En particulier, lorsqu'il désirait être hors d'atteinte des bureaucrates ou parce qu'il était en galante compagnie. Il suffisait de passer un coup de fil au professeur, qui ne posait pas de questions mais donnait les clefs.

Cet après-midi, elles étaient clouées sous le deuxième bardeau du devant de la maison. Bray fut obligé d'appuyer une échelle contre le mur pour s'en emparer.

L'intérieur était de style rustique, poutres apparentes et mobilier rigide, que venaient néanmoins adoucir une quantité surprenante de coussins de couleurs vives, des murs blancs et des doubles rideaux à carreaux. De chaque côté de la cheminée se trouvaient des étagères bourrées de livres, leurs reliures donnaient de l'intimité et de la chaleur à la pièce.

« Un homme de grande culture, dit Taleniekov en jetant un coup d'œil sur les titres.

— En effet, répondit Bray tandis qu'il allumait un radiateur à gaz. Il y a des allumettes sur le dessus de la cheminée. Le feu a été préparé, il suffit de gratter l'allumette.

— Merveilleux, dit l'homme du K.G.B. en s'emparant d'une petite boîte d'allumettes qui se trouvait dans un verre coloré sur le manteau de la cheminée.

— Ça fait partie des conventions. Celui qui quitte le refuge nettoie la cheminée et prépare le feu.

— Partie des conventions ? Y en a-t-il d'autres ?

— Une seule. Motus. Sur l'endroit et sur le propriétaire.

— De mieux en mieux. »

Taleniekov s'accroupit pour frotter l'allumette et retira brusquement les mains lorsque la flamme jaillit.

« En effet, fit Scofield en réglant le radiateur à gaz, heureux de voir qu'il marchait. (Il se retourna et regarda le Russe.) Je ne veux parler de rien avant d'avoir pris quelque repos. Peut-être n'êtes-vous pas d'accord, pourtant il en sera ainsi.

– Je suis d'accord. Je ne suis pas très sûr de pouvoir être lucide en ce moment et je dois l'être lorsque nous parlerons. J'ai peut-être encore moins dormi que vous.

– Il y a deux heures, nous étions prêts à nous tirer dessus, dit Bray en restant parfaitement immobile. Nous ne l'avons pas fait.

– Tout au contraire, nous avons empêché les autres de nous abattre.

– Nous sommes quittes.

– Evidemment, nous sommes quittes. Mais il est possible que de nouvelles obligations nous lient lorsque nous aurons parlé.

– C'est possible, mais j'en doute. Peut-être êtes-vous coincé à Moscou, mais je ne suis absolument pas coincé par ce qui s'est passé aujourd'hui à Washington. Je vois ce que je peux faire, c'est la grande différence entre nous.

– Pour tous les deux, j'espère vraiment qu'il en soit ainsi.

– Il en est ainsi. Maintenant, je vais dormir. (Scofield montra du doigt un divan appuyé contre le mur.) C'est un canapé-lit, il y a des couvertures dans le placard qui se trouve là-bas. Je vais m'allonger dans la chambre à côté. (Il commença à marcher en direction de la porte de la chambre à coucher, puis il se ravisa et se retourna vers le Russe.) La porte sera fermée à clef, et je dors très légèrement.

– C'est notre lot à tous deux. Vous n'avez rien à craindre de moi.

– Je ne vous ai jamais craint », fit Bray.

Scofield entendit de petits craquements. Il rejeta précipitamment les couvertures et s'empara de son Browning qui se trouvait à la hauteur de ses genoux. Il leva son arme en même temps qu'il pivotait sur le lit pour pouvoir poser les pieds sur le sol. En moins d'une seconde, il était en position de tir.

Il n'y avait personne dans la pièce. Un rayon de lune, d'un blanc bleuté, divisé par les montants des vitres, qui passait à travers la fenêtre exposée au nord, donnait à la pièce un aspect irréel. Durant un instant, Bray n'eut aucune idée de l'endroit où il se trouvait. Ecrasé de fatigue, il avait sombré dans un sommeil sans rêves. La mémoire lui revint brusquement au moment où ses pieds touchaient le sol : son ennemi de toujours était dans la pièce voisine. Ce curieux ennemi lui avait sauvé la vie et en retour, quelques minutes plus tard, il lui avait sauvé la sienne.

Bray regarda le cadran lumineux de sa montre; il était quatre heures et quart. Il avait dormi presque treize heures de suite. La lourdeur dans les jambes et dans les bras, les larmes au coin des yeux et la sécheresse de sa gorge lui disaient qu'il n'avait guère remué dans son sommeil. Il s'assit un instant sur le bord du lit et se mit à respirer profondément l'air frais de la nuit. Il posa son arme à côté de lui, agita les doigts en les claquant les uns contre les autres et jeta un coup d'œil en direction de la porte, fermée à clef, de la chambre.

Taleniekov était déjà levé et avait allumé le feu. Sans aucune erreur possible, les craquements provenaient du bois enflammé dans la cheminée. Scofield décida de repousser encore un peu son entrevue avec le Russe. Parce qu'il ne s'était pas rasé depuis quelques jours, son visage le démangeait; il avait des plaques rouges, juste en dessous du menton. Il y avait toujours de quoi se raser dans la salle de bain. Il allait s'offrir ce luxe et changer les pansements qu'il avait au cou et sur la tête. Tout cela retarderait un peu la conversation qu'il devait avoir avec l'ancien – passé à l'Ouest ? – homme du K.G.B. Quel que fût le problème, Bray ne voulait pas y être mêlé. Pourtant, la suite des événements de ces dernières vingt-quatre heures lui faisait désagréablement sentir qu'il était déjà impliqué. La blessure au cou laissée par la balle le faisait souffrir, et il avait des élancements dans la tête.

Il était exactement quatre heures trente-sept quand il ouvrit la porte de la chambre. Taleniekov, debout près du feu, tenait une tasse à la main.

« Je suis navré que le bruit du feu vous ait réveillé, dit le Russe. Ou peut-être était-ce le grincement de la porte extérieure ?

– Le chauffage s'est éteint ? demanda Scofield lorsqu'il se fut aperçu qu'il n'y avait pas de flammes au radiateur à gaz, qui était pourtant la principale source de chaleur du refuge.

– Je pense que la bouteille est vide.

– C'est pour ça que vous êtes sorti ?

– Non, non. Je suis allé dehors pour me soulager. Je n'ai pas trouvé les toilettes.

– Je n'ai pas pensé à ça.

– M'avez-vous entendu partir ou revenir ?

– C'est du café ?

– Oui. Une sale habitude que j'ai prise à l'Ouest. Votre thé n'a aucun goût. La cafetière est sur le réchaud. (L'homme du K.G.B. fit un geste en direction du petit meuble de séparation de la pièce derrière lequel se trouvait un réchaud, un évier et un réfrigérateur placés contre le mur.) Je suis surpris que vous n'ayez pas senti l'odeur de café.

– Je l'ai vaguement sentie, mentit Scofield en se dirigeant vers le réchaud et la cafetière.

– Si nous arrêtions tous les deux de jouer à la petite guerre ?

– Il paraît que vous avez quelque chose à me dire.

Allez-y, répondit Bray en se versant une tasse de café.

– Tout d'abord, je vais vous poser une question. Avez-vous déjà entendu parler d'une société secrète appelée les Matarèse ? »

Scofield réfléchit un instant.

« Des tueurs à gages spécialisés dans les assassinats politiques, agissant sous les ordres d'un conseil se trouvant en Corse. Sa création remonte au moins à une cinquantaine d'années. L'organisation a disparu à la fin des années 40, un peu après la guerre. Pourquoi me parlez-vous de ça ?

– Elle n'a jamais complètement disparu. Elle est devenue de plus en plus occulte. Elle est restée en veilleuse un certain temps, mais elle réapparaît maintenant sous une forme bien plus dangereuse. Elle a repris ses activités à la fin des années 60. Elle fonctionne parfaitement aujourd'hui. Elle a réussi à s'infiltrer dans les sphères gouvernementales de nos deux pays. Son objectif est de prendre le pouvoir aussi bien à l'Est qu'à l'Ouest. Ce sont les Matarèse qui sont responsables de l'assassinat du général Blackburn et de Dimitri Yourievitch. »

Bray but une gorgée de café en regardant attentivement le visage du Russe par-dessus le bord de sa tasse.

« Comment savez-vous ça ? Qu'est-ce qui vous fait croire ça ?

– Un vieillard qui, au cours de sa vie, a vu plus de choses que vous et moi réunis. C'est lui qui a reconnu la marque distinctive des Matarèse. Il ne se trompait pas. Il était un des rares hommes qui a admis avoir eu affaire aux Matarèse.

– A vu ? Etait ? Pourquoi le passé ?

– Il est mort. Il a demandé à me voir juste avant de mourir. Il voulait me mettre au courant. Il avait en sa possession des informations que ni vous ni moi n'aurions jamais pu obtenir.

– Qui était-ce ?

– Alexis Kroupski. Ce nom sans doute ne vous dit rien. Je vais vous expliquer.

– Ne me dit rien ? coupa Scofield en approchant un fauteuil pour s'asseoir au coin du feu. Vous vous trompez. C'était lui le tueur féroce du *Krivoï Rog. Istrebitel.* Un des chefs du groupe Neuf du K.G.B. Le premier groupe Neuf évidemment.

– Quelle érudition ! C'est vrai que vous êtes passé par Harvard.

– Cette sorte d'« érudition » peut être utile. Kroupski a disparu de la scène il y a une vingtaine d'années. C'était comme s'il n'avait jamais existé. En admettant qu'il fût encore en vie, il devait végéter du côté de Grasnov. On voit mal des gens du Kremlin lui communiquant des informations importantes. Je ne crois pas à votre histoire.

– Elle est vraie, dit Taleniekov en s'asseyant en face de Bray. Ce ne sont pas des « gens » du Kremlin mais une personne du Kremlin. Son fils. Pendant trente ans, un des rares survivants haut placés du Politburo. Pour ces six dernières années, le Premier ministre d'Union soviétique. »

Scofield posa doucement sa tasse à côté de lui sur le sol et regarda de nouveau le visage de l'homme du K.G.B. Certes c'était le visage d'un menteur, mais d'un menteur professionnel, non d'un menteur par nature. Il ne mentait pas en ce moment.

« Le fils de Kroupski serait le Premier ministre ? Incroyable...

– C'est ce que j'ai pensé aussi, d'abord. Mais ce n'est pas tellement incroyable. L'homme a pu passer à travers tous les écueils grâce à la protection de son père qui possédait une étonnante collection de... documents « intéressants ». On peut même imaginer ça chez vous. Admettons, par exemple, que John Edgar Hoover ait eu un fils ayant de grandes ambitions politiques. Qui aurait osé se mettre en travers de sa route ? Les dossiers de Hoover auraient aplani n'importe quel chemin, même celui conduisant au

Bureau ovale. La forêt est un peu différente, mais les arbres sont les mêmes. Les choses n'ont pas beaucoup changé depuis que les sénateurs de Rome donnèrent le pouvoir à Caligula.

– Que vous a dit Kroupski ?

– Il a d'abord parlé du passé, de choses que je n'arrivais pas à croire avant d'avoir vu d'anciens membres du Politburo. Un homme, mort de peur, m'a confirmé ce que m'avait dit Kroupski. Les autres se sont arrangés pour qu'on donne à tous nos services l'ordre de m'abattre.

– Vous ?...

– Oui, l'ordre d'exécuter Vasili Vassilievitch Taleniekov, un des meilleurs stratèges du K.G.B. Un homme difficile certes, mais qui aurait pu lui aussi finir ses jours dans une ferme du côté de Grasnov, à qui on aurait pu faire appel pour avoir des informations concernant une période de plusieurs dizaines d'années. Notre peuple a le sens pratique, tout cela aurait été parfaitement raisonnable. En dépit de quelques doutes, que nous avons toujours, je pensais sincèrement que c'était ce qui m'attendait. Mais ce n'était plus le cas dès que j'eus mentionné les Matarèse. Brusquement, tout a changé. J'étais, moi qui avais si bien servi mon pays, devenu l'ennemi à abattre...

– De quoi vous a parlé Kroupski avec précision ? Quels sont les faits qui, à votre avis, ont été confirmés ? »

Taleniekov parla des derniers instants du vieil *istrebitel*. Tout ce qu'il avait raconté à propos des assassinats des Matarèse, y compris ceux de Staline, Beria et Roosevelt. Il expliqua comment cette société secrète corse avait été utilisée par les gouvernements de toutes les grandes puissances à l'intérieur et à l'extérieur de leurs frontières. Tous avaient été atteints par la peste : la Russie, la Grande-Bretagne, la France, l'Allemagne, l'Italie... les Etats-Unis. Les chefs d'Etat de chacun de ces pays avaient, à un

moment donné, passé des contrats avec les Matarèse.

« Oui, il y a eu des spéculations à ce sujet, mais
aucune enquête n'a jamais rien prouvé.

— Parce qu'aucun homme politique d'envergure
n'a osé témoigner. Selon les propres paroles de
Kroupski, ce genre de révélations seraient catastrophiques pour la plupart des gouvernements. Aujour-
d'hui, les Matarèse emploient de nouvelles tactiques
qui ont pour but de créer un déséquilibre au cœur
même des centres de décisions.

— Par exemple ?

— Le terrorisme. Attentats à la bombe, kidnap-
pings, détournements d'avions. Des ultimatums sont
lancés par des bandes de fanatiques qui menacent de
massacrer un tas de gens si on ne satisfait pas à leur
demande. Tous les mois, leur nombre augmente. Les
Matarèse financent la plupart de ces opérations.

— Comment ?

— Je ne peux malheureusement qu'émettre des
hypothèses. Le conseil des Matarèse étudie les objectifs poursuivis des parties en cause, envoie des
experts et donne l'argent nécessaire. Les fanatiques
ne se posent jamais de questions sur l'origine des
fonds qu'ils reçoivent, ils se préoccupent seulement
de les obtenir. J'imagine que vous avez, aussi bien
que moi, utilisé de tels hommes et de telles femmes
plus souvent qu'on ne pourrait le croire.

— Dans des buts bien précis, répondit Bray en
reprenant sa tasse. Parlez-moi un peu de Blackburn
et de Yourievitch ? Qu'ont obtenu les Matarèse en
les tuant ?

— Kroupski pensait que c'était pour mettre à
l'épreuve les chefs de gouvernement. Les Matarèse
voulaient savoir si ces hommes d'Etat avaient encore
la situation en main. Je ne suis pas sûr maintenant
qu'il ait eu raison, peut-être y avait-il quelque chose
d'autre. J'ai pensé à ça après ce que vous m'avez dit.

— Qu'est-ce que je vous ai dit ?

– Ce que vous m'avez dit à propos de Yourievitch. Que vous étiez sur le point de le retourner.
Est-ce vrai ?

– C'est vrai, oui, mais ce n'était pas aussi simple
que ça. Yourievitch était mi-figue, mi-raisin. On
n'allait pas pouvoir le retourner dans le sens qu'on
donne généralement à ce terme. C'était un homme
de science qui pensait que des deux côtés on était
allé beaucoup trop loin. Il n'accordait aucune
confiance aux maniaques. On sondait le terrain,
nous ne savions absolument pas où nous allions.

– Savez-vous que le général Blackburn, qui avait
failli laisser sa peau en Corée, a fait ce qu'aucun
commandant en chef des forces armées n'a jamais
fait au cours de votre histoire ? Il a rencontré en
secret ses ennemis virtuels. En Suède, à Skelleftea,
sur le golfe de Botnie. Il s'est rendu là-bas en tou-
riste. A notre avis, il aurait fait n'importe quoi pour
éviter la répétition de massacres absurdes. Il détestait la guerre conventionnelle et pensait que les
armes nucléaires ne seraient jamais utilisées. (Le
Russe marqua un temps d'arrêt et se pencha vers
Scofield.) Deux hommes qui refusaient de toutes
leurs forces les sacrifices humains, qui cherchaient
des compromis, ont été tués par les Matarèse. Il ne
s'agissait peut-être pas simplement de mettre à
l'épreuve deux chefs d'Etat. Peut-être veut-on aussi
éliminer les hommes en place qui croient à la
stabilité. »

Tout d'abord Scofield ne répondit rien. Ce qu'il
venait d'apprendre sur Blackburn était vraiment
étonnant.

« Et pour que l'épreuve soit concluante, ils se
sont arrangés pour qu'on pense à moi, à propos de
Yourievitch...

– Et à moi dans le cas de Blackburn. On s'est
servi d'un Browning Magnum *grade four* pour tuer
Yourievitch et d'un Graz-Burya pour tuer Blackburn.

– Et on a lancé l'ordre de nous abattre tous les deux.

– Exactement. Parce que parmi les hommes des services secrets nous sommes les plus dangereux.

– Pourquoi nous considèrent-ils comme dangereux ?

– Parce qu'ils ont enquêté sur notre compte. Il savent parfaitement que nous n'accepterons jamais d'obéir aux ordres des Matarèse, pas plus que nous n'obéissons aux ordres des paranoïaques que nous avons autour de nous. Nous sommes des hommes morts, Scofield,

– Parlez pour vous ! répondit Bray avec colère. Je suis hors circuit, liquidé. Je suis un homme fini. Je me fous éperdument de ce qui peut se passer ici. Ne vous avancez pas trop en ce qui me concerne.

– En ce qui vous concerne, d'autres ont déjà pris des décisions.

– C'est vous qui le dites. »

Scofield se leva, reposa la tasse par terre et ramena sa main à la hauteur de son baudrier.

« C'est ce que croyait l'homme qui m'a parlé de tout ça. C'est pourquoi je suis ici, pourquoi j'ai sauvé votre vie, pourquoi je ne vous ai pas abattu.

– C'est pourquoi tout cela m'a donné à réfléchir !

– Pardon ?

– Tout était parfaitement chronométré. Vous saviez même à quel endroit de l'escalier se trouvait Prague.

– J'ai descendu un type qui vous tenait en joue.

– L'homme de Prague ? Un sacrifice nécessaire. Je suis une véritable encyclopédie, qui plus est, une encyclopédie terminée. Vous ne m'avez donné aucune preuve que mon gouvernement fût entré en contact avec Moscou. Je dois tirer mes conclusions. Peut-être est-ce si clair que j'en suis ébloui. Le grand Taleniekov accepte une défaite passagère pour ramener Beowulf Agate en Union soviétique.

– Ça suffit, Scofield, rugit l'homme du K.G.B. en

bondissant de son fauteuil. J'aurais dû vous laisser crever ! Ecoutez-moi bien. Ce que vous imaginez est impensable, et le K.G.B. le sait parfaitement. Mon désir de vengeance est trop fort. Je ne vous donnerais jamais aux Soviétiques, je vous tuerais d'abord. »

Bray regarda le Russe dans les yeux. Ce que venait de déclarer Taleniekov était parfaitement clair, parfaitement honnête. Sa colère tomba d'un coup.

« Je vous crois. Mais cela ne change rien. Je m'en fous. Franchement je m'en fous... Je ne suis même pas sûr d'avoir encore envie de vous tuer. Je veux qu'on me fiche la paix, c'est tout, dit-il en se détournant. Prenez les clefs de la voiture et filez en vitesse. Estimez-vous heureux d'être encore vivant.

— Merci de votre générosité, Beowulf, mais je crains qu'il ne soit trop tard. »

Scofield revint brusquement vers le Soviétique,

« Comment ?

— Je n'ai pas fini. Un type a été pris. On lui a fait quelques piqûres. Il y a un calendrier. Deux mois, trois mois tout au plus. Voilà les ordres : assassinats à Moscou, corruptions à Washington. Si cela arrive, ni vous ni moi ne survivrons, ils nous retrouveront à l'autre bout de la terre.

— Je ne comprends pas, lança Bray de nouveau en colère. Voulez-vous dire que vous tenez quelqu'un ?

— Nous tenions, coupa Taleniekov. Une capsule de cyanure était cousue sous sa peau. Il a pu s'en emparer.

— Mais il a parlé, il a été enregistré, vous avez ses déclarations.

— Il a parlé. Mais rien n'a été enregistré. Il n'a parlé que devant un seul homme. Un homme qui avait été mis en garde par son propre père de ne laisser personne surprendre la conversation.

— Le Premier ministre ?

— Oui.

– Il est donc au courant.

– Il est au courant. Mais tout ce qu'il peut faire est d'essayer de se protéger lui-même – rien de particulièrement nouveau étant donné sa position – et de se taire. Parler serait, comme l'a fait remarquer Kroupski, reconnaître le passé. Cette époque est celle de l'ombre, Scofield. Qui a envie de mettre en lumière les choses du passé ? Dans mon pays, il y a un certain nombre de meurtres qui restent inexpliqués. Il en est de même chez vous : les Kennedy, Martin Luther King, peut-être même Franklin Roosevelt. Nous pourrions nous jeter à la gorge les uns des autres et même appuyer sur les boutons de la guerre nucléaire si le passé de nos deux pays était brusquement mis à jour. Que feriez-vous si vous étiez le Premier ministre ?

– Je me protégerais, dit Bray doucement.

– Maintenant comprenez-vous ?

– Je ne veux pas comprendre. Je ne veux pas. Je suis hors circuit.

– A mon avis, c'est impossible. Moi non plus, je ne peux pas être hors circuit. Nous en avons eu la preuve hier dans la Nebraska Avenue. On nous a désignés. Ils veulent notre peau. Ils en ont convaincu d'autres de nous abattre – pour de mauvaises raisons –, mais ce sont eux qui ont tout mis en place. Vous n'en doutez pas, n'est-ce pas ?

– J'aimerais pouvoir en douter. Curieusement, il est toujours facile de manipuler les tireurs de ficelle et il est étrangement facile de duper les escrocs. (Scofield retourna vers le réchaud pour se verser un peu de café; quelque chose lui venait à l'esprit, quelque chose dont on n'avait pas parlé, quelque chose de pas très clair.) Il y a encore certains points que je ne comprends pas. Du peu que nous sachions sur les Matarèse, il ressort qu'au départ il s'agissait d'un culte qui s'est transformé peu à peu en une sorte d'affaire. Les Matarèse acceptaient des contrats – ou plutôt, on suppose qu'ils acceptaient des contrats –

lorsque les choses étaient faisables et les prix intéressants. Ils tuaient pour de l'argent. Ils n'étaient jamais intéressés par le pouvoir en soi. Pourquoi le sont-ils maintenant?

— Je ne sais pas, répondit l'homme du K.G.B. Kroupski ne le savait pas non plus. Il était à l'agonie, pas très lucide, mais il m'a dit que la réponse pouvait se trouver en Corse.

— En Corse? Pourquoi?

— C'est là que tout a commencé.

— Mais ce n'est pas là, de toute façon. On a dit que les Matarèse avaient quitté la Corse au milieu des années 30. Les contrats étaient aussi bien négociés à Londres qu'à New York... même à Berlin, dans les hauts lieux de la finance internationale.

— Il serait peut-être alors préférable de dire que des indices, pour obtenir une réponse, se trouvent peut-être en Corse. C'est dans cette île qu'a été créé le conseil des Matarèse. On ne connaît qu'un nom parmi ses membres : Guillaume de Matarèse. Qui étaient les autres? Où sont-ils allés? Que sont-ils devenus aujourd'hui?

— Il y a un moyen plus rapide pour apprendre les choses que d'aller en Corse. Même si les Matarèse ne sont qu'une rumeur à Washington, il y a quelqu'un qui pourra remonter à la source. De toute manière, j'avais l'intention d'appeler cet homme. Je veux quelques éclaircissements sur ma vie à venir.

— Qui est cet homme?

— Robert Winthrop.

— Le créateur des Opérations consulaires. Un brave homme qui n'avait pas l'estomac pour soutenir ce qu'il avait construit.

— Les Opérations consulaires dont vous parlez n'ont rien à voir avec le service que Winthrop avait mis sur pied. De toute façon, il est le seul homme que je connaisse qui peut aller à la Maison Blanche et voir le président en moins de vingt minutes. Il y a très peu de choses qui lui échappent. Très peu de

227

choses qu'il n'est pas capable de connaître. (Scofield regarda fixement le feu, il se souvenait.) C'est curieux, d'une certaine manière, il est responsable de ce que je suis devenu, et pourtant il ne m'approuve nullement. Mais je crois qu'il m'écoutera. »

La cabine téléphonique la plus proche se trouvait à environ cinq kilomètres, au bord de la route nationale, près du chemin de terre qui conduisait au refuge. Il était huit heures dix, lorsque Bray entra à l'intérieur. Il s'abrita les yeux avec une main pour se protéger de la violente lumière matinale et referma la porte. Il avait trouvé le numéro personnel de Winthrop dans son attaché-case. Il ne l'avait pas appelé depuis des années, il composa le numéro en espérant que ce fût toujours le même.

C'était toujours le même. La voix cultivée qu'il entendit au bout du fil lui fit revenir un tas de choses en mémoire, des échecs, mais aussi des succès.

« Scofield ! Où êtes-vous ?

— Je crains de ne pouvoir vous répondre. Essayez de me comprendre.

— Je comprends que vous vous êtes mis dans une sale situation. Ça ne sert à rien de vous enfuir. Congdon m'a appelé. L'homme qui a été abattu dans cet hôtel l'a été avec une arme russe...

— Je sais. Le Russe qui l'a descendu m'a sauvé la vie. Ce type avait été envoyé par Congdon, les deux autres aussi. Cette équipe venue de Prague, de Marseille et d'Amsterdam avait l'ordre de m'abattre.

— Oh !... (Le diplomate resta silencieux un assez long moment. Bray ne rompit pas le silence.) Savez-vous ce que vous êtes en train de dire ?

— Oui, monsieur. Vous me connaissez suffisamment pour savoir que je ne dirais pas une telle chose sans en être absolument sûr. Il n'y a pas d'erreur possible. J'ai parlé avec l'homme de Prague avant sa mort.

– Et il a confirmé ?

– En filigrane, oui. Mais cette sorte de message doit toujours être lu en filigrane. »

Il y eut, de nouveau, un silence avant que le vieil homme ne se remît à parler.

« Je ne peux vous croire, Bray. Pour une raison que vous ne connaissez pas. Congdon est venu me voir il y a une semaine. Il se demandait comment vous alliez accepter la chose, comment vous alliez supporter d'être tenu à l'écart. Il était préoccupé : un agent secret particulièrement bien informé qu'on liquide contre sa volonté et qui, brusquement, dispose de beaucoup de temps et qui, peut-être, se met à boire. Il a la tête froide, ce Congdon, et je crains qu'il ne m'ait mis en colère. Après toutes ces années de service, je trouvais que c'était dur de vous faire si peu confiance... J'ai fait allusion par pur sarcasme à ce dont vous venez de me parler – non que je pensais qu'il puisse concevoir une telle éventualité, mais simplement parce que j'étais bouleversé par son attitude. Je ne peux donc vous croire. Voyez-vous pourquoi ? Si c'était le cas, il saurait immédiatement que je suis au courant. Il ne peut se permettre de prendre ce risque.

– Alors quelqu'un lui a donné l'ordre, monsieur. C'est cela dont nous parlons. Ces trois hommes savaient parfaitement où me trouver. Et ils ne pouvaient obtenir ce renseignement que d'une seule manière. C'était une planque du K.G.B. et c'étaient des hommes qui appartenaient aux Opérations consulaires. C'est Moscou qui a donné l'information à Congdon, c'est lui qui l'a transmise à ses trois hommes.

– Congdon en contact avec les Soviétiques ? Impossible. Même s'il avait essayé, pourquoi les Soviétiques auraient-ils accepté de coopérer avec lui ? Pourquoi auraient-ils dévoilé une planque ?

– Un de leurs hommes était l'enjeu de la négociation. Ils voulaient qu'on le descende. Cet homme essayait d'entrer en contact avec moi. Nous avions échangé des câbles.

– Taleniekov ? »

Cette fois, c'est Scofield qui marqua un temps. Il répondit doucement.

« Oui, monsieur.

– Un contact blanc ?

– Oui. J'avais mal lu d'abord, mais c'était cela. J'en suis convaincu maintenant.

– Vous... et Taleniekov ? Extraordinaire...

– Les circonstances sont extraordinaires, monsieur. Vous souvenez-vous d'une société secrète qui joua un rôle important dans les années 40 ? Vous souvenez-vous des Matarèse ?... »

Ils se sont mis d'accord pour se rencontrer le soir même, à neuf heures, dans Rock Creek Park du côté est, à un kilomètre environ au nord de la sortie de Missouri Avenue. Il y avait là, en retrait de la route, un endroit où les automobilistes pouvaient parquer leur voiture afin de s'enfoncer dans le sentier qui bordait un grand ravin. Winthrop avait décidé d'annuler tous les rendez-vous de la journée pour pouvoir se concentrer sur ce qu'il pourrait apprendre en partant de l'étonnante – et incomplète – information de Bray.

« Il convoquera les Quarante si c'est nécessaire, dit Scofield à Taleniekov sur le chemin du retour.

– A-t-il le pouvoir de le faire ?

– Le président l'a. »

Les deux hommes se parlèrent très peu au cours de la journée. Chacun était tendu à cause de la proximité de l'autre. Taleniekov se plongea dans les livres qu'il avait pris dans la grande bibliothèque. Il jetait de temps en temps un coup d'œil à Scofield, et l'on pouvait lire dans son regard un mélange de colère rentrée et de curiosité.

Bray était parfaitement conscient de ces coups d'œil, mais il se refusait à en tenir compte. Il écoutait la radio pour savoir ce que l'on disait aux informations au sujet de la tuerie de la Nebraska Avenue et de la mort de l'attaché d'ambassade russe dans l'immeuble voisin. L'affaire avait été pratiquement étouffée. On ne parlait même pas de la mort de l'attaché. On suggérait que l'origine de cette affaire se trouvait à l'étranger, qu'il s'agissait probablement d'un crime crapuleux en liaison directe avec les caïds du trafic des stupéfiants. C'était tout ce qu'on disait. Le ministère des Affaires étrangères filtrait l'information.

Pour Scofield, ce désintérêt obligé de la presse lui faisait sentir à quel point il était piégé. Il se trouvait mêlé à quelque chose qui ne l'intéressait absolument pas, pourtant il se rendait compte que la nouvelle vie dont il avait rêvé n'était pas pour demain. Il commençait à se demander quelle sorte de nouvelle vie il allait avoir et même s'il en aurait une. De toute façon, il était maintenant inexorablement impliqué dans une énigme qui avait pour nom les Matarèse.

A quatre heures, Scofield partit se promener dans la campagne, le long des rives du Patuxent. Il s'assura, au moment de quitter le refuge, que le Russe l'avait bien vu mettre son Browning dans son baudrier. L'homme du K.G.B., qui l'avait parfaitement remarqué, posa son Graz-Burya sur la table qui se trouvait à côté de son fauteuil.

A cinq heures, Taleniekov dit doucement :

« Je pense que nous devrions arriver au rendez-vous au moins une heure en avance.

— J'ai confiance en Winthrop, répliqua Bray.

— Vous avez sûrement de très bonnes raisons pour ça. Mais pouvez-vous faire pareillement confiance à ceux qu'il aura contactés ?

— Il ne dira à personne qu'il va nous rencontrer. Il veut avoir une longue conversation avec vous, il va vous poser des questions. Nom, poste occupé précédemment, grade dans l'armée, etc.

— J'essaierai de répondre, dans la mesure où ses questions auront quelque chose à voir avec les Matarèse. Je ne révélerai rien d'autre.

— C'est parfait, alors.

— Néanmoins je continue à penser...

— Nous partirons dans un quart d'heure, coupa Scofield. Nous mangerons en route. Séparément. »

A sept heures trente-cinq, Bray garait la voiture de location dans le parking qui se trouvait au bord de Rock Creek Park. Les deux hommes s'enfoncèrent à quatre reprises dans les bois, en décrivant des arcs de cercle perpendiculaires au sentier, pour trouver parmi les arbres et les rochers, et dans le ravin, les signes d'une présence étrangère. La nuit était froide, les promeneurs étaient rentrés chez eux, le parc était vide. Ils s'étaient donné rendez-vous au bord d'une petite gorge. C'est Taleniekov qui parla le premier.

« Je n'ai rien vu. L'endroit semble sûr. »

Dans le noir, Scofield jeta un coup d'œil à sa montre.

« Il est presque huit heures trente. J'attendrai près de la voiture. Restez ici, s'il vous plaît. Je le verrai d'abord et ensuite je vous appellerai.

— Comment ? Nous sommes à près de trois cents mètres.

— Je ferai craquer une allumette.

— Bonne idée.

— Pardon ?

— Non rien. C'est sans importance. »

A neuf heures moins deux, la grosse limousine de Winthrop débouchait de Rock Creek pour se garer dans le parking, à six mètres environ de la voiture de location. Bray s'inquiéta de voir un chauffeur. Heureusement, c'était le colosse qui travaillait pour Robert Winthrop depuis une vingtaine d'années. Un tas de rumeurs circulaient à propos de sa carrière en dents de scie dans les « Marines », qui s'était d'ailleurs achevée en cour martiale. Winthrop, cependant, en parlant de lui, l'appelait toujours « mon ami Stanley ». Personne ne posait de questions.

Bray sortit de l'ombre et s'avança vers la limousine. Stanley ouvrit la porte et se retrouva debout à côté de la voiture en une fraction de seconde. Sa main droite était enfoncée dans la poche de son manteau, et il tenait une lampe électrique dans la gauche. Il l'alluma. Scofield ferma les yeux. La lampe s'éteignit immédiatement.

« Bonjour Stanley.

– Ça fait un sacré bout de temps, monsieur Scofield ! Content de vous revoir.

– Moi aussi, Stanley.

– Monsieur l'ambassadeur vous attend dans la voiture, dit le chauffeur en passant une main dans l'ouverture de la portière pour déverrouiller les portes. Vous pouvez monter, maintenant.

– Parfait. A propos, dans quelques minutes, je descendrai de la voiture pour enflammer une allumette. C'est un signal que j'enverrai à un homme qui doit se joindre à nous. Il est là-haut. Il arrivera par un de ces sentiers.

– Très bien. L'ambassadeur m'a prévenu que vous seriez deux.

– Ce que je veux dire, c'est que si vous fumez toujours vos longs cigares, je vous demande de bien vouloir attendre que je sois descendu de voiture pour en allumer un. J'aimerais parler un petit moment tête à tête avec M. Winthrop.

– Vous avez une sacrée bonne mémoire, dit Stanley en tapotant sa lampe électrique contre une des poches de son manteau. Je me préparais à en allumer un. »

Bray s'installa sur le siège arrière de la voiture et regarda l'homme qui était, en partie, responsable de sa destinée. Winthrop avait terriblement vieilli. Mais même dans cette demi-obscurité, ses yeux avaient encore cet éclat intense qu'ils avaient autrefois et ils exprimaient toujours beaucoup de sollicitude. Les deux hommes se serrèrent la main. Le vieux diplomate retint un instant la main de Bray dans la sienne.

« J'ai pensé à vous bien souvent, dit-il doucement, ses yeux cherchant à rencontrer ceux de Scofield. (En voyant les pansements, il fit une petite grimace.) Mes sentiments sont assez mélangés. Mais je suppose que je n'ai pas besoin de vous dire cela.

– En effet, monsieur.

– Tant de choses ont changé, n'est-ce pas, Bray ? Les buts. Et les occasions de faire beaucoup pour beaucoup de gens. Franchement, nous étions des sortes de croisés. Au début, bien sûr. (Le vieillard lâcha la main de Scofield et sourit.) Est-ce que vous vous en souvenez ? Vous m'aviez présenté un vaste projet en relation avec les prêts-bails. On prêterait de l'argent aux territoires occupés de l'Est à condition que les autorités permettent une immigration massive. Une idée brillante, qui liait l'économique au politique. Des vies humaines contre de l'argent qui, bien entendu, ne nous serait jamais rendu.

– De toute façon, les pays de l'Est auraient rejeté cette proposition.

– Probablement. Mais les Soviétiques auraient été acculés au mur face à l'opinion publique mondiale. Je me souviens parfaitement de ce que vous disiez : « Puisque nous sommes un pays capitaliste, agissons « en capitalistes. Servons-nous de ça. Le contribua- « ble américain a payé pour entretenir la moitié de « l'armée russe. Mettons en avant certaines obliga- « tions, des obligations d'ordre psychologique. « Essayons d'obtenir quelque chose, essayons d'ob- « tenir des gens. » C'étaient vos propres paroles.

– Une théorie géopolitique, je le crains, formulée par un très jeune étudiant.

– Cette sorte de naïveté contient souvent beaucoup de vérité. Je revois ce jeune étudiant, je me pose des questions sur lui...

– Excusez-moi, monsieur, mais ce n'est pas le moment. Taleniekov attend. A propos, nous avons reconnu le terrain. Tout est en ordre. »

Le vieil homme cligna des yeux.

« Pensiez-vous qu'il pût en être autrement ?

– Je craignais que votre poste téléphonique ne fût sur table d'écoute.

– C'était inutile ! Il faudrait classer, mettre en ordre les enregistrements. Je n'aimerais pas être à la place de la personne chargée de ce travail. Un trop grand nombre de conversations privées sans intérêt sont tenues sur ma ligne. C'est ma meilleure protection.

– Avez-vous appris quelque chose ?

– A propos des Matarèse ? Non... et oui. Non, dans la mesure où les dossiers les plus secrets des services de sécurité ne font à aucun moment mention des Matarèse, tout au moins depuis plus de quarante-trois ans. C'est le président lui-même qui m'en a assuré, et je le crois. En fait, il était terrifié. L'idée seule le faisait bondir. Il a mis plusieurs services en état d'alerte. Je pense qu'il était furieux et effrayé aussi.

– Vous m'avez répondu oui, aussi ? »

Winthrop pesa soigneusement ses mots.

« Ce n'est pas très clair, mais il y a quelque chose. Avant de rendre visite au président, j'ai contacté cinq hommes qui, depuis des années – je devrais dire depuis des décennies –, se sont trouvés mêlés aux affaires les plus délicates des services secrets et de la diplomatie de notre pays. Trois d'entre eux se souvenaient des Matarèse et ont été frappés de stupeur. Ils m'ont dit qu'ils feraient l'impossible pour m'aider. Ils craignaient terriblement de voir resurgir le spectre des Matarèse... Quant aux deux autres, des hommes qui, en principe, devraient en savoir plus que leurs collègues, ils m'ont affirmé n'avoir jamais entendu parler de cette société secrète. Leur réaction est absurde, ils ont dû, obligatoirement, en entendre parler. Exactement comme moi. Je ne sais pas grand-chose, mais ce que je sais, je ne l'ai pas oublié. Quand je leur ai dit cela, quand je les ai poussés dans leurs retranchements, ils se sont conduits assez curieusement. Surtout si l'on tient compte de notre ancienne collaboration. Il y avait quelque chose d'outrageant dans leur attitude. Ils ont commencé à me considérer comme un vieil homme politique, un peu gâteux, qui tourne sans arrêt autour d'une idée fixe. Franchement, c'était tout à fait curieux.

– Quel est le nom de ces deux personnes ?

– Ce qui est aussi curieux... »

Une petite lueur au loin. Les yeux de Scofield se fixèrent immédiatement dans cette direction. De nouveau une lueur... et puis une autre. On enflammait des allumettes, les unes après les autres.

Taleniekov.

L'homme du K.G.B. mettait le feu aux allumettes dans un mouvement extrêmement rapide. C'était un avertissement; Taleniekov le prévenait que quelque chose était arrivé, que quelque chose arrivait en ce moment même. Soudain, la flamme resta allumée plus longtemps et une main se plaça devant elle. Plus de lumière, moins de lumière. Du morse. Des points et des tirets.

Point, point, point. Tiret, point, tiret, point, tiret, point. Tiret, tiret, point, tiret, point, tiret, point.

S.T.

« Que se passe-t-il ? demanda Winthrop.

– Un instant », répondit Scofield.

Trois points, une seule fois. Un tiret et un point répétés trois fois. Un tiret une seule fois. Un tiret et un point répétés trois fois. S.T.

Surveillance. Terminé.

Une lueur se déplaça sur la gauche, vers la route qui conduisait au parking, puis elle disparut. L'homme du K.G.B. effectuait un changement de position. Bray se tourna vers le vieillard.

« Etes-vous absolument sûr de ne pas être sur table d'écoute ?

– Absolument certain. Aucune de mes conversations n'a jamais été enregistrée. J'ai les moyens de le savoir.

– En êtes-vous sûr ? (Scofield appuya sur un bouton pour faire descendre la vitre. Il appela le chauffeur.) Stan, voulez-vous venir ici, s'il vous plaît ? Lorsque vous avez traversé le parc, avez-vous regardé pour voir si vous étiez suivi ?

– Bien sûr. Je ne l'étais pas. Je garde toujours un œil sur le rétroviseur. En particulier lorsqu'il s'agit d'un rendez-vous de nuit... Avez-vous remarqué les lueurs, là-bas ? Provenaient-elles de l'homme que vous connaissez ?

– Oui. Il me signalait l'arrivée d'un intrus.

– Impossible, lança Winthrop. S'il y a quelqu'un, ça n'a rien à voir avec nous. Après tout, c'est un jardin public.

– Je ne voudrais pas vous alarmer, monsieur, mais Taleniekov est un professionnel. Nous n'avons vu ni phares ni voitures sur la route. Quels que soient les gens qui sont là, ils ne veulent pas que nous le sachions. De plus, ce n'est pas une nuit propice pour faire une petite balade. Je crains fort que ces gens ne s'intéressent à nous. (Bray ouvrit la portière.) Stan, je vais prendre mon attaché-case dans ma voiture. Dès que je suis revenu, vous démarrez, vous vous arrêterez juste une seconde tout au bout du parking près de la route...

– Qu'est-ce qu'on fait avec le Russe ? demanda Winthrop.

– C'est pourquoi nous allons nous arrêter. Il comprendra et sautera en marche. Il a intérêt !

– Attendez, dit Stanley d'une voix cassante. S'il y a des ennuis, je ne m'arrête pour personne. Je connais mon boulot. C'est lui que je dois sortir d'ici, ce n'est ni vous ni qui que ce soit d'autre.

– Ce n'est pas le moment de nous disputer. Mettez le moteur en marche. »

Bray courut vers la voiture de location en tenant les clefs dans sa main. Il déverrouilla la porte, prit son attaché-case, qui se trouvait sur la banquette avant et revint en courant vers la limousine.

Il ne l'atteignit jamais. Un faisceau de lumière incroyablement puissant perça l'obscurité et s'arrêta sur l'énorme voiture de Robert Winthrop. Stanley, au volant, donnait de petits coups d'accélérateur en attendant de quitter la place au plus vite, mais celui qui tenait le projecteur n'avait nullement l'intention de le laisser faire. Il en voulait à cette voiture et à ses occupants.

Les roues de la limousine dérapèrent un instant en crissant contre le sol. La voiture fit un bond en avant et se trouva brusquement devant un tir de barrage. Les fenêtres volèrent en éclats tandis que des balles rebondissaient sur la carrosserie. La limousine se mit à zigzaguer, à décrire des cercles, apparemment le conducteur n'était plus maître de son véhicule.

Deux coups de feu claquèrent dans les bois, et l'explosion du projecteur fut suivie d'un cri terrible. La voiture de Winthrop parcourut quelques dizaines de mètres en ligne droite puis tourna brutalement à gauche. Deux hommes debout en position de tir se trouvèrent pris dans la lumière des phares, un troisième était couché sur le sol. Bray, son arme à la main, se plaqua au sol pour tirer. L'un des deux hommes s'écroula tandis que la limousine manœuvrait pour sortir du parking et gagner la route nationale.

Scofield roula quelques mètres sur sa droite. On tira de nouveau deux coups de feu dans sa direction, les balles sifflèrent et frappèrent le sol à l'endroit où il se tenait quelques secondes auparavant. Il se releva et courut dans le noir en direction de la balustrade qui longeait le ravin. Il plongea au-dessus du parapet, malheureusement son attaché-case heurta un des poteaux, un bruit parfaitement distinct. Le coup de feu qui suivit ne fut pas une surprise. Il claqua au moment où Scofield s'aplatissait sur le sol au milieu des rochers.

Des lumières. Des phares. Deux faisceaux lumineux passèrent au-dessus de sa tête, en même temps que rugissait un moteur. Un bruit de verre brisé couvrit le crissement des pneus. Tout s'arrêta. Un cri hystérique précéda de peu une énorme explosion. Ensuite ce fut le silence. Le moteur avait calé, mais les phares restaient allumés, éclairant des volutes de fumée et deux corps immobiles sur le sol. Un homme à genoux regardait autour de lui avec stupeur; il entendit quelque chose derrière lui et pivota en levant son arme.

Un coup de feu partit des bois et le tueur s'abattit sur le sol. C'était la fin.

« Scofield, cria Taleniekov.

Par ici. »

Bray repassa au-dessus de la balustrade et se mit à courir en direction de la voix du Russe. Taleniekov, qui était sorti des bois, se trouvait à quelques mètres de la voiture immobilisée. Les deux hommes s'en approchèrent avec précaution. La vitre du côté du conducteur avait volé en éclats, pourtant le Russe n'avait tiré qu'un seul coup de feu. La tête de l'homme qui se trouvait à l'intérieur, bien que couverte de sang, était parfaitement reconnaissable. La main droite avait été bandée pour panser un pouce qui avait été brisé sur un pont à Amsterdam, à trois heures du matin, par un homme vieillissant, fatigué et en colère.

C'était Harry, le jeune agent agressif des services secrets, qui avait tué sans nécessité cette nuit-là sous la pluie.

« Nom de Dieu ! s'exclama Scofield.

— Vous le connaissez ? demanda Taleniekov avec une pointe de curiosité dans la voix.

– Ce type s'appelait Harry, il a travaillé pour moi à Amsterdam. »

Le Russe resta silencieux un court instant puis déclara :

« En effet, il était avec vous à Amsterdam, mais il ne travaillait pas pour vous. Son nom n'était pas Harry. Ce jeune homme faisait partie des services secrets soviétiques. Dès l'âge de neuf ans, il avait suivi les cours du « terrain américain » de Novo-grade. Il appartenait à la V.K.R.

Bray regarda Taleniekov dans les yeux, retourna vers la vitre brisée et se mit à rire.

« Félicitations. Les choses deviennent beaucoup plus claires maintenant.

– Pas pour moi, je le crains, dit l'homme du K.G.B. Je vous demande de me croire si je vous dis qu'il est tout à fait improbable qu'un ordre émanant de Moscou demande de monter un attentat contre Robert Winthrop. Nous ne sommes pas des imbéci-les. Ce n'est pas du tout un homme à abattre, son autorité et ses compétences doivent être préservées, non détruites. Et certainement pas, en tout cas, pour des gens de notre sorte.

– Que voulez-vous dire ?

– Nous avons affaire ici à un travail d'équipe, exactement comme dans l'hôtel de la Nebraska Ave-nue. Nous ne devions pas être séparés dans la mort, nous devions être abattus en même temps. Winthrop devait être tué en même temps que nous, et peut-être l'a-t-il été, d'ailleurs. A mon avis, cet ordre ne venait pas de Moscou.

– Il ne vient pas non plus du ministère des Affai-res étrangères des Etats-Unis. J'en suis absolument certain.

– Entièrement d'accord. Il ne venait ni de Was-hington ni de Moscou. Sa source doit être cherchée parmi des hommes qui peuvent agir au nom de nos deux pays.

– Les Matarèse ?

— Les Matarèse. »

Bray retenait son souffle pour réfléchir, il essayait d'assimiler tout ça.

« Si Winthrop est encore vivant, on le mettra en cage; ses moindres mouvements, ses moindres paroles seront surveillés. Je n'arriverai certainement plus à le joindre. Ils m'abattraient immédiatement.

— Je suis de nouveau d'accord avec vous. Pouvez-vous prendre contact avec d'autres hommes en qui vous ayez confiance ?

— C'est fou, dit Scofield en frissonnant à cause de ce qu'il venait de penser. Il devrait y en avoir, mais je ne les connais pas. Tous ceux que j'irai voir me donneront à la police. La loi est parfaitement claire à ce sujet. C'est une question qui touche la sécurité nationale. Les choses seront faites dans l'ordre, le chef d'accusation sera établi rapidement, légalement. Soupçonné d'espionnage, de trahison, de vente d'informations à l'ennemi, je suis un pestiféré.

— Mais il doit bien y avoir des gens qui vous écouteront.

— Ecouteront quoi ? Que puis-je leur dire ? Qu'est-ce que je sais ? Que puis-je montrer ? Vous ? On vous jetterait dans le quartier de haute surveillance d'un hôpital militaire avant même que vous puissiez dire votre nom. Ce qu'a dit le vieil *istrebitel* sur son lit de mort ? Qui prendrait au sérieux les déclarations d'un tueur communiste ? Où sont les preuves ? Où se trouve la logique de tout ça ? Nous sommes coincés, nom de Dieu ! Nous n'avons avec nous que des ombres. »

Taleniekov s'avança d'un pas, sa voix était tendue.

« Peut-être, après tout, que le vieux Kroupski avait raison; il est possible que la réponse se trouve en Corse.

— Oh ! là ! là !

– Ecoutez-moi, vous dites que tout ce que nous avons, ce sont des ombres. Mais si nous avions plus, si nous réussissions à repérer quelques noms, à recouper certains faits, à mettre en évidence de fortes probabilités, en un mot à établir un dossier, pensez-vous alors que vous pourriez contacter quelqu'un et l'obliger à vous écouter ?

– De loin, de très loin, répondit doucement Bray. A condition d'être hors d'atteinte.

– Evidemment.

– Il faudrait autre chose que des probabilités. Il faudrait avoir quelque chose de sacrément solide à présenter.

– De mon côté, je pourrais avertir certains hommes à Moscou si nous avions de telles preuves. A vrai dire, j'espérais que chez vous il aurait été possible de commencer une enquête officielle sans avoir besoin de preuves solides. Vous êtes célèbre dans le monde entier pour ces sénateurs qui n'en finissent pas d'enquêter à propos de tout. Je pensais que vous pourriez tout simplement déclencher quelque chose comme ça.

– Plus maintenant. Pas moi.

– La Corse alors ?

– Je ne sais pas. Il faut que je réfléchisse. Il y a encore Winthrop.

– Vous venez de dire que vous ne pourriez plus entrer en contact avec lui, que si vous essayiez de vous approcher de lui, vous seriez tué.

– Ce n'est pas la première fois qu'on essaie, croyez-moi. Je sais me protéger. Il faut que je découvre les raisons exactes de ce qui s'est passé, de ce qu'il a vu de ses propres yeux. S'il est vivant et si j'arrive à lui parler, il saura ce qu'il faut faire.

– Et s'il n'est plus en vie ou si vous n'arrivez pas à le joindre ?

Scofield baissa les yeux sur les hommes morts qui étaient couchés devant lui.

« Il ne nous resterait plus alors que la Corse.

— J'ai pesé le pour et le contre plus attentivement que vous, Beowulf. Je n'attendrai pas. Je ne veux pas prendre le risque de me retrouver dans cet « hôpital » dont vous venez de me parler. Je vais partir pour la Corse immédiatement.

— Commencez par la côte sud-est, au nord de Porto-Vecchio.

— Pourquoi ?

— C'est là que tout a commencé. C'est le pays des Matarèse.

— Toujours cette fabuleuse érudition. Merci. Peut-être nous verrons-nous en Corse.

— Pouvez-vous sortir de ce pays ?

— Sortir, entrer, tout cela est facile, ce n'est pas un problème. Et vous ? Au cas où vous décideriez de me rejoindre ?

— Je passerais par Londres et par Paris. J'ai des comptes en banque, là-bas. Si je vais en Corse, j'arriverai probablement dans trois jours, quatre au maximum. Il y a de petites auberges dans les collines. Je vous trouverai... »

Scofield s'arrêta brusquement de parler. Les deux hommes se retournèrent. Une voiture approchait. Elle quitta doucement la route pour se ranger dans le parking. Un couple était assis à l'intérieur, le bras de l'homme entourait les épaules de la femme. Les phares éclairaient les corps immobiles couchés sur le sol, les vitres brisées de la voiture et la tête couverte de sang qui se trouvait à l'intérieur.

L'homme enleva précipitamment son bras des épaules de la femme, la repoussa sur le siège et agrippa le volant à deux mains. Il prit un virage sur les chapeaux de roue et fonça vers la route nationale. Le ronflement du moteur déchira un instant le silence qui régnait dans les bois.

« Il est parti prévenir les flics, dit Bray. Ne traînons pas ici.

— A mon avis, ce serait mieux de ne pas reprendre cette voiture, répondit l'homme du K.G.B.

— Pourquoi pas ?

— Le chauffeur de Winthrop. Vous lui faites peut-être confiance, moi pas.

— C'est insensé ! Il a failli se faire tuer. »

Taleniekov montra du doigt les hommes étendus par terre.

« C'étaient des tireurs d'élite, russes ou américains, ça n'a pas d'importance. C'étaient des professionnels. Les Matarèse emploient toujours des professionnels. Le pare-brise de cette voiture a au moins un mètre soixante de large. Le chauffeur était donc une cible facile même pour un débutant. Pourquoi n'a-t-il pas été tué ? Pourquoi a-t-on laissé repartir la voiture ? Nous cherchions des pièges, Beowulf. Eh bien, on nous a piégés, et nous ne nous en sommes même pas aperçus. Nous avons peut-être été dupés par Winthrop lui-même. »

Bray se sentait écoeuré, il ne savait que répondre.

« C'est mieux de nous séparer, c'est mieux pour tous les deux.

— En Corse alors ?

— Peut-être. Vous le verrez bien. Dans trois jours, quatre au maximum. Si j'y vais.

— Très bien.

— Taleniekov ?

— Oui ?

— Merci pour les allumettes.

— A ma place, je pense que vous auriez agi de même.

— A votre place... en effet, je pense, oui.

— Avez-vous remarqué, Beowulf Agate, que nous ne nous sommes pas tués, que nous avons parlé ?

— Oui, nous avons parlé. »

Le vent froid de la nuit apporta avec lui un bruit de sirène. Bientôt, il y en aurait beaucoup d'autres, un tas de voitures de police arriveraient sur les lieux.

Les deux hommes se mirent à courir dans des directions opposées. Scofield prit le sentier sombre qui s'enfonçait dans les bois au-delà de la voiture de location et Taleniekov longea la rambarde du ravin de Rock Creek Park.

LIVRE II

12

LE chalutier aux solides barrots fendait les énormes vagues comme un animal pataud, vaguement conscient de l'hostilité de la mer. D'énormes masses d'eau heurtaient la proue et les flancs de l'embarcation. L'écume et les embruns poussés par les vents du matin passaient au-dessus des plats-bords, et fouettaient le visage des pêcheurs qui s'affairaient près des filets.

Un homme pourtant restait à l'écart des activités de la pêche. Il ne tirait sur aucune corde et ne maniait aucun crochet. Il ne se mêlait pas non plus aux jurons et aux rires qui accompagnent toujours le travail des marins en mer. Solitaire, il était assis sur le pont, une bouteille thermos pleine de café dans la main droite et une cigarette allumée dans l'autre. Au cas, évidemment, où des garde-côtes français ou italiens seraient en vue, l'homme participerait immédiatement à la pêche. Pour le moment, il était libre de faire ce dont il avait envie. Personne n'avait émis la moindre objection lorsque le capitaine avait fait monter l'inconnu à bord : chacun des membres de l'équipage avait reçu vingt mille lires pour fermer les yeux. C'était sur un des quais du port de San-Vicenzo que l'accord avait été conclu. En principe, le navire devait quitter la côte italienne à l'aube, mais l'étranger avait fait miroiter aux yeux de tous que si les côtes de Corse étaient en vue à l'aurore, le capitaine et ses hommes seraient largement récompensés. La hiérarchie avait été respectée; le capitaine avait reçu quarante mille lires et l'on avait quitté San-Vicenzo avant minuit.

Scofield revissa le bouchon de la bouteille thermos et jeta son mégot par-dessus bord. Après quoi il se leva, s'étira et regarda la côte perdue dans le brouillard. Ils avaient fait vite. Selon le capitaine, on serait en vue de Solenzara dans quelques minutes. Dans moins d'une heure, le mystérieux et respecté passager serait débarqué quelque part entre Sainte-Lucie et Porto-Vecchio. Apparemment, il n'y aurait aucun problème; il y avait des centaines de petites criques désertes, tout au long de la côte rocheuse, où un bateau de pêche en difficulté pouvait s'abriter momentanément.

Bray donna un coup sec sur la corde humide enroulée autour de la poignée de son attaché-case et liée à son poignet. C'était solide. Malheureusement, l'eau salée irritait la peau. En tout cas, il n'y avait aucun risque d'infection, la plaie serait vite cicatrisée. Cette précaution pouvait paraître inefficace. En fait, il s'agissait surtout de décourager les gens. Bray risquait de s'endormir un petit moment, et les Corses sont bien connus pour soulager habilement les voyageurs des objets précieux qu'ils peuvent avoir sur eux – en particulier les voyageurs sans papiers munis d'un portefeuille bien garni.

Le capitaine s'approcha. Son large sourire découvrait un trou à la place des dents de devant.

« *Signore ! Ecco. Solenzara ! Trenta minuti. Nord di Porto-Vecchio !*

– *Grazie.*

– *Prego !* »

Dans une demi-heure, Scofield serait en Corse, dans l'île qui avait donné naissance aux premiers Matarèse. Que cette société secrète eût vu le jour ici n'était pas mis en question, qu'elle eût fourni à toutes sortes de « clients » des tueurs à gages jusqu'au milieu des années 30 était généralement regardé comme probable. Néanmoins, on savait si peu de chose qu'il était difficile de départager le mythe de la réalité. La légende était curieusement encouragée et en même temps méprisée. On se trouvait en face d'une énigme en grande partie parce que les origines de cette société n'étaient pas connues. Le seul fait certain était qu'un paranoïaque appelé Guillaume de Matarèse avait un jour convoqué un conseil – il ne restait aucune trace de cette réunion – qui avait, par la suite, donné naissance à une société d'assassins dont le fonctionnement ressemblait étrangement à la société secrète de Hassan ibn as-Sabbāh qui, au XIᵉ siècle, pratiquait le meurtre sur une grande échelle.

Evidemment, ce relent de mysticisme renforçait le mythe et estompait la réalité. Aucun témoignage, aucune arrestation de criminels n'avaient jamais permis de remonter à cette société des Matarèse. Si certains coupables avaient avoué, leurs aveux n'avaient jamais été rendus publics. Pourtant, des rumeurs continuaient à se répandre, d'étranges histoires circulaient dans les cercles les plus haut placés. Les quelques articles parus sur ce sujet étaient toujours démentis dans l'édition suivante. Certains chercheurs qui avaient commencé des thèses sur les Matarèse ne les avaient jamais terminées. Curieusement, les gouvernements s'accordaient pour garder ce sujet dans l'ombre. Partout et toujours, c'était le silence.

Pour un jeune agent des services secrets qui étudiait l'histoire des méthodes d'assassinats à travers les âges, c'était ce silence qui donnait une certaine consistance aux bruits circulant sur les Matarèse.

Un autre silence, trois jours plus tôt, avait convaincu Scofield que le rendez-vous en Corse n'avait pas été proposé à cause de l'excitation violente du moment mais parce que c'était la seule chose possible. Certes, les Matarèse étaient une énigme, mais ce n'était pas un mythe, c'était une réalité. Un homme au pouvoir avait rencontré d'autres hommes au pouvoir pour leur faire part de ses inquiétudes, et cela n'avait pas été toléré.

Robert Winthrop avait disparu.

Trois nuits auparavant, Bray s'était échappé de Rock Creek Park et avait trouvé un motel dans les environs de Fredericksburg. Pendant six heures, il était resté sur l'autoroute, allant dans une direction puis dans l'autre pour appeler Winthrop de toutes sortes de cabines téléphoniques. Il n'avait jamais appelé deux fois dans la même. Il faisait de l'auto-stop pour aller de l'une à l'autre en racontant au conducteur que sa voiture était tombée en panne. Il avait pu parler à la femme de Winthrop. Il l'avait inquiétée, d'ailleurs, bien qu'il n'ait, à aucun moment, raconté quoi que ce fût d'important. Il voulait simplement parler rapidement avec l'ambassadeur. Au matin, plus personne n'avait répondu au téléphone, la sonnerie apparemment retentissait interminablement dans le vide.

Il ne savait de quel côté se tourner ni où aller. Le filet se refermait sur lui. Si on le trouvait, c'en serait fini. Il s'en rendait parfaitement compte. Si on ne l'abattait pas, on l'enfermerait entre quatre murs, dans une prison ou, pire encore, dans un hôpital psychiatrique. Mais très probablement on l'abattrait. Taleniekov avait raison, ils étaient les hommes à abattre.

Si l'on pouvait découvrir quelque chose, c'était à six mille kilomètres de là, au bord de la Méditerranée. Il avait fourré dans son attaché-case une douzaine de faux passeports, cinq chéquiers portant des noms différents et les adresses d'un tas d'hommes et de femmes qui pouvaient, d'une manière ou d'une autre, faciliter son voyage. Il avait quitté Fredericksburg à l'aube, deux jours plus tôt, et s'était arrêté à Paris et à Londres pour aller à la banque. Il était arrivé en fin de soirée sur les quais du port de pêche de San-Vicenzo.

Et maintenant, dans quelques minutes, il mettrait le pied sur le sol corse. Une longue période d'immobilité dans l'avion, au-dessus de l'eau, lui avait permis de réfléchir ou, tout au moins, lui avait permis de mettre en ordre ses pensées. Il fallait s'appuyer sur ce qui était irréfutable. Deux faits étaient bien établis.

Guillaume de Matarèse avait existé, et un certain nombre de personnes avaient fait partie d'un conseil appelé le conseil des Matarèse dont les membres avaient juré de promulguer les théories insensées du fondateur. Le monde n'allait de l'avant que grâce aux changements brutaux survenant dans les cercles du pouvoir. Les bouleversements et les morts violentes faisaient partie intrinsèque de l'histoire. Pour faire avancer le cours des événements, il fallait que quelqu'un fournît les moyens de cette évolution. Partout dans le monde, les gouvernements accepteraient de payer pour faire abattre leurs ennemis politiques. L'assassinat – exécuté grâce à des méthodes parfaitement contrôlées, interdisant aux enquêteurs de remonter à la source – pouvait amener des richesses et permettre d'exercer une influence occulte au-delà de toute imagination. C'était la théorie de Guillaume de Matarèse.

Un certain nombre de personnes parmi les services secrets des divers pays pensaient que les Matarèse avaient commis depuis le début du siècle jusqu'au milieu des années 30, de Sarajevo à Mexico, de Tokyo à Berlin, en passant par un grand nombre d'autres capitales, des dizaines et des dizaines d'assassinats politiques. A leur avis, la disparition des Matarèse était une conséquence de la Seconde Guerre mondiale. Depuis cette époque, l'extraordinaire expansion des services secrets et leur lutte sournoise avaient rendu possibles de tels meurtres. D'autres pensaient que le conseil des Matarèse avait été absorbé par la mafia qui, bien qu'ayant ses centres de décisions aux Etats-Unis, était implantée partout.

Néanmoins, seule une petite minorité défendait ce point de vue. La plupart des agents professionnels se rangeaient à l'avis de l'Interpol, du MI 6 britannique et de l'American Central Intelligence Agency. Tous ces services proclamaient que le pouvoir des Matarèse avait été grandement exagéré. Sans doute avaient-ils abattu un certain nombre d'hommes politiques sans grande envergure, en France et en Italie, qui s'agitaient dans les couloirs du pouvoir, mais ils n'étaient qu'une bande de déséquilibrés conduits par un paranoïaque richissime dont les idées philosophiques étaient aussi fumeuses que ses vues concernant la politique des hommes qui traitaient avec lui. S'il n'en était pas ainsi, pourquoi de vrais professionnels, comme eux, demandaient les agents des services secrets, n'avaient-ils jamais été contactés ?

Bray avait répondu à cette question il y avait de nombreuses années. Il pensait que la réponse était toujours valable. Parce que vous êtes – nous sommes – les dernières personnes au monde, avec qui les Matarèse voudraient avoir affaire. Depuis le début, nous avons toujours été en compétition, sous une forme ou sous une autre.

« *Quindici minuti,* hurla le capitaine sans quitter la barre. *Andare entro costa.*

– *Grazie.*

– *Prego.* »

Les Matarèse. Etait-il possible ? Un groupe d'hommes décidant et contrôlant les assassinats politiques à l'échelle internationale, offrant une structure au terrorisme, engendrant le chaos partout dans le monde.

Pour Bray, la réponse était claire, maintenant. Ce qu'avait dit sur son lit de mort le vieil *istrebitel*, la condamnation à mort par les Soviétiques de Vasili Taleniekov, les hommes recrutés à Marseille, à Amsterdam et à Prague pour l'abattre, lui, Scofield, tout cela était le prélude à la disparition de Robert Win-throp. Tout était relié à ce nouveau conseil des Matarèse. C'était lui qui, dans l'ombre, mettait les choses en mouvement.

Qui donc étaient-ils, ces hommes de l'ombre qui avaient les moyens de parvenir aux postes officiels les plus élevés, qui étaient les bailleurs de fonds du terrorisme aveugle et décidaient froidement d'abat-tre tel ou tel homme célèbre ? Mais pourquoi ? Pour-quoi ? Dans quel but ou buts agissaient-ils ?

Evidemment, il fallait d'abord trouver qui ils étaient et découvrir quels étaient les rapports entre eux et les fanatiques rassemblés par Guillaume de Matarèse. De quels endroits pouvaient-ils venir ? Que savaient-ils ? Les premiers membres de cette société secrète étaient tous originaires des collines entourant Porto-Vecchio. Ils devaient forcément avoir des noms. Scofield, pour commencer, ne pou-vait s'appuyer que sur le passé.

Il y avait bien eu, à un moment donné, une autre possibilité, mais la flamme d'une allumette dans les bois de Rock Creek Park avait tout anéanti. Robert Winthrop était sur le point de donner les noms de deux hommes politiques influents à Washington qui avaient affirmé avec force ne rien connaître au sujet des Matarèse. Leurs dénégations étaient en fait un signe de complicité. Ils devaient forcément avoir entendu parler des Matarèse, d'une manière ou d'une autre. Mais Winthrop n'avait pas eu le temps de prononcer leurs noms. Tout avait été pris dans un tourbillon de violence, et maintenant il était trop tard.

Les noms du passé conduisent toujours à des noms actuels. Dans ce cas, il ne pouvait en être autrement. Les hommes laissent des traces de leur travail, de leurs idées... de leur argent. En remontant une piste, on arrive toujours quelque part. S'il exis-tait des clefs capables d'ouvrir les chambres secrètes retenant le mystère des Matarèse, elles devaient se trouver dans les collines de Porto-Vecchio. Scofield devait les découvrir, tout comme son ennemi Vasili Taleniekov. Ni l'un ni l'autre ne pourraient survivre à moins qu'ils n'y parviennent. Il n'y aurait pas de ferme à Grasnov pour le Russe et pas de nouvelle vie pour Beowulf Agate à moins qu'ils ne trouvent la réponse à cette enigme et parviennent à la communiquer à ces hommes exceptionnels, à la conscience pure, dont avait parlé Taleniekov trois jours auparavant à Washington.

« *Attualmente!* cria le capitaine, debout au milieu des embruns, en tournant la roue du gournernail. *Lo accesso roccio! Cinque minuti, signore. La terra di Corsica!*

– *Grazie.*

– *Prego.* »

La Corse.

Taleniekov courait dans les collines rocheuses au clair de lune. Il s'enfonçait dans les hautes herbes pour cacher ses mouvements mais s'arrangeait pour que sa trace restât parfaitement visible. Il ne voulait pas que ses poursuivants renoncent à le suivre. Il voulait en fait les obliger à ralentir et si possible les diviser. S'il pouvait en attraper un, ce serait parfait.

Le vieux Kroupski ne s'était pas trompé au sujet de la Corse ni Scofield au sujet des collines au nord de Porto-Vecchio. Les secrets ne manquaient pas, par ici. Il lui avait fallu moins de deux jours pour s'en apercevoir. Des hommes le poursuivaient dans les collines, en pleine nuit, pour l'empêcher d'en apprendre davantage.

Quatre jours plus tôt, l'idée de venir en Corse n'était qu'une sorte de pari, une chance d'obtenir quelques renseignements, un moyen aussi d'éviter de se faire prendre aux Etats-Unis. Porto-Vecchio n'était qu'une ville située sur la côte sud-est de l'île.

Les collines qui l'entouraient lui étaient totalement inconnues.

Certes, elles l'étaient encore, et les gens qui vivaient là étaient réservés, étranges, peu communicatifs : leur dialecte était difficile à comprendre. Mais la plupart des doutes s'étaient évanouis. Il suffisait de mentionner le nom de Matarèse pour que les yeux naturellement sombres deviennent hostiles. Toutes les conversations se terminaient abruptement dès que l'interlocuteur sentait qu'on cherchait à lui tirer une quelconque information, aussi futile fût-elle. On avait l'impression que le nom était mêlé à un rite tribal dont on ne parlait pas en dehors des collines et jamais en présence des étrangers. Vasili avait commencé à comprendre tout ça quelques heures à peine après être arrivé dans la campagne rocheuse; il en avait eu la confirmation d'une manière inattendue dès la première nuit.

Quatre jours plus tôt, si on lui avait prédit l'avenir, il n'y aurait pas cru. Maintenant, il savait que c'était vrai. Les Matarèse étaient tout autre chose qu'une légende, que le symbole mystique d'un peuple rude, c'était une forme de religion. Il fallait qu'il en fût ainsi, car les hommes étaient prêts à mourir pour garder le secret.

En moins de quatre jours, le monde avait changé du tout au tout. Taleniekov ne se trouvait plus en face d'hommes policés, ayant un matériel sophistiqué à leur disposition. Il n'y avait plus de bandes magnétiques tournant à toute vitesse derrière des panneaux de verre à la simple pression d'un bouton, des lettres vertes n'apparaissaient plus sur des écrans noirs avec un bruit de mitrailleuse. En fait, les ordinateurs, qui permettaient à l'information de circuler et aux hommes de prendre les décisions appropriées, n'existaient pas ici; Vasili sondait le passé parmi des gens d'un autre âge.

C'est pourquoi il désirait tellement attraper l'un des hommes qui le suivaient dans les collines au milieu de la nuit. A son avis, ils devaient être trois. Le sommet de la colline formait une sorte de plateau couvert d'arbres rabougris et de rochers déchiquetés. Ses poursuivants seraient bien obligés de se séparer s'ils voulaient surveiller les différentes voies d'accès qui conduisaient vers d'autres collines et les forêts de la plaine.

Si Taleniekov parvenait à s'emparer d'un de ces hommes et à le travailler au corps pendant plusieurs heures, il apprendrait certainement un tas de choses. Il n'aurait aucun scrupule à agir de la sorte. La nuit précédente, un lit de bois avait été criblé de balles dans l'obscurité par un Corse debout dans l'encadrement de la porte, qui tenait un fusil à la main, un *lupo*. En principe Taleniekov devait être dans ce lit... Si seulement je pouvais attraper cet homme, précisément cet homme-là... pensait Vasili en refoulant sa colère. Il se jeta en courant dans un petit bosquet de pins, un peu en dessous du sommet de la colline, pour se reposer un moment.

Nettement plus bas, il apercevait les minces rayons des lampes électriques. *Un, deux... trois.* Trois hommes qui commençaient à se détacher les uns des autres. Celui qui se trouvait le plus à gauche était sur la bonne piste. Il lui faudrait néanmoins une dizaine de minutes avant d'atteindre le bosquet de pins. Taleniekov espérait que c'était le propriétaire du *lupo*. Il s'appuya contre un arbre en prenant de profondes inspirations pour se décontracter.

Il pensait qu'il y avait une sorte de symétrie dans ce qui lui arrivait. Il avait commencé à courir la nuit au bord d'un ravin planté d'arbres dans Rock Creek Park à Washington. Et maintenant il se trouvait de nouveau dans un endroit boisé au sommet d'une colline rocheuse, la nuit. Le voyage s'était effectué rapidement; il avait su exactement quoi faire au bon moment.

Deux jours plus tôt, il se trouvait à Rome à l'aéroport Leonardo da Vinci pour arranger un vol privé.

Il avait atterri à Bonifacio à sept heures du soir et de là pris un taxi pour remonter la côte vers le nord en direction de Porto-Vecchio. Il avait trouvé une auberge dans les collines, où on lui avait servi un repas corse extrêmement copieux, et avait essayé d'avoir une conversation détendue avec le propriétaire de l'endroit dont la curiosité était éveillée.

« Je suis une sorte de chercheur. Je m'intéresse à un *padrone* qui vivait ici il y a pas mal d'années, un certain Guillaume de Matarèse.

– Je ne comprends pas bien, avait répondu l'aubergiste. Vous dites que vous êtes une sorte de chercheur, appartenez-vous à une grande université ?

– Une fondation privée, pour tout vous dire. (Taleniekov avait répondu lentement, avec hésitation, soulevant un coin du voile avec répugnance.) Mais les étudiants peuvent consulter nos dossiers.

– *Una fondazione* ?

– *Una organizzazione accademica*. Mon département s'intéresse à l'histoire peu connue de la Sardaigne et de la Corse à la fin du XIXᵉ et au début du XXᵉ siècle. Apparemment, il y avait ce *padrone*... Guillaume de Matarèse... qui était propriétaire de la plupart des terres ici dans les collines au nord de Porto-Vecchio.

– Il en possédait la presque totalité, *signore*. Il était très bon avec les gens qui vivaient sur ses terres. C'était un propriétaire comme il n'y en a plus.

– Je comprends... Nous aimerions lui donner la place qui lui revient dans l'histoire de la Corse, et je ne sais pas très bien par où commencer.

– Peut-être... » L'aubergiste, après s'être renversé dans son fauteuil et avoir levé les yeux au plafond, avait poursuivi d'une voix curieusement neutre : ... par les ruines de la Villa Matarèse. « La nuit est claire, *signore*, il y a un magnifique clair de lune. Je crois que je connais quelqu'un qui pourrait vous y conduire. A moins évidemment, que vous ne ressentiez encore trop vivement les fatigues du voyage.

– Pas du tout. Le voyage s'est passé sans problème, Milan n'est pas très loin. »

Taleniekov avait suivi un guide dans les collines, en direction des vestiges d'une propriété qui avait été autrefois impressionnante. Les ruines de la grande maison elle-même s'étendaient sur presque un demi-hectare. L'on ne voyait plus aujourd'hui que des murs écroulés et des cheminées effondrées. Sur le sol, on pouvait encore découvrir, sous la végétation qui l'avait envahie, les traces d'une allée monumentale qui aboutissait à un perron aux marches de marbre. De chaque côté de la maison, des sentiers pavés étaient recouverts de treilles à l'abandon, c'étaient les seuls vestiges du magnifique jardin, à la végétation luxuriante, qui avait disparu à jamais.

Les ruines, en haut de la colline, éclairées par la lune, se détachaient d'une manière féerique sur le fond clair du ciel. Guillaume de Matarèse avait élevé ce monument à sa gloire. L'édifice, malgré son état présent de délabrement, n'avait rien perdu de sa majesté.

Ces ruines avaient une force qui leur appartenait en propre, elles faisaient venir à l'esprit un tas d'images que les bâtiments dans leur nouveauté n'auraient peut-être pas été capables d'évoquer. Il y avait quelque chose de mystique dans l'atmosphère de la Villa Matarèse, et ce mysticisme était peut-être inséparable des événements dramatiques qui avaient pris naissance ici.

Vasili avait entendu un bruit de voix derrière lui. Le jeune garçon qui l'avait amené avait disparu. Les deux hommes qui se trouvaient là maintenant l'avaient salué avec une certaine réticence. Ç'avait été le prélude à un interrogatoire qui avait duré plus d'une heure. Cela aurait été assez facile de se rendre maître des deux Corses et de retourner la situation. Mais Taleniekov avait pensé qu'il pourrait apprendre bien plus de choses en offrant simplement une résistance passive. Un interrogatoire mené par des personnes inexpérimentées vous fournit toujours plus de renseignements qu'il ne vous en arrache. Vasili s'en était tenu à son histoire de l'*organizzazione accademica*. Pour en finir, on lui avait donné quelques conseils sans aucun ménagement.

« Retournez d'où vous venez, *signore*. Vous n'apprendrez rien ici qui puisse vous servir. Nous ne savons rien. Une épidémie, il y a de nombreuses années, a ravagé cette région. Personne n'a survécu, personne ne peut vous renseigner.

– Il doit bien y avoir de vieilles gens dans les collines. Peut-être, pourrais-je me promener un peu et poser quelques questions.

– C'est nous, *signore*, les personnes les plus âgées de ce coin, et nous ne pouvons pas répondre à vos questions. Partez. Nous ne sommes que des paysans ignorants, de simples bergers, nous n'avons rien d'autre que nos moutons. Nous n'aimons pas beaucoup que des étrangers viennent troubler notre simple vie campagnarde. Partez.

– Je vais considérer avec soin vos conseils...

– Ne vous donnez pas cette peine, *signore*, quittez le pays. »

Au matin, Vasili était retourné dans les collines vers la Villa Matarèse. Il l'avait même dépassée et s'était arrêté dans un certain nombre de fermes aux toits couverts de chaume. Tout en posant ses questions, il s'était rendu compte que les Corses aux yeux sombres le regardaient avec méfiance avant de refuser de lui répondre. Il avait aussi remarqué qu'il était suivi.

Evidemment, il n'avait rien appris du tout. Mais peu à peu bien qu'on le reçût de plus en plus froidement, il avait découvert quelque chose d'assez important. Non seulement on l'avait suivi, mais des messagers avaient été envoyés dans les collines pour avertir les familles de sa prochaine venue. Cet étranger devait être reçu fraîchement, on ne devait ni le faire asseoir au coin du feu ni lui offrir un verre. Et surtout on ne devait rien lui dire.

Hier au soir – la nuit dernière, pensait Taleniekov en observant le mouvement oscillant de la lampe électrique de l'homme à sa gauche qui grimpait lentement la colline –, l'aubergiste s'était approché de sa table.

« Je crains, *signore*, que vous ne puissiez rester ici plus longtemps. J'ai loué la chambre. »

Vasili avait relevé la tête et avait dit sans hésitation cette fois :

« Comme c'est dommage ! Je n'ai besoin que d'un fauteuil ou d'une banquette. Peut-être pouvez-vous me trouver ça. Je partirai demain matin de bonne heure, j'ai trouvé ce que je cherchais.

– Et qu'est-ce que c'est, *signore* ?

– Vous le saurez suffisamment tôt, mon brave. Un tas de gens vont venir maintenant avec l'équipement approprié et des documents cadastraux. Ce sera une enquête très sérieuse, très minutieuse, ce qui est arrivé ici est absolument fascinant, je parle en tant qu'historien, évidemment.

– Evidemment... Peut-être qu'une nuit de plus... »

Six heures plus tard, un homme avait fait irruption dans sa chambre et tiré deux coups de feu. Son arme, au gros canon scié, s'appelait un *lupo*. Un « loup ». Taleniekov s'y attendait. Il avait observé la scène dissimulé derrière la porte à moitié ouverte d'un placard. Le bois de lit avait éclaté et la laine blanche du matelas avait recouvert le mur sombre.

Le bruit assourdissant avait rempli tout entière la petite auberge de campagne, pourtant personne ne s'était précipité pour voir ce qui se passait. L'homme armé du *lupo* s'était tenu dans l'encadrement de la porte et avait dit doucement, dans son dialecte aux résonances italiennes, comme s'il prêtait serment :

« *Perro nostro circulo.* »

Puis il s'était enfui.

Cela n'avait aucun sens, néanmoins Vasili savait

que ça voulait dire beaucoup de choses. Une espèce de formule incantatoire au moment où l'on précipite quelqu'un dans la mort... Au nom de notre cercle.

Taleniekov avait ramassé en vitesse les quelques petites choses qu'il avait avec lui et s'était enfui. Il avait rejoint la route empierrée qui descendait vers Porto-Vecchio et s'était caché dans les broussailles à une vingtaine de mètres du bas-côté. Une centaine de mètres plus bas, il avait vu la lueur d'une cigarette; la route était surveillée. Il fallait attendre, il n'y avait rien d'autre à faire.

Si Scofield avait décidé de venir, il arriverait par cette route. On était à l'aube du quatrième jour. L'Américain avait dit que s'il n'y avait pas moyen de faire autrement, il arriverait en Corse dans trois ou quatre jours.

A trois heures de l'après-midi, Scofield n'était toujours pas en vue. Une heure plus tard, Vasili avait décidé de ne pas attendre plus longtemps. Des hommes avaient descendu la route à toute vitesse en direction d'un petit village de vacances tout nouvellement installé. Puisque l'étranger avait réussi à passer la barricade, leur mission était parfaitement claire : le trouver et l'abattre.

Des bandes d'hommes s'étaient déployées à travers les bois. Deux Corses, qui se frayaient un chemin à travers le sous-bois à coups de machette, étaient passés à une dizaine de mètres de lui. Bientôt les chercheurs seraient de plus en plus nombreux, la battue plus systématique. Vasili ne pouvait plus attendre Scofield. Ce n'était même pas sûr que Beowulf Agate eût réussi à passer à travers les mailles du filet qu'on avait tendu tout autour de lui dans son propre pays. De toute façon, sa venue en Corse était peu probable.

En attendant le coucher du soleil, Taleniekov avait mis au point un plan pour s'emparer de l'un des hommes qui le pourchassaient. Comme celle du renard des marais, sa piste, par moments, allait dans une direction puis dans une autre. Des branches cassées, des herbes écrasées étaient la preuve qu'il se trouvait coincé dans une bande de terrain marécageux qui se terminait en cul-de-sac contre un à-pic rocailleux infranchissable. Puis, comme ses poursuivants se regroupaient pour s'emparer de lui, ils apercevaient sa silhouette à un kilomètre à l'ouest de l'endroit où il aurait dû se trouver : une abeille en fureur qui vous pique à une dizaine de places en même temps.

A la tombée de la nuit, Taleniekov avait commencé à mettre en pratique la stratégie qui l'avait conduit à l'emplacement où il se trouvait maintenant : caché dans un bosquet de pins, un peu en dessous de la crête de la colline, attendant qu'un homme, portant une lampe électrique, arrivât jusqu'à lui. Son plan était simple, il se divisait en trois parties. Chaque partie découlant logiquement de la précédente. Tout d'abord, semer le plus grand nombre de ses poursuivants, puis se montrer à ceux qui n'avaient pas perdu sa trace pour les écarter encore davantage des autres. Finalement, faire se séparer ceux qui le talonnaient et en piéger un. La troisième phase était en train de se dérouler, tandis que le feu faisait rage un peu plus bas, à trois kilomètres environ vers l'est.

Un moment plus tôt, il avait traversé les bois en direction de Porto-Vecchio, marchant sur le côté droit du chemin de terre qui descendait la colline. Il avait fait de petits tas de branches et de feuilles séchées et avait répandu dessus et à l'intérieur un peu de poudre qu'il avait extraite des cartouches de son Graz-Burya après en avoir enlevé la balle proprement dite. Il avait mis ensuite le feu à ces curieux détonateurs placés au milieu de la forêt. De partout, les Corses s'étaient mis à crier. Vasili avait couru en direction du nord, traversé la route pour s'enfoncer dans une partie plus dense et plus sèche des bois où il avait recommencé l'opération en mettant le feu à un grand tas de feuilles mortes et de bogues sèches tout près d'un grand châtaignier mort. Le feu s'était répandu comme s'il avait été allumé au napalm. Les flammes étaient montées à l'assaut des branches, répandant des tisons tout autour de la forêt. Vasili avait recommencé à courir en direction du nord pour trouver un dernier emplacement. Il s'était arrêté près d'un hêtre transformé depuis longtemps en fourmilière. En moins d'une demi-heure, les collines étaient embrasées dans trois directions, et ses poursuivants s'étaient dirigés vers les incendies qui avaient pris le pas sur la chasse à l'homme.

Vasili était retourné ensuite en direction du sud-ouest en grimpant à travers les bois vers la route qui passait devant l'auberge. Il s'était arrêté en apercevant la fenêtre par laquelle il s'était enfui la nuit précédente. Il était sorti de la route en voyant plusieurs hommes, armés de fusils – l'un d'eux portait une arme au large canon scié : un *lupo* – parler avec animation. L'arrière-garde, troublée par ce qui se passait plus bas, ne savait plus si elle devait rester en place, comme on lui en avait donné l'ordre, ou aller aider à éteindre l'incendie.

La curieuse coïncidence n'avait pas échappé à Vasili au moment où il grattait ses allumettes. C'était une autre allumette qui, quelques jours plus tôt dans la Nebraska Avenue, avait mis tout en branle. C'était le déclenchement d'un piège. Il en était de même ici dans la montagne corse.

« *Ecco !*
– *Leggiero !*
– *E l'uomo lui ! L'uomo !* »

La poursuite arrivait maintenant à sa fin. L'homme qui tenait la lampe électrique ne se trouvait plus qu'à une dizaine de mètres. Il pénétrerait dans le bosquet de pins dans moins de trente secondes... Plus bas, sur le flanc de la colline, un rayon lumineux balayait le sol à plusieurs centaines de mètres en direction du sud. Sur la droite, un autre rayon lumineux, qui, quelques secondes auparavant avait décrit des demi-cercles frénétiques, restait maintenant curieusement immobile. La lumière s'était fixée définitivement, cette soudaine immobilité inquiétait Taleniekov. Mais ce n'était pas le moment de se poser trop de questions. Le Corse venait de pénétrer dans le refuge de Vasili.

L'homme balaya de sa lampe le tronc et les branches couchées sur le sol. Taleniekov en avait brisé un certain nombre et avait arraché l'écorce de manière que le moindre rayon de lumière révélât le blanc du bois. Le Corse continuait sa progression en suivant la piste. Vasili recula un peu sur la gauche et se cacha derrière un arbre. L'homme était maintenant à cinquante centimètres, son arme en position de tir. Taleniekov regardait les pieds du Corse éclairés par le faisceau de la lampe. Au moment où le pied gauche quitterait le sol, quelles que fussent les qualités de ce tireur d'élite, l'homme se trouverait durant une fraction de seconde en déséquilibre.

Il commença à avancer la jambe gauche. Vasili fit un bond en avant et jeta son bras autour du cou de son poursuivant. Les doigts de son autre main se glissèrent dans le pontet entourant la détente et, d'une brusque secousse, arrachèrent l'arme du Corse. Le rayon de la lampe électrique éclaira le haut des arbres. Taleniekov enfonça son genou droit dans les reins de sa victime, la tira vers l'arrière et la fit tomber sur le sol. Il coinça la taille de l'homme entre ses jambes et lui tordit le cou brutalement pour amener sa bouche contre son oreille.

« Nous allons passer une petite heure ensemble, murmura-t-il en italien. Si au bout de cette heure je ne sais pas tout ce que je veux savoir, tu ne parleras plus jamais. Je me servirai de ton couteau. Tu seras défiguré, méconnaissable. Maintenant, lève-toi doucement. Si tu élèves la voix, je t'abats. »

Peu à peu, Vasili relâcha la pression qu'il exerçait sur la taille du Corse et sur son cou. Les deux hommes commencèrent à se relever lentement, les doigts de Taleniekov toujours agrippés à la gorge de son adversaire.

Soudain, on entendit un craquement un peu plus haut. Quelqu'un venait de marcher sur une branche. Vasili se retourna brusquement, essayant de distinguer quelque chose dans la pénombre. En découvrant la source du bruit, il eut le souffle coupé. Un homme se tenait debout entre deux arbres. C'était une silhouette familière, on l'avait déjà vue dans l'encadrement d'une porte à l'auberge. Et comme la dernière fois, le large canon court du *lupo* était pointé droit devant lui, cette fois en direction de la tête de Vasili.

En un instant, Taleniekov comprit que tous les professionnels n'étaient pas entraînés à Moscou ou à Washington. Le mouvement frénétique du rayon lumineux, en bas de la colline, qui brusquement s'immobilise... La lampe avait été accrochée à un arbuste ou à une petite branche, qu'on avait ensuite tirée en arrière et relâchée pour donner, durant un instant, l'illusion du mouvement. Quant au propriétaire de la lampe, il escaladait dans le noir une pente qui lui était familière.

« Vous avez été très malin la nuit dernière, *signore*, dit l'homme au *lupo*. Mais c'est impossible de se cacher, par ici.

— Les Matarèse, cria Vasili de toutes ses forces. *Perro nostro circulo.* »

Il plongea sur sa gauche. La déflagration du *lupo* se répercuta dans la nuit et dans les bois.

13

SCOFIELD sauta hors de l'embarcation et se mit à marcher dans les vagues vers la côte. Il n'y avait pas

de plage; des rochers déchiquetés formaient néanmoins une petite crique. Bray était arrivé maintenant
près d'une avancée rocheuse, relativement lisse mais
glissante. Il sortit de l'eau en tenant son attaché-case
d'une main et son sac de marin de l'autre.

Tout d'abord, pendant un moment, il marcha à
quatre pattes en direction de la terre sablonneuse
couverte de vignes qu'il avait devant lui. Puis, lorsqu'il eut atteint une partie de rochers plus large et
plus plate, il se remit debout et commença à courir
vers les broussailles afin de se dissimuler aux yeux
des patrouilles qui risquaient de se trouver en haut
de la falaise. Le commandant du chalutier l'avait
prévenu qu'il était difficile de traiter avec la police,
on ne savait jamais si on pouvait l'acheter ou non.

Il s'agenouilla sur le sol et sortit un couteau de sa
poche pour couper la ficelle qui reliait son poignet à
l'attaché-case. Ensuite, il ouvrit son sac de marin et
en sortit un pantalon de velours, une paire de botti-
nes, un pull-over de couleur sombre, une casquette
et une veste de grosse laine. Le tout avait été acheté
à Paris et soigneusement dégriffé. Ces vêtements
étaient suffisamment simples pour ne pas détonner à
côté de ceux des habitants de l'île.

Il se changea entièrement, roula les vêtements
mouillés et les plaça, ainsi que son attaché-case,
dans le sac de marin. Il commença alors une escalade longue et difficile en direction de la route. Il
avait déjà été en Corse à deux reprises, dont une fois
à Porto-Vecchio. A chaque voyage, il avait eu affaire
à un triste personnage, un propriétaire de bateaux
de pêche à Bastia qui avait ses bureaux à Murato.
Cet individu était payé par le ministère des Affaires
étrangères des Etats-Unis pour « surveiller »,
comme tant d'autres, les mouvements de la flotte
soviétique en Méditerranée. Le bref séjour au sud de
Porto-Vecchio avait été décidé pour enquêter sur la
possibilité de financer discrètement un projet de village de vacances sur la côte tyrrhénienne. Scofield

n'avait jamais été mis au courant de ce qui s'était passé par la suite. A Porto-Vecchio, il avait loué une voiture pour se promener dans la montagne. Il avait vu les ruines de la Villa Matarèse un après-midi où la chaleur était étouffante et s'était arrêté dans une *taverna* au bord de la route pour boire un verre de bière. Mais cette petite excursion s'était rapidement effacée de sa mémoire. Il n'avait jamais pensé qu'il pourrait un jour revenir ici, les Matarèse appartenaient au passé comme les ruines de la Villa, du moins à ce moment-là. En arrivant sur la route, il enfonça sa casquette sur les yeux. Elle cachait la marque qu'il avait au front à la suite de la blessure qu'il s'était faite sur la rampe métallique d'un certain escalier. Il aurait pu mourir dans cet escalier si son ennemi juré ne lui avait sauvé la vie.

Taleniekov. Etait-il arrivé en Corse ? Se trouvait-il dans les collines entourant Porto-Vecchio ? Ça ne prendrait pas beaucoup de temps pour le savoir. Un étranger s'intéressant à une légende du pays serait rapidement repéré. Evidemment, le Russe agirait avec précaution. S'ils avaient pensé à remonter aux sources, il était possible que d'autres y aient pensé aussi.

Bray jeta un coup d'œil à sa montre – il était presque onze heures et demie – et regarda sa carte. Il devait se trouver à quatre kilomètres environ au sud de Sainte-Lucie. Le chemin le plus rapide, pour se rendre dans les collines de la Villa Matarèse, était d'aller tout droit vers l'ouest, mais avant de s'enfoncer dans la montagne, il fallait établir une base d'opération. Un endroit où il pourrait cacher ses affaires avec une probabilité raisonnable de les retrouver, ce qui excluait d'office tous les endroits où un voyageur ordinaire risquait de s'arrêter. De plus, il lui était impossible de maîtriser le dialecte du pays en quelques heures; on découvrirait tout de suite qu'il était étranger, et les étrangers n'étaient pas particulièrement bienvenus. Il devrait donc établir un campement dans les bois, à proximité d'un ruisseau, si possible, et d'un magasin d'alimentation ou d'une auberge.

Il allait sûrement rester à Porto-Vecchio plusieurs jours. C'était la seule chose dont il fût à peu près sûr pour le moment. Après avoir trouvé Taleniekov – s'il le trouvait –, les événements se précipiteraient certainement. Mais pour le moment, il fallait s'occuper des détails matériels, des petites choses de la vie avant de penser à un plan.

Il aperçut un petit sentier, trop étroit pour être emprunté par les voitures, qui s'écartait de la route en direction de l'ouest. Scofield fit passer son sac de marin dans sa main gauche et s'engagea dans le sentier. De temps à autre, il se voyait obligé d'écarter une branche pour pouvoir continuer son avancée dans les hautes herbes.

A douze heures quarante-cinq, il ne s'était guère enfoncé à l'intérieur de l'île de plus de dix à douze kilomètres. Il avait, volontairement, fait un tas de détours pour avoir une idée précise de la configuratin du terrain. Finalement il trouva ce qu'il cherchait, un bosquet de pins extrêmement serrés qui suivait les rives d'un ruisseau. Les branches basses des arbres formaient une sorte de rideau de verdure qui descendait jusqu'au sol. Un homme pouvait se cacher ici en toute sécurité et mettre à l'abri ses affaires. A un kilomètre environ, en direction du sud-ouest, une route en lacet montait dans la montagne. Si ses souvenirs étaient exacts, c'était la route qu'il avait prise naguère pour aller visiter les ruines de la Villa Matarèse. C'était la seule, d'ailleurs. Il se souvenait aussi d'être passé en voiture devant un certain nombre de fermes isolées avant d'atteindre les ruines. C'était également sur cette route que devait se trouver l'auberge où il s'était arrêté pour boire un verre de bière en plein milieu de ce chaud après-midi. En fait, l'auberge se trouvait nettement avant les fermes. A cet endroit, la route bifurquait :

sur la droite, elle s'enfonçait dans la montagne et sur la gauche redescendait vers Porto-Vecchio. Bray regarda de nouveau sa carte et repéra la route des collines et la bifurcation. Il savait où il était.

Il traversa le ruisseau à gué et s'enfonça derrière le rideau d'arbres. Il rampa quelques mètres, ouvrit son sac de marin et en sortit une petite pelle. Deux paquets de papier hygiénique tombèrent sur le sol; les petites choses de la vie, pensa-t-il en souriant tandis qu'il commençait à creuser un trou dans la terre meuble.

Il était presque quatre heures et il avait maintenant fini d'installer son campement derrière l'écran de verdure. Après avoir enterré son sac de marin, il changea les pansements autour de son cou et se lava les mains et le visage dans le ruisseau. Il se reposa aussi un peu. Les rayons du soleil passaient à travers les aiguilles de pins en dessinant une sorte de toile d'araignée. Son esprit vagabondait. Il n'aimait pas ça, malheureusement il n'y pouvait rien. Le sommeil ne voulait pas venir et des milliers de pensées assaillaient son esprit.

Il était sous un arbre, en Corse, au bord d'un ruisseau. Ce voyage, qui avait commencé sur un pont, la nuit, à Amsterdam ne finirait que lorsque lui et Taleniekov auraient découvert ce qu'ils cherchaient dans les collines de Porto-Vecchio.

Ce n'était pas très difficile de disparaître. Avec beaucoup moins d'argent et d'expérience qu'il n'en avait aujourd'hui, il avait réussi à faire disparaître, dans le passé, un assez grand nombre de personnes. Il y avait encore un tas d'endroits à sa disposition : la Mélanésie, les îles Fidji, la Nouvelle-Zélande, la Tasmanie, une grande partie de l'Australie, la Malaisie et une douzaine des îles Sunda. Il avait envoyé un certain nombre d'hommes dans ces pays et était resté prudemment en relation avec quelques-uns. On avait refait sa vie, oublié le passé, établi de nouvelles relations, appris de nouveaux métiers, et même fondé une nouvelle famille.

Sans doute pourrait-il faire de même. Peut-être le ferait-il, d'ailleurs. Il avait les papiers et l'argent. Il pouvait facilement s'offrir le voyage en Polynésie ou dans les îles Cook. Il pouvait acheter un bateau pour promener des touristes et gagner honorablement sa vie. Ce serait une vie simple, obscure, mettant un terme à un jeu devenu mortel.

Puis il revit le visage de Robert Winthrop, les yeux intenses cherchant à accrocher son regard. Il entendit de nouveau la voix anxieuse du vieillard lorsqu'il parlait des Matarèse.

Il entendit aussi quelque chose de plus présent, de plus actuel, quelque chose qui se passait dans le ciel. Les oiseaux s'étaient mis à tournoyer au-dessus de lui. Leurs cris perçants, coléreux se répandaient au-dessus des champs et à travers les bois; des intrus avaient pénétré sur leur territoire. Des voix, des ordres se firent entendre.

Avait-il été repéré ? Il s'agenouilla rapidement et sortit son Browning de la poche de sa veste, tout en essayant de voir quelque chose à travers les aiguilles de pins.

Un peu plus bas, à une centaine de mètres sur la gauche, deux hommes s'étaient frayé un chemin à coups de machette dans l'épaisse végétation qui bordait le ruisseau. Pour l'instant, ils étaient immobiles et jetaient de rapides coups d'œil de tout côté, comme s'ils ne savaient quelle direction prendre. Ils avaient des pistolets accrochés à leur ceinture. Bray poussa un léger soupir de soulagement; ce n'était pas lui qu'on cherchait, il n'avait pas été découvert. Les deux hommes chassaient probablement un animal qui avait attaqué leurs chèvres, un chien sauvage par exemple. On ne cherchait pas un étranger errant dans les collines.

Puis il surprit quelques mots et il se rendit compte qu'il n'avait qu'à moitié raison. Les cris n'étaient pas poussés par les deux hommes à la machette, ils venaient de l'autre côté du ruisseau.

« *Il uomo. Eccolo ! Il campo !* »

Ce n'était pas un animal qu'on poursuivait mais un homme. Un homme essayait d'échapper à d'autres hommes et, à en juger par la fureur des poursuivants, la vie de cet homme était en danger. Taleniekov ? Serait-ce Taleniekov ? Et si c'était lui, pourquoi ? Le Russe aurait-il appris quelque chose aussi rapidement ? Quelque chose qui aurait déchaîné la fureur meurtrière des Corses de Porto-Vecchio ?

Scofield regarda les deux hommes tandis qu'ils tiraient leurs armes de leur ceinture et se mettaient à courir sur la rive en direction de la lisière du champ. Puis il retourna en rampant au pied de son arbre et essaya de mettre en ordre ses pensées. Son instinct lui disait que « *Il uomo eccolo* » c'était Taleniekov. S'il en était ainsi, il y avait plusieurs possibilités. Il pouvait regagner la route et marcher en direction des collines : un marin italien qui avait du temps libre parce que son chalutier avait besoin de réparations. Il pouvait aussi rester où il était jusqu'à la tombée de la nuit pour s'approcher prudemment des hommes en profitant de l'obscurité, afin de surprendre leur conversation. Il pouvait encore suivre à l'instant même les chasseurs. La dernière possibilité était la moins attirante : mais c'était probablement la meilleure. Il n'hésita pas une seconde.

Il était dix-sept heures trente-cinq quand Bray l'aperçut pour la première fois. Il courait en haut d'une colline tandis que ses poursuivants lui tiraient dessus. Silhouette mouvante dans les lueurs du coucher de soleil. Taleniekov, comme on pouvait s'y attendre, vous offrait de l'inattendu, il n'essayait nullement de s'échapper, il essayait de semer la confusion pour apprendre quelque chose. C'était une excellente tactique. Le meilleur moyen d'obtenir des informations vitales et de faire en sorte que l'ennemi soit obligé de les protéger.

Mais qu'avait-il donc appris de si important pour prendre un tel risque ? Pendant combien de temps aurait-il la possibilité ou serait-il capable de tenir ses ennemis en échec ?... La réponse à cette question était évidente : isoler, piéger et faire parler. Sur les lieux mêmes.

A partir de la position élevée où il se trouvait, Scofield étudia attentivement le terrain. La brise du soir lui facilitait la tâche; les hautes herbes se couchaient à chaque souffle du vent, lui permettant de voir au loin. Il essaya d'analyser les choix qui s'offraient à Taleniekov afin de découvrir où était le meilleur endroit pour le rencontrer. L'homme du K.G.B. se dirigeait en courant vers le nord. Dans un peu plus d'un kilomètre, il serait en bas de la montagne et s'arrêterait. Ça ne servirait absolument à rien de l'escalader de nouveau. Il reviendrait donc sur ses pas en direction du sud-ouest pour éviter d'être coincé par les routes et, à un moment donné, il ferait diversion, en utilisant quelque chose d'assez spectaculaire pour augmenter la confusion parmi ses assaillants. Le piège se refermerait peu après.

Scofield serait peut-être obligé d'attendre jusque-là pour rencontrer Taleniekov, mais il préférait que cela ne se passât pas ainsi. Trop de choses se dérouleraient alors dans un temps trop court. On risquait de commettre des erreurs, dans ces conditions. Ce serait beaucoup mieux de joindre le Russe avant. Ils pourraient ainsi établir ensemble leur stratégie. Courbé en avant, à la manière des singes, Scofield s'enfonça dans les hautes herbes en direction du sud-ouest.

Le soleil était en train de se coucher derrière les montagnes. Les ombres s'allongeaient démesurément; peu à peu, elles se transformaient en d'énormes taches d'encre qui se répandaient sur les collines et sur les champs, qui, un moment plus tôt, étaient baignés par une chaude lumière orange. L'obscurité n'apporta avec elle aucun signe de Taleniekov. Bray parcourut rapidement le périmètre du lieu où le Russe aurait dû logiquement se trouver. Ses yeux essayaient de percer l'obscurité, ses oreilles d'entendre le moindre bruit étranger à la forêt et aux champs. Aucune trace de Taleniekov.

L'homme du K.G.B. aurait-il pris le risque d'emprunter le chemin de terre pour aller plus vite? C'était d'une hardiesse folle, à moins qu'il eût conçu une tactique mieux adaptée à la région qui s'étendait au pied des collines. La campagne tout entière était maintenant fouillée par de petits groupes d'hommes – de deux à six – armés de couteaux, de fusils et de machettes. Les rayons de leurs lampes électriques se croisaient sans arrêt. Scofield se mit à courir en direction de l'ouest pour atteindre une position plus élevée. Toutes ces lumières le protégeaient, en fait, contre la colère et la rage des Corses. Il savait toujours à quel moment il pouvait courir et quand il devait s'arrêter.

Il passa très vite entre deux groupes qui étaient sur le point de se rejoindre et s'arrêta brusquement à la vue d'un animal à la fourrure épaisse, aux yeux largement ouverts. Il allait prendre son couteau lorsqu'il se rendit compte que ce n'était qu'un chien de berger qui ne s'intéressait absolument pas aux odeurs humaines. Scofield essayait maintenant de reprendre sa respiration. Il caressa le chien pour le tranquilliser et se jeta à plat ventre pour échapper à la lueur d'une lampe électrique venant des bois, puis il continua d'avancer, tant bien que mal, sur la pente de la colline.

Il arriva près d'un rocher qui surgissait du sol et se coucha derrière un moment. Il se releva lentement en appuyant ses mains sur la pierre, prêt à bondir et à se remettre à courir. Il jeta un coup d'œil au-dessus du bloc sombre. En bas, les lumières des lampes électriques, sillonnant l'obscurité, donnaient la localisation exacte des hommes engagés dans la poursuite. Il parvint à discerner la forme grossière de l'auberge où il s'était arrêté quelques années auparavant. Le chemin de terre passait juste devant, celui-là même qu'il avait traversé quelques heures plus tôt pour se diriger vers le sommet des collines. A une centaine de mètres sur la droite se trouvait la route plus large qui descendait en lacet vers Porto-Vecchio.

Maintenant, les Corses étaient partout. Mêlés aux cris de colère des hommes, Bray pouvait entendre l'aboiement des chiens et le sifflement des machettes. C'était étrange de voir ces lumières qui perçaient la nuit de tout côté. Des poupées invisibles dansaient sur des cordes lumineuses au milieu des ténèbres.

Soudain, une autre lumière apparut, non pas blanche mais jaune. Le feu. Des flammes montaient rapidement à l'assaut du ciel sur la droite de la route qui conduisait à Porto-Vecchio.

Taleniekov venait d'opérer sa diversion et c'était spectaculaire.

Les hommes se mirent à courir en poussant des cris. Toutes les lumières se dirigeaient maintenant vers la route, vers le lieu de l'incendie. Scofield, en revanche, resta sur place. Il se demanda avec la froideur d'un professionnel comment l'homme du K.G.B. allait se servir de cette diversion. Qu'allait-il faire maintenant ? Quelle méthode allait-il employer pour refermer son piège sur l'un des hommes ?

Un début de réponse fut donné trois minutes plus tard. Des flammes plus importantes jaillirent brusquement à quelques centaines de mètres. Cette fois, elles se trouvaient à gauche de la route qui descendait vers Porto-Vecchio. La diversion était double. Les Corses allaient devoir se séparer, les recherches allaient devenir confuses, le feu était mortel dans ces collines.

Scofield pouvait maintenant voir les marionnettes : les fils de lumière disparaissaient à la clarté des flammes.

Un autre feu, énorme celui-là, apparut. Un arbre entier éclata et se transforma en une boule de feu d'un blanc jaunâtre. On avait l'impression qu'une bombe au napalm venait d'exploser. L'incendie prenait maintenant à trois ou quatre cents mètres plus loin sur la gauche. Cette troisième diversion était de taille. La panique se répandait aussi vite que l'incendie et il devenait pratiquement impossible de maîtriser l'un et l'autre. Taleniekov se protégeait de tous côtés. Si son piège ne fonctionnait pas, il pourrait profiter de la confusion générale pour s'enfuir.

Néanmoins, si le cerveau du Russe travaillait comme celui de l'Américain, le piège allait se refermer d'un instant à l'autre. Scofield rampa autour du rocher et commença à descendre la colline. Plaqué au sol, il avançait à l'aide des mains et des pieds.

Il y eut soudain une lueur fugitive en bas sur la route, on venait de gratter une allumette. Apparemment, cela n'avait aucune signification. Puis Bray vit le rayon d'une lampe électrique se diriger de ce côté; deux autres, peu après, convergèrent dans la même direction. Quelques secondes plus tard, les lumières se séparaient au bas de la colline, là où se trouvait la route.

Scofield savait maintenant quelle allait être la tactique du Russe. Quatre nuits plus tôt, on avait fait craquer une allumette dans Rock Creek Park pour désamorcer un piège. On en enflammait une maintenant pour en tendre un. Et c'était le même homme qui était l'instigateur. Taleniekov avait réussi à paralyser presque totalement les recherches effectuées par les Corses. Il essayait maintenant d'isoler les quelques hommes qui le poursuivaient encore. La chasse serait bientôt terminée, le Russe allait s'emparer d'un de ces hommes.

Bray sortit son automatique du baudrier qui était fixé sous sa veste. Il fouilla dans sa poche pour trouver son silencieux, le mit en place et libéra le cran de sûreté, puis il partit en courant vers la gauche, légèrement en oblique par rapport à la ligne de faîte. Quelque part ici, dans une superficie d'un hectare ou deux, au milieu des herbes et des bois, le piège allait se refermer. Il fallait essayer de découvrir à quel endroit précisément et, si c'était possible, immobiliser un des poursuivants, afin de mettre tous les atouts du bon côté. Et s'il parvenait lui aussi à s'emparer d'un des hommes, ce serait encore mieux : deux sources d'information valent mieux qu'une.

Il courait maintenant à toute vitesse, en restant courbé et en gardant les yeux fixés sur la lueur des lampes électriques qui s'agitaient plus bas. Chacun des trois hommes allait s'occuper d'une partie de la colline. De temps à autre, les rayons lumineux faisaient étinceler les parties métalliques des armes, on n'hésiterait pas à tirer dès qu'on verrait la cible...

Scofield s'arrêta. Quelque chose clochait. Le faisceau lumineux sur la droite n'était pas normal, celui qui se trouvait à environ deux cents mètres, juste en dessous de lui. Il se déplaçait trop rapidement d'un côté et de l'autre sans jamais se fixer sur quoi que ce fût. De plus, il était impossible d'apercevoir le moindre scintillement : l'éclat de la lumière rencontrant du métal, même si ce métal est peint. Il n'y avait pas d'arme près de cette lampe électrique.

En fait, ce n'était pas une main qui tenait la torche ! On l'avait attachée solidement à une branche ou à un jeune arbre. On essayait ainsi de tromper l'adversaire sur sa véritable position. Bray se jeta à plat ventre pour se cacher parmi les herbes dans l'obscurité. Il regardait et écoutait avec la plus grande attention pour tenter de localiser l'homme qui, sûrement, était en train de courir.

C'est arrivé si vite et d'une manière si inattendue que Scofield faillit tirer un coup de feu par un pur réflexe d'autodéfense. Juste à côté de lui, juste au-dessus de lui venait d'apparaître la massive silhouette d'un Corse. Les pas, qui écrasaient les broussailles en courant, devaient toucher le sol à moins de cinquante centimètres de sa tête. Bray fit un magnifique roulé-boulé sur la gauche pour laisser la voie libre.

Il respira profondément deux ou trois fois pour retrouver son calme et son sang-froid et se leva avec précaution pour suivre la piste de l'homme qui venait de passer en courant. Le Corse fonçait en direction du nord en longeant la colline un peu en dessous du sommet. Il faisait exactement ce que Bray avait eu l'intention de faire après avoir analysé l'emplacement des lumières et des bruits – ou leur absence – pour trouver Taleniekov. Evidemment, le Corse connaissait parfaitement le terrain. Scofield accéléra. Il croisa un peu plus loin, à une centaine de mètres au-dessus de lui, le chemin de l'homme qui se trouvait au centre. Dès cet instant, il sut que Taleniekov avait choisi de s'attaquer au troisième homme, tout là-bas, au nord, où la lueur de la lampe était à peine visible.

Bray courait de plus en plus vite maintenant, il aurait voulu ne pas perdre le Corse de vue. Malheureusement, l'homme s'était évanoui, aucune silhouette sombre ne se détachait sur le ciel nocturne, aucun bruit ne troublait l'impressionnant silence. Un silence qui semblait tout recouvrir. Scofield se laissa tomber sur le sol pour prendre parfaitement conscience de ce silence et, l'index appuyé sur la détente de son pistolet, il scruta l'obscurité. Ça allait se passer d'un moment à l'autre. Mais comment ? Où ?

A cent cinquante mètres environ, en face de lui, la lampe électrique du troisième homme se mit à clignoter. Non... personne ne l'éteignait et ne l'allumait en une rapide succession. Simplement la lumière apparaissait et disparaissait derrière les arbres. Celui qui tenait la lampe marchait dans un bosquet accroché au flanc de la colline.

Brusquement, le rayon lumineux se dirigea vers le haut et éclaira par saccades le sommet des arbres.

Puis la lueur se fixa sur un point et s'immobilisa. La lampe était tombée sur le sol. Ça y était ! Le piège venait de se déclencher. Mais Taleniekov ne savait pas qu'un autre Corse attendait dans l'ombre...

Bray se releva et se mit à courir à toute vitesse. Ses chaussures frappaient violemment le sol rocailleux; il n'avait que quelques secondes à sa disposition et encore un bon bout de chemin à parcourir. De plus, l'obscurité était presque totale maintenant, il ne savait pas où commençait la lisière du bois. Si seulement l'on pouvait tirer sur une silhouette, en direction d'un bruit de voix... Au moment où il allait crier pour prévenir le Russe, il entendit des voix. Les interlocuteurs se servaient de ce curieux dialecte italien, parlé au sud de la Corse. Les sons étaient portés par la brise nocturne.

Les choses se passaient dix mètres plus bas. L'homme immobile se découpait entre deux troncs; sa silhouette était faiblement éclairée par la lueur de la lampe électrique tombée à terre. Le Corse tenait un fusil de chasse. Scofield tourna vers la droite et bondit vers l'homme, le pistolet au poing..

« Les Matarèse ! » C'était Taleniekov qui avait crié, c'est lui aussi qui lança l'énigmatique phrase qui suivit : « *Perro nostro circulo !* »

Bray tira à trois reprises dans le dos du Corse. Les crachotements de son arme furent recouverts par l'explosion du fusil de chasse. L'homme tomba en avant. Scofield sauta à pieds joints sur le corps, en s'accroupissant par crainte d'une attaque. Ce n'était pas nécessaire, le Corse, piégé par Taleniekov, avait été abattu par l'homme venu à son secours.

« Taleniekov ?

— Scofield ?

— Eteignez cette lumière. (Le Russe plongea vers la lampe électrique et l'éteignit.) Il y a encore un homme sur la colline. Il ne bouge pas, il attend qu'on l'appelle.

— S'il approche, nous serons obligés de le tuer. Si

nous n'appelons pas, il ira chercher de l'aide et ils reviendront en force.

— Je ne suis pas sûr que ses amis trouvent le temps nécessaire, dit Scofield en jetant un coup d'œil du côté des collines enflammées. Vous leur avez donné un sacré travail... Ça y est, il redescend la colline.

— Venez, dit le Russe en se relevant et en s'approchant de Bray. Je connais une douzaine d'endroits où nous pouvons nous cacher. J'ai un tas de choses à vous dire.

— J'imagine.

— C'est ici !

— Quoi ?

— Je n'en suis pas absolument sûr... la réponse, peut-être. Une partie de la réponse en tout cas. Vous avez vu par vous-même. Ils voulaient m'abattre, tirer sur moi à vue. Je m'étais mêlé...

— *Ferma* ! (Cet ordre brutal venait d'être crié à une dizaine de mètres derrière Scofield. Bray pivota brusquement. Le Russe leva son arme.) *Basta* ! (Le second ordre était accompagné par le grondement d'un chien tenu en laisse.) Vous êtes, *signori,* dans la ligne de mire de mon fusil à deux canons. (C'était indiscutablement une voix de femme, une femme qui parlait anglais) L'arme qui a tiré tout à l'heure était un *lupo*. Je sais m'en servir beaucoup mieux que l'homme étendu à vos pieds. Je préférerais, franchement, ne pas avoir à l'utiliser. Abaissez vos armes, *signori*. Ne les jetez pas, vous pouvez en avoir besoin.

— Qui êtes-vous ? » demanda Scofield en relevant la tête pour regarder la femme qui se tenait au-dessus de lui : il distinguait vaguement une silhouette formée d'une veste de combat et d'un pantalon militaire.

Le chien gronda de nouveau.

« Je veux parler au chercheur.

— A qui ?

– C'est moi, dit Taleniekov, j'appartiens à l'*organizzazione accademica*. Cet homme travaille avec moi.

– Au nom du Ciel !... commença Bray en regardant l'homme du K.G.B.

– *Basta !* répondit le Russe doucement. Pourquoi me cherchez-vous, pourquoi ne m'avez-vous pas abattu ?

– Les bavardages circulent. Vous interrogez les gens sur le *padrone* des *padroni*.

– Exact. Mais personne ne veut me répondre au sujet de Guillaume de Matarèse.

– Je connais quelqu'un qui vous répondra. Une vieille femme dans la montagne. Elle veut parler avec le *erudito*, le chercheur. Elle a beaucoup de choses à lui dire.

– Mais savez-vous ce qui se passe ici ? Des hommes me poursuivent, ils veulent me tuer. Vous voulez risquer votre vie pour m'amener, pour nous emmener près d'elle ?

– Oui, c'est une ascension longue et difficile, cinq ou six heures d'escalade.

– Répondez-moi d'abord. Pourquoi prenez-vous ce risque ?

– C'est ma grand-mère. Tout le monde dans la montagne la méprise, elle ne peut pas vivre dans la vallée. Je l'aime.

– Qui est-elle ?

– On l'appelle la putain de la Villa Matarèse. »

14

ILS traversèrent rapidement les collines qui se trouvaient au pied de la montagne et continuèrent l'escalade en empruntant des sentiers qui s'enfonçaient dans les sous-bois. Tandis que son chien les reniflait, la jeune femme avait placé sa main sur les épaules des deux hommes. La bête courait maintenant librement dans les broussailles, devant le petit groupe. Elle connaissait parfaitement le chemin et s'arrêtait à chaque virage, pour attendre sa maîtresse. Scofield pensait que c'était ce même chien qui lui avait fait peur dans les champs un moment plus tôt. Il en parla à la grande fille.

« *Probabilmente, signore*. Ça fait des heures que nous sommes dans les parages. Je vous cherchais et lui permettais de courir. Mais je ne le laissais jamais s'éloigner au cas où j'aurais eu besoin de lui.

— M'aurait-il attaqué ?

— Uniquement, si vous aviez voulu le frapper ou me faire du mal à moi. »

Il était plus de minuit lorsqu'ils arrivèrent près d'une grande prairie qui s'étendait au pied d'imposantes collines boisées. Le ciel s'était éclairci et la lune éclairait la campagne et les sommets à l'horizon, donnant beaucoup de grandeur à ce paysage. Bray remarqua que la chemise de Taleniekov, sous la veste ouverte, était tout aussi tachée de sueur que la sienne, pourtant la nuit était fraîche.

« Nous pouvons nous reposer ici pour un moment, *signori*, dit la grande fille en montrant du doigt une partie de la colline qui se trouvait dans l'ombre à quelques dizaines de mètres. Nous n'avons qu'à suivre le chien. Il y a là une petite grotte. Elle n'est pas très profonde, mais on peut facilement s'y abriter.

— Votre chien semble la connaître parfaitement, dit l'homme du K.G.B.

— Il voudrait que j'allume un feu, répondit la grande fille en riant. Quand il pleut, il prend des brindilles dans sa gueule et vient les déposer à mes pieds. Il adore le feu. »

Les parois de la grotte étaient en fait d'énormes blocs de roches noires. Elle n'avait guère plus de

trois mètres de profondeur mais l'on pouvait s'y
tenir debout. Ils y entrèrent.

« Est-ce que j'allume un feu ? demanda Taleniekov en caressant le chien.

– Si vous en avez envie. Uccello vous fera fête.
Moi je suis trop fatiguée.

– Uccello ? s'exclama Scofield. Pourquoi appe-
lez-vous votre chien oiseau ?

– Quand il court, on a l'impression qu'il vole,
signore.

– Vous parlez parfaitement anglais. (Le Russe
entassait des morceaux de bois les uns au-dessus des
autres au centre d'un cercle de pierres visiblement
destiné à cet usage.) Où l'avez-vous appris ?

– Je suis allée à l'école chez les sœurs à Vescovato. Celles d'entre nous qui voulaient passer des
examens apprenaient le français et l'anglais. »

Taleniekov fit craquer une allumette sous les brindilles. Le feu prit immédiatement et des flammes
s'élevèrent en grésillant, apportant chaleur et
lumière dans la grotte.

« Vous êtes vraiment doué pour ce genre de
chose, dit Scofield à l'homme du K.G.B.

– Ce n'est qu'un petit talent, vous savez.

– Un petit talent qui vous a terriblement servi,
tout à l'heure ! »

Bray se retourna vers la grande fille qui, après
avoir enlevé sa casquette, secouait sa longue cheve-
lure noire. Durant un instant, il la regarda le souffle
coupé. Etaient-ce les cheveux ? Ou les grands yeux
noisette qui ressemblaient à ceux d'une biche, ou les
pommettes saillantes, ou le nez droit parfaitement
dessiné, ou, peut-être, les lèvres sensuelles toujours
proches du rire ? Etait-ce à cause d'un de ces traits ?
Ou était-ce simplement parce qu'il était fatigué, et
heureux d'avoir devant les yeux une femme sédui-
sante et intelligente ? Il n'en savait rien, tout ce qu'il
savait, c'est que cette grande fille corse, dans la colline, lui rappelait Carine, sa femme, dont la mort

avait été perpétrée par l'homme qui se trouvait à quelques mètres de lui. Il essaya de chasser les images qui l'assaillaient en respirant profondément.

« Où avez-vous étudié ?

– Tout d'abord à la *scuola media* à Bonifacio. Ensuite, j'ai obtenu une bourse.

– De qui ?

– Je suis diplômée de l'université de Bologne, *signore*. Je suis communiste. Je le dis avec orgueil.

– Bravo... dit Taleniekov doucement.

– Un jour nous établirons un régime juste en Italie, poursuivit la fille, les yeux brillants. Nous mettrons fin à ce désordre, à l'imbécillité catholique.

– J'en suis sûr, dit le Russe.

– Mais nous ne serons jamais à la solde de Moscou. Jamais. Nous serons indépendants. Nous ne tomberons pas dans les griffes de cet ours qui veut nous dévorer et créer un Etat fasciste international. Jamais.

– Bravo », s'écria Bray.

La conversation commençait à traîner en longueur; la jeune femme ne voulait plus répondre aux questions la concernant. Elle leur dit qu'elle s'appelait Antonia mais n'ajouta pratiquement rien ensuite. Quand Taleniekov lui demanda pourquoi, elle, une femme engagée politiquement à Bologne, était revenue dans ce coin perdu de Corse, elle répondit simplement que c'était pour être près de sa grand-mère pendant un certain temps.

« Parlez-nous d'elle, demanda Scofield.

– Elle vous dira elle-même ce qu'elle veut que vous sachiez, répondit la grande fille en se levant. Je vous ai dit tout ce qu'elle m'a demandé de vous dire.

– La putain de la Villa Matarèse, murmura Bray.

– Oui, mais ce n'est pas ces mots-là que j'aurais personnellement choisis. Ou même utilisés. Allez, venez, nous avons encore deux heures de route. »

Ils arrivèrent sur un petit plateau et regardèrent vers le bas, la pente douce qui conduisait dans la vallée. La dénivellation, entre le sommet de la colline et la vallée était de cent cinquante mètres environ. Cette dernière n'avait guère plus d'un kilomètre de large. La lune était devenue de plus en plus brillante. On distinguait parfaitement, au milieu d'une prairie, une petite ferme avec une grange attenante : un sentier passait devant. On entendait aussi un bruit d'eau. Un ruisseau descendait de la montagne à proximité de l'endroit où ils se trouvaient. Il tombait en cascades entre des rangées de rochers.

« C'est très beau, dit Taleniekov.

— Depuis plus d'un demi-siècle, elle n'a jamais rien vu d'autre que cet endroit, répondit Antonia.

— Avez-vous grandi ici ? demanda Scofield. Etait-ce votre maison ?

— Non, fit la fille sans donner d'explications. Venez, nous allons la voir, elle nous attend.

— En plein milieu de la nuit ? s'exclama Taleniekov.

— Il n'y a ni nuit ni jour pour ma grand-mère. Elle m'a demandé de vous amener près d'elle dès que nous serions arrivés. Nous sommes arrivés. »

Il n'y avait en effet ni nuit ni jour pour la vieille femme, assise dans son fauteuil près du poêle à bois. Tout au moins, dans le sens de lumière et d'obscurité. Elle était aveugle. Ses yeux n'étaient plus que deux petits globes inexpressifs de couleur pastel. Les bruits autour d'elle y allumaient parfois un éclair et aussi les images venues du passé. Sous la peau ridée, on devinait une ossature fine et solide. Ce visage avait dû être d'une beauté extraordinaire.

Sa voix était douce. Un murmure, aux intonations graves, qui obligeait ses interlocuteurs à regarder ses lèvres fines et blanches. Elle parlait sans fioriture, sans hésitation et sans embarras. Son débit était rapide, un esprit peu compliqué mais sûr de lui. Elle devait dire certaines choses alors que la mort rôdait autour de sa maison. Ces circonstances semblaient aiguiser son esprit et ses sensations. Elle parlait un italien parsemé d'archaïsmes.

Tout d'abord, elle demanda à Taleniekov et à Scofield – l'un après l'autre – pourquoi ils s'intéressaient tellement à Guillaume de Matarèse. Vasili s'en tint à son histoire de fondation à Milan et au département qui s'occupait de l'histoire corse. Il ne donna que des faits essentiels pour permettre à Scofield d'apporter les éléments qu'il souhaitait à ce récit. C'est ainsi que procèdent toujours les agents secrets lorsqu'ils sont interrogés à plusieurs. Il n'y avait là rien d'étonnant : le mensonge était pour eux une seconde nature.

Bray écouta en silence et confirma ensuite ce qu'avait dit le Russe, en ajoutant des détails concernant les dates et certaines opérations financières qu'il pensait intéressant de rappeler à propos de Guillaume de Matarèse. Après avoir terminé, il se sentit assez satisfait de ce qu'il avait dit et se trouva même supérieur à l'homme du K.G.B. Il savait sa « leçon » beaucoup mieux que Talenickov.

La vieille femme, qui était assise devant lui, hocha la tête en silence et écarta une mèche de cheveux blancs qui était tombée sur sa joue décharnée.

« Vous mentez tous les deux. Ce monsieur, celui qui a parlé le dernier, est nettement moins convaincant. Il voudrait m'impressionner avec des faits que n'importe quel enfant dans les collines entourant Porto-Vecchio peut connaître.

– Peut-être à Porto-Vecchio, dit doucement Scofield, mais pas nécessairement à Milan.

– Je vois ce que vous voulez dire. Mais c'est parfaitement incongru puisque vous n'êtes ni l'un ni l'autre milanais.

– Exact, coupa Vasili. Nous travaillons à Milan.

En fait, je suis né en Pologne... au nord de la Pologne. Je suis sûr que vous avez remarqué mon accent.

— Je n'ai rien remarqué du tout, je sais seulement que vous mentez. Ne vous formalisez pas, c'est sans intérêt. »

Taleniekov et Scofield échangèrent un rapide coup d'œil puis regardèrent en direction d'Antonia. Elle était assise sur un coussin, près de la fenêtre, les jambes ramenées sous elle.

« Pourquoi dites-vous que c'est sans importance ? demanda Bray, c'est très important pour nous. Nous voulons que vous nous parliez franchement.

— Ne vous inquiétez pas, répondit l'aveugle. Vos mensonges ne sont pas des mensonges égoïstes. Vous êtes peut-être des hommes dangereux, mais vous n'agissez pas en vue d'un profit quelconque. Vous n'essayez pas d'avoir des renseignements sur le *padrone* pour votre propre compte. »

Scofield n'y tenait plus.

« Comment savez-vous tout ça ? »

Les yeux vides de la vieille femme se fixèrent sur les siens. C'était difficile d'admettre qu'elle ne voyait rien.

« Je l'entends à votre voix. Vous avez peur !

— Avons-nous raison d'avoir peur ? demanda Taleniekov.

— Ça dépend de ce que vous croyez.

— Nous croyons qu'une chose terrible est arrivée, dit Bray. Mais nous ne savons pas grand-chose. Franchement c'est tout ce que je peux en dire.

— Que savez-vous, *signori* ? »

Scofield et Taleniekov échangèrent de nouveau un coup d'œil. Le Russe fit un petit signe de tête. Bray se rendit compte qu'Antonia les observait tous les deux avec la plus grande attention. Il s'adressa à elle autant qu'à la vieille femme.

« Avant de vous répondre, j'aimerais que votre petite-fille nous laisse seuls.

– Non, s'exclama la grande fille, si brusquement qu'Uccello redressa la tête.

– Ecoutez-moi, poursuivit Scofield. Que vous ayez amené ici deux étrangers que votre grand-mère voulait rencontrer, c'est une chose. C'en est une autre d'être mêlée à nos histoires. Mon... ami... et moi avons beaucoup d'expérience dans ce domaine. C'est dans votre intérêt.

– Laisse-nous, veux-tu, Antonia ? dit l'aveugle en se tournant dans son fauteuil. Je n'ai rien à craindre de ces hommes et tu dois être fatiguée. Emmène Uccello avec toi et allonge-toi dans la grange.

– Bien, dit la grande fille en se levant, mais Uccello restera là. (D'un geste vif, elle s'empara du *lupo* qui se trouvait sous le coussin et leva le canon en direction des deux hommes.) Vous avez des armes. Jetez-les sur le sol. Je ne pense pas que vous puissiez quitter cette maison sans elles.

– C'est idiot ! cria Bray tandis que le chien se dressait sur ses pattes en grondant.

– Faites ce que cette jeune femme vous demande », lança Taleniekov en jetant son Graz-Burya par terre.

Scofield sortit son Browning, vérifia le cran de sûreté et fit glisser l'arme sur le tapis qui se trouvait devant Antonia. La grande fille se baissa pour ramasser les deux pistolets, en gardant le *lupo* dirigé vers les deux hommes.

« Quand vous aurez fini, ouvrez la porte et criez. J'appellerai Uccello. S'il ne vient pas me rejoindre, vous ne reverrez de vos armes que le petit trou noir au bout du canon. »

Elle sortit sans attendre la réponse. Le chien grogna un instant et se recoucha sur le tapis.

« Ma petite-fille est un peu vive, dit la vieille femme en s'enfonçant dans son fauteuil. Le sang de Guillaume coule dans ses veines même après plusieurs générations.

– C'est sa petite-fille ? demanda Taleniekov.

– Son arrière-petite-fille. Ma petite-fille a eu cette enfant alors qu'elle était déjà relativement âgée. Ma fille est née des œuvres du *padrone* et de sa petite putain.

– La putain de la Villa Matarèse, dit Bray. Vous lui avez demandé de nous dire que c'était ainsi qu'on vous appelait. »

La vieille femme sourit et secoua la tête pour rejeter ses cheveux blancs en arrière. Elle était, pour un instant, replongée dans un autre monde. Elle n'avait pas renoncé totalement à la coquetterie.

« Ça fait si longtemps. Nous parlerons de cette époque, mais auparavant répondez-moi, s'il vous plaît. Que savez-vous ? Pourquoi êtes-vous venus ici ?

– Mon ami parlera d'abord, dit Taleniekov. Ses connaissances sont plus complètes que les miennes. C'est pourtant moi qui lui ai apporté quelques informations particulièrement surprenantes.

– Vos noms, s'il vous plaît, coupa l'aveugle, vos véritables noms. Et dites-moi aussi d'où vous venez. »

Le Russe regarda l'Américain. Il était clair maintenant qu'il ne servirait à rien de mentir de nouveau. Au contraire, les mensonges ne pourraient que contrecarrer leur but. Cette femme simple mais extraordinairement convaincante avait, pendant presque un siècle, entendu toutes sortes de mensonges. Des mensonges sortant des ténèbres. C'était stupide de vouloir la tromper.

« Je m'appelle Vasili Vassilievitch Taleniekov. Je suis un ancien stratège du K.G.B. J'appartiens aux services secrets soviétiques.

– Et vous ? demanda la vieille femme en dirigeant ses yeux vides vers Scofield.

– Brandon Scofield. Agent des services secrets américains du secteur méditerranéen, mis à la retraite. Ancien spécialiste des Opérations consulaires du ministère des Affaires étrangères.

– Je vois. (La vieille courtisane porta sa main aux doigts effilés à son visage : elle réfléchissait.) Je ne suis pas quelqu'un de cultivé, je mène une vie très retirée. Néanmoins, je suis au courant des affaires du monde. J'écoute la radio extrêmement souvent. Nous entendons Rome parfaitement, Gênes aussi et, la plupart du temps, Nice. Je ne me fais pas d'illusions sur mes connaissances, néanmoins votre venue en Corse à tous les deux me semble étrange.

– C'est étrange, en effet, répondit Taleniekov. Cela peut vous donner une idée de la gravité de la situation.

– J'aimerais entendre votre ami, *signore*. »

Bray s'avança un peu sur sa chaise, posa ses avant-bras sur ses genoux et regarda attentivement l'aveugle.

« Entre, disons, 1911 et 1913, Guillaume de Matarèse a demandé à un certain nombre d'hommes de venir le rejoindre dans sa propriété de Porto-Vecchio. Personne n'est jamais arrivé à établir qui étaient ces hommes ni d'où ils venaient. Par contre, ils ont donné un nom à leur rencontre...

– Le 4 avril 1911, coupa la vieille femme. Ce n'est pas eux qui ont choisi le nom, c'est le *padrone*. Ces hommes allaient devenir célèbres sous le nom de conseil des Matarèse... Continuez, je vous en prie.

– Vous étiez là ?

– Je vous en prie, continuez. »

L'instant était pathétique. Ils parlaient d'un événement qui, pendant des décennies, avait été l'objet de toutes sortes de spéculations, d'un événement qui n'était ni consigné dans les archives ni relaté par des témoins oculaires, et brusquement, en quelques secondes, ils apprenaient l'année, le mois, le jour exacts...

« *Signore* ?...

– Excusez-moi. Durant plus de trente ans, les Matarèse et leur conseil ont été l'objet d'une multitude de controverses... »

Scofield raconta tout ce qu'il savait de cette histoire, rapidement, sans fioriture, dans un italien extrêmement simple afin d'être compris parfaitement. La plupart des chercheurs qui s'étaient penchés sur les Matarèse étaient arrivés à la conclusion qu'il s'agissait d'une légende, d'un mythe sans relation profonde avec la réalité.

« Que croyez-vous, *signore* ? C'est ce que je vous ai demandé au début.

— Je ne sais pas très bien ce que je crois, mais je sais qu'un homme exceptionnel a disparu il y a quatre jours. Je pense qu'il a été tué parce qu'il a parlé des Matarèse à des hommes politiques de premier plan.

— Il y a quatre jours ? Je croyais que vous vous intéressiez à ce qui s'était passé au cours de la trentaine d'années... qui a suivi cette première rencontre en 1911. Il y a un grand vide entre ces deux dates.

— D'après ce que nous savons – plutôt d'après ce que nous pensons savoir –, le conseil a continué ses activités à partir de la Corse un bon nombre d'années après la mort de Matarèse. Les hommes du conseil ont passé des contrats avec Berlin, Londres, Paris, New York et Dieu sait où. Très peu d'actions ont été entreprises durant la Seconde Guerre mondiale. Après la guerre, il semble que les Matarèse aient complètement disparu. On n'a jamais, depuis lors, entendu parler d'eux. »

Un pâle sourire apparut sur les lèvres de la vieille femme.

« Et maintenant, ils renaissent de leurs cendres. C'est ce que vous êtes en train de me dire, n'est-ce pas ?

— Oui, mon collaborateur peut vous expliquer pourquoi nous pensons cela, dit Bray en regardant Taleniekov.

— Au cours de ces dernières semaines, deux hommes qui croyaient à la paix, dans nos pays respectifs, ont été assassinés. Les meurtres ont été

« arrangés » de façon que chacun des gouvernements pense l'autre responsable. Un affrontement a été évité de justesse grâce à un rapide échange entre nos dirigeants. Mais la situation était extrêmement tendue. Un de mes amis très cher m'a envoyé chercher au moment de sa mort parce qu'il avait des choses à me confier. Il lui restait peu de temps à vivre et son esprit était légèrement confus. Toutefois, après avoir écouté, je me suis vu dans l'obligation de m'adresser à des hommes de premier plan pour obtenir des conseils et de l'aide.

— Que vous a-t-il dit ?

— Que le conseil des Matarèse était toujours vivant, qu'il était parmi nous. En fait, il n'avait jamais disparu mais s'était enfoncé plus profondément dans la clandestinité. C'était dans l'ombre qu'il continuait à se développer et à exercer son influence. Il a été, au cours de ces dernières années, responsable de centaines d'actes de terrorisme et de dizaines d'assassinats, attribués à tort à une multitude d'autres groupes. Parmi les victimes, il faut mentionner les deux hommes dont je viens de parler. Les Matarèse ne tuent plus pour de l'argent, ils ont une politique à eux.

— Et quelle est cette politique ? demanda la vieille femme d'une voix étrange, lointaine.

— Mon ami m'a dit qu'il n'en savait rien. Pour lui, les Matarèse étaient une sorte de peste qu'il fallait juguler à tout prix. Mais il ignorait comment s'y prendre, ni quels étaient les gens qu'il fallait contacter. Aucun des hommes ayant fait affaire avec les Matarèse n'accepterait de révéler quoi que ce fût.

— Il ne vous a pas donné grand-chose à vous mettre sous la dent.

— Avant mon départ, il m'a laissé entendre que la réponse pouvait se trouver en Corse. Je n'ai pas été convaincu immédiatement, mais la suite des événements ne m'a pas laissé le choix, pas plus d'ailleurs qu'à mon collègue américain.

– Je comprends les raisons de votre ami : un homme d'Etat a disparu il y a quatre jours parce qu'il parlait des Matarèse, mais quelles sont vos raisons à vous, *signore* ?

– J'ai moi aussi parlé des Matarèse, précisément à ces hommes auprès de qui je cherchais conseil. Mon pays, qui m'avait jusque-là accordé le plus large crédit, a lancé l'ordre de m'abattre. »

La vieille femme resta silencieuse un instant, puis à nouveau apparut ce pâle sourire sur ses lèvres ridées.

« Le *padrone* est de retour.

– Expliquez-vous, je vous en prie, dit Taleniekov. Nous avons été francs avec vous.

– Est-ce que votre ami est mort ? demanda l'aveugle.

– Le lendemain. On l'a enterré avec les honneurs militaires, il y avait droit. Il avait mené une vie remplie de violence sans montrer la moindre crainte. Pourtant, à la fin, les Matarèse le terrorisaient.

– Le *padrone* le terrorisait, fit la vieille femme.

– Mon ami ne connaissait pas Guillaume de Matarèse.

– Il connaissait ses disciples. C'est suffisant. Il vit en eux, c'est leur Christ. Et comme le Christ, il est mort pour eux.

– Le *padrone* est leur Dieu ? interrogea Bray.

– Et leur prophète, *signore*. Ils croient en lui.

– Et que croient-ils ?

– Qu'ils hériteront de la terre tout entière. C'est ça sa vengeance. »

15

TANDIS qu'elle fixait de ses yeux vides le mur qui se trouvait devant elle, la vieille femme se mit à parler doucement.

C'est dans un couvent de Bonifacio qu'il me trouva. Il offrit une magnifique somme d'argent à la mère supérieure en disant : « Rendez à César ce qui appartient à César. » La religieuse fut obligée de reconnaître que je n'avais pas la vocation. J'étais coquette et ne prenais aucun intérêt à l'étude. Je passais une grande partie de mon temps devant les vitres sombres qui me renvoyaient l'image de mon visage et de mon corps. Je serais donc, plutôt qu'à Dieu, consacrée à un homme. Et cet homme était le padrone.

A dix-sept ans, un monde fabuleux s'ouvrit devant moi. Des attelages harnachés d'or et d'argent, à la crinière flottante me conduisaient dans la montagnes et dans les bourgs. Dans les plus belles boutiques, je pouvais céder à toutes mes tentations. Je pouvais tout avoir et j'avais envie de tout. J'étais issue d'une pauvre famille de bergers. Mon père craignait Dieu et ma mère remercia le Christ quand je suis entrée au couvent. Je ne les ai jamais revus.

Le padrone était toujours à mes côtés, il était le seigneur et j'étais son page. Nous parcourions le pays pour rendre visite aux meilleures familles. En riant il me présentait comme sa protetta; l'allusion était claire pour tous, et on riait avec lui. Sa femme était morte et il avait, à cette époque, plus de soixante-dix ans. Il voulait que les gens sachent – en particulier ses deux fils – qu'il avait encore la force et l'énergie de la jeunesse, qu'il pouvait combler une jeune femme comme font peu d'hommes.

On engagea des professeurs pour m'apprendre les

belles manières et les beaux-arts : la musique, la littérature, même l'histoire et les mathématiques. J'appris le français qui était alors la langue à la mode parmi les dames de la bonne société. C'était une vie magnifique. Nous allions souvent à Rome en bateau, et de là nous gagnions la Suisse, la France, Paris. Le padrone faisait ce genre de voyage à peu près deux fois par an. C'était dans ces pays que se trouvait le siège de ses sociétés. Il en avait confié l'administration à ses deux fils qui lui rendaient compte, en détail, de tout ce qu'ils faisaient.

Durant trois ans, je fus la femme la plus heureuse de la terre, le padrone me permettait de jouir de tous ses trésors. Et puis, cet univers s'effondra. En moins d'une semaine, tout s'écroula, Guillaume de Matarèse était devenu fou.

Des hommes d'affaires de Zurich, de Paris, des agents de change de Londres vinrent le trouver – à cette époque, le monde financier était en ébullition – et lui apprirent qu'au cours des quatre derniers mois ses fils avaient commis des erreurs terribles, pris des décisions insensées et même, et c'était le pire, s'étaient engagés dans des opérations et des spéculations malhonnêtes. Ils avaient, en particulier, mis d'énormes sommes d'argent à la disposition d'hommes peu recommandables qui agissaient en dehors de la légalité et des règles s'appliquant au monde de la banque. Les gouvernements en France et en Angleterre avaient exigé la fermeture de ses sociétés, interdit toute opération financière et tout transfert de fonds. En dehors de l'argent qu'il avait sur des comptes à Gênes et à Rome, Guillaume de Matarèse était un homme ruiné.

Par télégramme, il convoqua ses deux fils à Porto-Vecchio. Il voulait avoir le récit complet de leurs erreurs. La réponse à ses télégrammes le frappa comme la foudre, il ne fut plus jamais le même.

De Paris et de Londres, on l'informa, par la voie officielle, que ses deux fils étaient morts. L'un s'était suicidé et l'autre avait été tué – disait-on – par un des hommes qu'il avait ruinés. Le padrone n'avait plus rien à quoi se raccrocher. Son univers venait de voler en éclats. Il s'enferma dans sa bibliothèque pendant des jours et des jours. Il n'en sortait même pas pour prendre ses repas : on déposait des plateaux devant sa porte fermée. Il ne parlait à personne. Il ne venait plus me rejoindre au lit. Il se tuait lentement, mais aussi sûrement que s'il s'était enfoncé un poignard dans la poitrine.

Puis un jour, un homme arriva de Paris et insista pour être conduit auprès du padrone. C'était un journaliste qui avait suivi de très près la chute des sociétés appartenant à Guillaume de Matarèse. Ce qu'il raconta était incroyable. Son récit ne fit que plonger plus avant le padrone dans la folie.

La perte de ses sociétés était due à une manœuvre de banquiers travaillant en accord avec leur gouvernement. On avait trompé ses deux fils, on leur avait fait signer des documents douteux, on les avait fait chanter – les poussant à la ruine – à propos de questions de mœurs. Finalement on les avait assassinés. Le récit falsifié de leur mort avait été admis par les autorités sans difficulté.

C'était fou. Pourquoi avait-on agi de la sorte envers le grand padrone ? On lui avait volé ses sociétés, on avait tué ses fils. Mais qui donc avait eu un tel dessein ?

Le journaliste donna, en partie du moins, une réponse : l'Europe ne voulait pas être de nouveau sous la botte d'un Corse dément. Le padrone comprit immédiatement. Certes Edouard VII était mort, mais les traités qu'il avait signés avec la France permettaient à de grandes compagnies d'amasser d'énormes profits aux Indes, en Afrique, à Suez. Malheureusement le padrone était corse. En dehors de s'enrichir à leurs dépens, il ne s'intéressait pas aux Français et encore moins aux Anglais. Non seulement, il avait refusé de prendre des parts dans les nouvelles sociétés et les nouvelles banques, mais il s'était, à chaque occasion, opposé à elles. Il avait demandé à ses fils de déjouer leurs manœuvres. La fortune des Matarèse interdisait à des hommes puissants de réaliser leurs projets.

Pour le padrone, c'était une sorte de jeu. Pour les administrateurs des sociétés françaises et anglaises, c'était un crime. Et il fallait répondre à ce crime par d'autres crimes. Ces compagnies et ces banques contrôlaient leurs gouvernements. La justice, la police, les hommes politiques, les hauts fonctionnaires, les rois et les présidents sont toujours au service des hommes qui possèdent des fortunes considérables. Cela ne changera jamais. C'est à cause de cela que le padrone a été atteint de la pire des folies. Il allait trouver un moyen d'anéantir les corrupteurs et les corrompus. Il allait jeter les gouvernements, partout dans le monde, dans le plus incroyable chaos. Car c'était dans les sphères gouvernementales qu'on trompait la confiance des gens. Sans la coopération des milieux officiels, ses fils seraient encore vivants, son univers n'aurait pas été détruit. Si l'on parvenait à plonger les gouvernements dans la confusion, les compagnies et les banques françaises et anglaises perdraient leurs protecteurs.

« Ah ! ils s'inquiètent d'un Corse fou ! Ils vont l'avoir, mais ils ne sauront pas où il se trouve. »

Nous allâmes à Rome une dernière fois. Non plus dans de magnifiques équipages mais comme de modestes gens. Nous trouvâmes un logement bon marché dans la via Due Macelli. Le padrone passait ses jours plongé dans la Borsa Valori pour avoir des renseignements sur les grandes familles qui avaient été conduites à la ruine.

Nous revînmes en Corse. Il écrivit cinq lettres qu'il adressa à des hommes vivant dans cinq pays différents. Il les invitait à venir secrètement à Porto-Vecchio, le plus rapidement possible, pour s'entretenir avec lui de leurs propres affaires. Tout le monde se souvenait du grand Guillaume de Matarèse. Personne ne refusa.

Les préparatifs furent extraordinaires. La Villa Matarèse n'avait jamais été aussi belle. Les jardins merveilleusement ordonnés étaient un chatoiement de couleurs, les pelouses étaient d'un vert éclatant. Les murs de la grande maison, des dépendances, des écuries furent repeints de frais, les chevaux étrillés. Les pelages luisaient comme des bronzes, c'était de nouveau le domaine d'un enchanteur. Le padrone se trouvait partout à la fois, s'occupant de tout, exigeant le meilleur de chacun. Il avait retrouvé une étonnante vitalité mais ce n'était pas la vitalité que nous avions connue. Il y avait maintenant quelque chose de dur, de cruel en lui.

« Il faut qu'ils s'en souviennent, ma fille, me criait-il dans la chambre à coucher. Il faut qu'ils se souviennent de ce qui, naguère, leur appartenait. »

Il couchait de nouveau avec moi, mais ce n'était plus du tout la même chose. Sa virilité s'était transformée en une force brutale. La joie s'était évanouie à jamais.

Si tous les gens de la maison, des écuries, des champs avaient su alors ce que nous devions apprendre plus tard, nous l'aurions tué dans la forêt. Moi, qui devais tout au grand padrone, l'aimais comme un père et l'adorais comme un amant, je l'aurais poignardé de mes propres mains.

Le grand jour arriva. Les bateaux, toutes voiles dehors, arrivèrent à l'aube, de Lido di Ostia. Des voitures allèrent à Porto-Vecchio chercher les invités prestigieux de la Villa Matarèse. Ce fut une journée splendide : musique dans les jardins, de longues tables couvertes des mets les plus délicats et des meilleurs vins. Les grands crus de toute l'Europe vieillissaient depuis des décennies dans les caves du padrone.

Chaque invité avait un appartement possédant un grand balcon avec une vue magnifique. On avait mis aussi à sa disposition – et ce n'était pas le moindre des avantages – une petite putain pour satisfaire ses désirs au cours de l'après-midi. Aussi belles que le vin était bon, elles faisaient très certainement partie des plus belles filles de l'île.

A la tombée de la nuit, les invités se retrouvèrent dans la salle d'honneur pour assister au plus magnifique banquet jamais donné dans la Villa Matarèse. A la fin du repas, les serviteurs placèrent des flacons de cognac devant chaque invité et se retirèrent dans les cuisines. Quant aux musiciens, ils retournèrent dans les jardins pour continuer leur concert. A nous, les jeunes filles, on demanda de remonter dans les étages en attendant nos maîtres.

Nous étions, les filles et moi, émoustillées par les vins généreux, mais il y avait une grande différence entre nous. J'étais la protetta de Guillaume de Matarèse, et je savais qu'un événement historique était en train de se dérouler. C'était mon padrone, mon amant. Je souhaitais de tout mon cœur être mêlée à ce qui se passait. De plus, pendant trois ans, j'avais suivi les cours de mes professeurs et, sans être une femme vraiment cultivée, je m'intéressais à des choses bien différentes de celles qui remplissaient le babillage de ces simples filles des collines.

Je m'écartai doucement du groupe pour me cacher derrière la balustrade de la galerie qui entourait la salle d'honneur et je restai là pendant des heures à regarder et à écouter, ne comprenant à peu près rien de ce que disait le padrone. Il essayait de convaincre ses interlocuteurs. Sa voix, par moments à peine audible, s'enflait, quelques instants plus tard, au point de paraître fiévreuse.

Il parlait des siècles passés, lorsque des hommes gouvernaient des empires par droit divin et grâce à leurs propres forces. Ces hommes avaient un pouvoir absolu parce qu'ils étaient capables de se protéger de leurs ennemis, de ceux qui convoitaient leurs royaumes et les fruits de leurs travaux. Malheureusement, ces jours étaient révolus. Les grandes familles, les grands bâtisseurs d'empires – tels ces hommes qui se trouvaient dans cette pièce – étaient maintenant dépouillés de leurs biens par des voleurs et par des gouvernements corrompus, composés de criminels. Il fallait donc que ces hommes exceptionnels, ceux-là mêmes qui se trouvaient dans cette pièce, pussent rentrer en possession de leurs biens par de nouveaux moyens.

Avec prudence, avec perspicacité, avec astuce et courage, ils devaient abattre leurs ennemis, diviser les voleurs et ceux qui les protégeaient. Bien entendu il ne fallait pas se salir les mains. Ils devaient simplement prendre les décisions, choisir les victimes, parmi celles proposées par les corrompus. Toutes les personnes présentes en ce moment dans cette salle feraient partie du conseil des Matarèse. On informerait discrètement les hommes au pouvoir qu'une société secrète, qui comprenait la nécessité de changements brusques et violents, était capable de fournir les moyens appropriés à cet effet. Elle garantissait, évidemment, que les actions entreprises seraient toujours conduites de manière à empêcher qui que ce fût de remonter à la personne ayant donné l'ordre d'exécution.

Il continua pendant longtemps à parler de choses que je ne pouvais pas comprendre, de tueurs qui, autrefois, appartenaient aux corps d'élite des pharaons et des princes arabes. On pouvait dresser des hommes à commettre des actes qui échappaient au contrôle de leur volonté, à agir dans l'ignorance la plus totale. Quelques encouragements sont souvent suffisants pour pousser certains individus sur la route du crime et du martyre. Dorénavant, ces méthodes seraient celles des Matarèse. Bien entendu, au début, les milieux politiques feraient preuve d'incrédulité, il faudrait donc leur fournir quelques exemples éclatants.

Au cours de ces prochaines années, des hommes,

sélectionnés avec soin, seraient assassinés. Ils seraient abattus dans des conditions telles que la méfiance s'insinuerait partout. Les groupes politiques se dresseraient les uns contre les autres, et les gouvernements corrompus s'empoigneraient à la gorge. Le monde politique tout entier serait plongé dans le chaos et dans un bain de sang. Le message serait parfaitement clair : les Matarèse ne sont pas un leurre.

Le padrone donna à chacun de ses invités quelques pages dans lesquelles étaient exprimées ses idées. Ses écrits seraient un guide sûr pour les membres du conseil. Il fallait à tout prix éviter que des yeux étrangers pussent en prendre connaissance. Ces quelques feuilles étaient les dernières volontés et le testament de Guillaume de Matarèse... Ceux qui se trouvaient dans cette pièce étaient ses héritiers.

Vos héritiers ? demandèrent les invités, aimablement mais sans détour. En dépit de l'éclatante Villa, du nombre des serviteurs et des musiciens, de la merveilleuse fête, tout le monde savait que le padrone était ruiné – exactement comme eux. Ils n'étaient plus, maintenant, que de petits propriétaires avec du vin dans leur cave et quelques fermes entourées de terre dont les loyers leur permettaient de garder une apparence d'aisance. On pouvait exceptionnellement organiser un magnifique banquet, mais c'était tout.

Le padrone ne répondit pas immédiatement à leurs questions. Il demanda personnellement à chacun de ses invités s'il était d'accord avec les idées exprimées plus tôt, s'il acceptait de devenir un consigliere des Matarèse.

Tous répondirent avec véhémence qu'ils partageaient entièrement les vues du padrone. On leur avait fait un tort considérable et ils voulaient maintenant prendre leur revanche. A cet instant, Guillaume de Matarèse leur apparaissait comme un saint.

Un seul, un Espagnol, aux sentiments religieux profondément enracinés, s'éleva contre de tels projets. Il parla de Dieu et de ses commandements. Il traita le padrone de fou, de monstre diabolique.

« Vous pensez que c'est le diable qui m'inspire ? demanda le padrone.

– Oui », répondit l'Espagnol.

C'est alors que prit place la première des choses terribles. Le padrone sortit son revolver de sa ceinture, leva son arme en direction de la tête de l'homme et tira. Les invités se levèrent d'un seul mouvement.

« Ce n'était pas possible de le laisser sortir vivant de cette pièce », dit le padrone.

Comme si rien ne s'était passé, les invités retournèrent s'asseoir. Leurs yeux étaient maintenant fixés sur cet homme redoutable, capable de tuer avec un tel sang-froid. Peut-être craignaient-ils aussi pour leur vie. Il est difficile de se prononcer là-dessus. Le padrone poursuivit :

« Vous tous, dans cette pièce, vous êtes mes héritiers. Vous appartenez dorénavant au conseil des Matarèse. Vous et les vôtres ferez ce que je ne pourrai plus faire. Je suis trop âgé, et la mort est toute proche de moi, bien plus proche que vous ne le croyez. Vous allez réaliser ce que je vous demande. Vous apporterez la discorde entre les corrupteurs et les corrompus, vous apporterez le chaos partout, et, grâce à la grandeur de votre projet, votre héritage sera bien plus grand que ce que je vais vous laisser. Vous hériterez de la terre entière. Vous retrouverez toutes vos possessions.

– Qu'avez-vous ? Que pouvez-vous nous laisser ? demanda l'un des invités.

– Une fortune à Gênes et une autre à Rome. Les fonds ont été transférés suivant les instructions données dans ce document, une copie a été déposée dans chacune de vos chambres. Vous y lirez aussi les conditions à remplir pour entrer en possession de l'argent. Personne n'est au courant de l'existence de ces fonds. Vous aurez ainsi un certain nombre de milliards pour commencer votre œuvre. »

Les invités frappés d'étonnement, restaient silencieux. Enfin l'un d'eux parla :

« Votre œuvre, dites-vous ? Pourquoi pas la nôtre ?

– Ce sera en effet la nôtre, mais je ne serai plus là. Je vais vous léguer quelque chose de plus précieux que tout l'or du Transvaal. Je vais vous octroyer l'anonymat le plus complet. Je parle pour chacun d'entre vous. Personne au monde ne saura jamais que vous vous êtes réunis ici aujourd'hui. Personne n'aura jamais la moindre idée de votre nom, de votre apparence, de votre élocution. Il sera absolument impossible de remonter jusqu'à vous. Vous n'aurez même pas à vous inquiéter des bavardages inconsidérés d'un vieillard sénile. »

Plusieurs des invités protestèrent – assez mollement à vrai dire –, mais avec raison. Il y avait tant de monde dans la Villa Matarèse ce jour-là. Les serviteurs, les lads, les musiciens, les filles...

Le padrone leva la main. Elle ne tremblait pas, ses yeux étincelaient.

« Je vais vous montrer la voie. Vous ne devez jamais vous écarter de la violence. Elle doit faire partie de l'air que vous respirez. Elle fait partie de la vie. Elle vous est indispensable pour mener à bien votre œuvre. »

Il abaissa la main. L'atmosphère tranquille et élégante de la Villa Matarèse fut, en un instant, remplie de coups de feu et de cris. La mort était partout. Les premiers coups de feu partirent des cuisines. Le bruit était assourdissant : la verrerie, la porcelaine volaient en éclats, les cuivres produisaient d'étranges sons. Les serveurs, les cuisiniers furent abattus alors qu'ils essayaient de s'échapper en passant par la porte qui donnait dans la salle d'honneur. Leurs visages, leurs poitrines, leurs mains étaient couverts de sang. Soudain, dans les jardins, la musique s'arrêta. On entendit des supplications, des prières couvertes en un instant par le crépitement des armes à feu. Peu après parvinrent les cris suraigus des jeunes courtisanes ignorantes : les filles des collines étaient massacrées sans pitié dans les étages. Ces enfants, encore vierges quelques heures plus tôt, qui avaient été dépucelées par des hommes qu'elles n'avaient jamais vus, étaient maintenant entraînées dans la mort à cause des ordres donnés par Guillaume de Matarèse.

Je me plaquai dans l'ombre du mur du balcon, ne sachant que faire, tremblante, terrifiée au-delà de ce qu'on peut imaginer. La fusillade s'arrêta. Le silence qui suivit était peut-être encore plus terrible que les cris. C'était un silence de mort.

J'entendis un pas de course – trois ou quatre hommes, je ne sais pas exactement, descendaient l'escalier à toute vitesse. C'étaient les tueurs. Ils jaillirent de la porte. Je pensai : Oh ! mon Dieu, ils me cherchent. Je me trompais. Ils se dirigeaient vers un lieu de rassemblement du côté de la véranda. Mais je ne pouvais en être sûre, tout se passait si vite. En bas, dans la salle d'honneur, les quatre invités étaient figés sur place. Rien que par la force de sa volonté, le padrone les tenait immobiles sous son regard.

Ensuite, j'entendis les derniers coups de feu, ceux qui devaient probablement précéder ma mort. On tira trois fois. Je compris tout de suite ce qui se passait. Les tueurs venaient d'être abattus. Un homme avait reçu des ordres.

De nouveau, le silence. La mort semblait danser comme une ombre sur les murs de la salle d'honneur à la lueur des candélabres. Le padrone reprit la parole.

« C'est fini. C'est presque fini. Tout le monde, en dehors de vous assis à cette table, est mort. A l'exception d'un homme que vous ne reverrez jamais. C'est lui qui vous conduira dans une voiture aux rideaux tirés à Bonifacio. Là, vous pourrez vous mêler aux noctambules et prendre, dans la matinée, un des bateaux bondés se dirigeant vers Naples. Vous disposez de quinze minutes pour préparer vos affaires et vous retrouver sur le perron. Aucun domestique, je le crains, ne pourra porter vos valises.

— Et vous, padrone ? demanda dans un souffle un des invités.

— En dernier lieu, et pour vous servir d'exemple, je vais vous faire le don de ma vie. Souvenez-vous de moi. Je suis la voie. Allez de l'avant, oh ! vous mes disciples. Mettez en pièces les corrupteurs et les corrompus. (Il était dans un état de folie furieuse, ses cris se répercutaient dans toute la grande maison remplie de morts.) Entrare ! »

Un jeune enfant, un berger des collines, entra par la grande porte qui donnait sur la véranda. Il tenait un pistolet dans ses deux mains : l'arme était lourde. Il s'approcha du maître de céans.

Le padrone leva les yeux au ciel et parla comme s'il s'adressait à Dieu.

« Faites ce que je vous ai demandé. Un enfant innocent va éclairer votre route ! »

Le petit berger leva le bras et déchargea son arme dans la tête de Guillaume de Matarèse. »

La vieille femme avait fini son récit, ses yeux aveugles étaient remplis de larmes.

« Maintenant je dois me reposer.

— Nous devons vous poser quelques questions, madame. Vous devez vous en douter, n'est-ce pas ? dit Taleniekov, raide comme une statue.

— Plus tard », dit Scofield.

16

Le jour se levait derrière les montagnes tandis que des nappes de brouillard flottaient encore au-dessus des champs qui entouraient la ferme. Taleniekov trouva du thé et, avec la permission de la vieille femme, fit bouillir un peu d'eau sur le poêle à bois.

Scofield but lentement sa tasse en regardant le petit torrent par la fenêtre. Il fallait parler de nouveau. Il y avait tellement de contradictions entre les affirmations de l'aveugle et des faits qu'on supposait établis. Et tout d'abord, il y avait une première question. Pourquoi leur avait-elle raconté tout ça ? Selon ce qu'elle répondrait, on verrait s'il était possible d'accorder quelque crédit à ce qu'elle avait dit.

Bray quitta la fenêtre pour regarder la vieille femme assise dans son fauteuil près du feu. Taleniekov lui avait apporté une tasse de thé, et elle le buvait à petites gorgées avec une élégance qui était peut-être un reste des leçons de maintien qu'elle avait reçues à l'âge de dix-sept ans. Le Russe s'agenouilla près du chien pour le caresser – il voulait lui rappeler ainsi qu'ils étaient amis. Il leva la tête au moment où Scofield s'avançait vers la vieille femme.

« Nous vous avons donné nos noms, *signora*, dit Bray en italien. Quel est le vôtre ?

– Sophia Pastorine. Si on se donne la peine de chercher, je suis sûre qu'on peut le trouver dans les registres du couvent de Bonifacio. C'est pourquoi vous me le demandez, n'est-ce pas ? Pour pouvoir vérifier ?

– Oui, si nous pensons que c'est nécessaire et si nous en avons l'occasion.

– Vous trouverez mon nom. Il est possible que celui du *padrone* soit donné comme étant celui de mon bienfaiteur, de l'homme à la garde de qui j'étais confiée, en tant que future épouse d'un de ses fils, peut-être. Je ne sais pas.

— Alors nous devons vous croire, dit Taleniekov en se levant et en traversant la pièce pour s'approcher du fauteuil de Sophia Pastorine. Vous ne seriez pas stupide au point de nous diriger vers une telle source si vos informations n'étaient pas vraies. Les registres falsifiés sont facilement reconnaissables, de nos jours. »

La vieille femme sourit, un sourire qu'elle arrachait à sa tristesse.

« Je ne comprends rien à ce genre de chose, mais j'imagine facilement vos doutes. (Elle posa sa tasse de thé sur le coin du feu.) Mais ma mémoire ne me fait nullement défaut. J'ai dit la vérité.

— Alors ma première question est sans doute la plus importante que nous vous poserons, dit Bray en s'asseyant. Pourquoi nous avez-vous raconté cette histoire ?

— Parce qu'il fallait qu'elle soit connue, et personne d'autre ne pouvait la raconter. Je suis la seule survivante.

— Il y avait aussi un homme, coupa Scofield. Et un petit berger.

— Ils n'étaient pas dans la salle d'honneur, et ils n'ont pas entendu ce que j'ai entendu.

— Avez-vous déjà raconté tout ça auparavant ? demanda Taleniekov.

— Jamais.

— Pourquoi ?

— A qui l'aurais-je raconté ? Je reçois peu de visites, et les rares personnes qui viennent me voir sont celles qui montent dans la vallée pour m'apporter les choses dont j'ai besoin. Leur raconter cette histoire aurait été les condamner à mort, car elles n'auraient pas pu s'empêcher de la répéter.

— Alors l'histoire est connue, lança l'homme du K.G.B.

— Pas ce que je vous ai dit.

– Mais il y a un secret enfoui dans ces collines. On a essayé de me faire partir, et lorsque j'ai refusé on a tenté de me tuer.

– Ma petite-fille ne m'avait pas dit ça, s'écria l'aveugle l'air surpris.

– Elle n'en a guère eu le temps », dit Bray.

La vieille femme semblait ne pas avoir entendu, son attention était toujours tournée vers le Russe.

« Qu'avez-vous dit aux gens des collines ?

– J'ai posé des questions.

– Vous devez avoir fait autre chose. »

Taleniekov fronça les sourcils, il essayait de se souvenir.

« J'ai provoqué l'aubergiste. Je lui ai dit que je reviendrais avec un tas de gens, avec des chercheurs possédant des documents sur l'histoire de Guillaume de Matarèse.

– Quand vous partirez d'ici, ne repassez pas par le même chemin. N'emmenez pas non plus mon arrière-petite-fille avec vous. Promettez-le-moi. S'ils vous trouvent, ils vous tueront.

– Nous en sommes parfaitement conscients, dit Bray. Nous aimerions savoir pourquoi.

– Toutes les terres de Guillaume de Matarèse ont été léguées aux gens des collines. Ils sont devenus les héritiers de dizaines de milliers d'hectares de champs, de prairies, de forêts. Tout a été enregistré dans les archives de la mairie de Bonifacio. Ce jour-là, on a dansé dans tous les villages. Mais il y avait un prix. Et sans doute la justice s'en serait-elle mêlée et les terres auraient-elles été reprises si ce prix avait été connu. »

L'aveugle s'arrêta. Peut-être était-elle en train d'évaluer un autre prix, celui qu'elle aurait à payer en trahissant le terrible secret.

« Je vous en prie, *signora* Pastorine, dit Taleniekov en s'avançant sur sa chaise.

« Oui, murmura-t-elle la vieille femme, cela doit être raconté... »

Il fallait faire vite de crainte de l'arrivée d'intrus à la Villa Matarèse sur les lieux du carnage. Les invités mirent en ordre leurs papiers et se précipitèrent dans leurs appartements. Je restai dans l'ombre du balcon. J'avais mal partout. L'horreur de la mort me cernait de toute part. Je ne peux dire combien de temps je suis restée là. A un moment donné, j'entendis un bruit de pas précipités dans l'escalier : les invités se rendaient au rendez-vous prévu. Ensuite les grandes roues d'une voiture résonnèrent sur le dallage, des chevaux se mirent à hennir. Quelques minutes plus tard, la voiture était emportée dans un bruit de sabots et de claquements de fouet.

Je rampai alors en direction de la porte du balcon. J'étais incapable de réfléchir; mes yeux étaient encore remplis de l'éclat des coups de feu. Je fus prise d'un tremblement nerveux qui m'empêchait d'avancer. J'appuyai mes mains contre le mur, espérant trouver quelque chose à quoi je pourrais m'agripper. Un cri me jeta de nouveau contre le sol. C'était un cri terrible, le cri d'un enfant, un cri glacial et autoritaire.

« Attualmente ! E presto detto ! »

Depuis la véranda, le jeune berger lançait des ordres. Les cris de l'enfant augmentèrent encore l'impression de folie qui régnait dans la maison. C'était un enfant... et c'était un tueur.

Je réussis à me remettre debout et me précipitai en direction de l'escalier. Je me préparais à le descendre pour gagner la campagne et l'obscurité lorsque j'entendis de nouveaux cris. Je vis la silhouette d'hommes qui couraient devant les fenêtres. Ils portaient des torches; en quelques secondes, ils envahirent le rez-de-chaussée.

Je ne pouvais plus descendre. Je courus donc vers le haut de la maison. J'étais dans un tel état de panique que je ne savais plus très bien ce que je faisais. Tout ce que je voulais c'était courir... courir.

Soudain, j'eus l'impression qu'une main invisible cherchait à me guider, à me sauver. J'entrai dans la lingerie. Les morts étaient partout, allongés sur le sol, couverts de sang. Il me semblait que des cris sortaient encore de leurs bouches tordues par la peur. Les cris que j'entendais à ce moment-là n'étaient pas réels, mais ceux des hommes dans l'escalier l'étaient. Ma dernière heure était arrivée. Je ne pouvais plus rien faire. J'allais être prise. Je serais tuée...

Puis cette même main qui m'avait fait venir dans cette pièce m'obligea à faire une chose terrible. Je m'allongeai parmi les morts. Je plongeai mes mains dans le sang de mes sœurs et m'en barbouillai le visage et les bras, j'en couvris mes vêtements. Je me laissai tomber sur les corps de mes compagnes et j'attendis.

Les hommes entrèrent dans la lingerie. Certains firent le signe de croix, d'autres bredouillèrent des prières, mais personne ne recula devant la tâche à accomplir. Les heures qui suivirent furent un cauchemar, imaginé par le diable en personne.

Les corps de mes compagnes et moi-même fûmes portés dans l'escalier et jetés sans ménagement au-delà du perron de marbre dans l'allée qui conduisait à la Villa Matarèse. Des charrettes qui se trouvaient dans les écuries furent amenées devant la maison et se trouvèrent rapidement remplies de cadavres. Mes compagnes et moi-même fûmes empilées dans une de ces voitures pleines de morts, comme des détritus.

L'odeur de vomi et de sang était si puissante que je devais enfoncer mes dents dans ma propre chair pour m'empêcher de crier. Malgré les corps qui me recouvraient, je pouvais entendre des hommes donner des ordres à travers les planches de la charrette. Il ne fallait rien voler dans la Villa Matarèse. Tout acte de pillage amènerait immédiatement la mort de son auteur. On allait laisser un tas de corps à l'intérieur pour que de la chair et des os carbonisés fussent trouvés ultérieurement.

Les charrettes se mirent en branle. Nous avançâmes d'abord lentement puis, dès que nous fûmes arrivés dans la campagne, on fouetta les chevaux férocement. Nous passions comme une tornade parmi les arbres et les rochers. C'était comme si nos gardes voulaient fuir l'enfer. Il y avait des morts au-dessus de moi, des morts en dessous. Je demandai à Dieu qu'il me fît mourir aussi. Néanmoins je ne criais pas, car je craignais les souffrances de la mort. La main invisible qui m'avait conduite jusqu'alors me fermait la bouche. Finalement le Seigneur eut pitié de moi : je m'évanouis. Je ne sais combien de temps je restai inconsciente, probablement longtemps.

Quand je me réveillai, les charrettes étaient arrêtées. Je réussis à regarder à travers les corps et les interstices des planches. La lune éclairait la campagne. Nous nous trouvions au milieu d'une colline boisée, mais pas dans la montagne. Je ne reconnaissais pas le paysage. Nous étions certainement loin, très loin de la Villa Matarèse, mais je ne savais à quel endroit et je ne le sais toujours pas.

Le cauchemar final commença. Ils nous sortirent des charrettes et nous jetèrent dans une fosse commune. Chaque cadavre était empoigné sous les bras et par les pieds pour être lancé au beau milieu du trou. La chute fut brutale, je me mordais la paume de la main pour m'empêcher de devenir folle. J'ouvris les yeux et me mis à vomir. Tout autour de moi, ce n'était que visages morts, membres tordus, bouches béantes, carcasses saignantes, déchirées, qui quelques heures avant avaient été des êtres humains en bonne santé.

La fosse était immense, large et profonde – et curieusement il me sembla qu'elle avait la forme d'un cercle. Des bords me parvenait la voix des fossoyeurs. Quelques-uns pleuraient, d'autres demandaient à Dieu de leur pardonner. Certains voulaient qu'on allât chercher un prêtre pour bénir les morts, pour sauver toutes ces âmes. Les autres s'y opposèrent. Ce n'étaient pas eux les meurtriers, ils avaient été simplement désignés pour mettre les choses en ordre. Dieu sûrement comprendrait.

Basta ! C'était le prix qu'il fallait payer pour le bien des générations à venir. Les collines leur appartenaient, maintenant. Les champs, les prairies, les ruisseaux et les forêts étaient à eux. Ils n'allaient pas renoncer à tout ça maintenant. Ils avaient signé un pacte avec le padrone qui avait prévenu les anciens que ce n'était qu'en portant à la connaissance du gouvernement la conspirazione que les terres pourraient leur être reprises. Le padrone était un homme de grand savoir, il connaissait les lois, il savait comment agir devant les tribunaux. Ces pauvres paysans ignoraient tout de ces choses, ils devaient se conduire exactement comme il leur avait demandé de le faire, sinon la terre leur serait reprise.

Il n'était pas question d'amener un prêtre de Porto-Vecchio ou de Sainte-Lucie ou de quelque endroit que ce fût. Il ne fallait surtout pas que le récit de ce qui s'était passé se répandît en dehors des collines. Ceux qui n'étaient pas de cet avis pouvaient se joindre aux morts, le secret devait être tenu fermement. La terre leur appartenait !

Tout était parfaitement clair. Les hommes reprirent leur pelle en silence et commencèrent à recouvrir les corps. J'allais mourir, ma bouche et mes narines allaient se remplir de terre. Heureusement, la plupart des hommes, lorsqu'ils sont pris au piège de la mort, trouvent souvent le moyen de s'en échapper en se servant d'astuces auxquelles ils n'auraient jamais pensé auparavant. C'est ce qui se passa pour moi.

Au fur et à mesure que les couches de terre s'entassaient dans la fosse circulaire, je levais ma main dans les ténèbres pour faire un trou qui me permît de respirer. A la fin, le trou était minuscule mais néanmoins suffisant pour laisser passer l'air de Dieu; la main invisible avait guidé la mienne pour me garder en vie.

Ce n'est que des heures plus tard que je tentai de remonter à la surface comme un petit animal aveugle obéissant à son instinct. Quand finalement ma main sentit le vide, l'air humide de la nuit, je me mis à sangloter d'une manière convulsive. J'avais pourtant une peur affreuse qu'une oreille étrangère surprît mes gémissements.

Grâce à Dieu, tout le monde était parti. Je rampai pour atteindre les bords de la fosse, puis je me relevai pour quitter le plus vite possible cet endroit de la mort. Au milieu d'une prairie, je vis le soleil se lever derrière les montagnes. J'étais vivante, mais la vie semblait m'être interdite. Je ne pouvais pas retourner dans les collines car j'y serais tuée. Pourtant, il ne m'était pas non plus possible d'aller ailleurs, de gagner une autre partie du pays. Dans cette île, à cette époque, c'était une chose totalement interdite à une jeune femme. Je ne pouvais me confier à personne, depuis trois ans j'étais la captive volontaire du padrone. Mais ce n'était pas non plus possible de mourir simplement dans cette prairie alors que la lumière de Dieu illuminait le ciel. Voyez-vous, quelque chose me poussait à vivre.

J'essayai de réfléchir à ce que je pourrais faire, où je pourrais aller. De l'autre côté des collines, au bord de la mer, se trouvaient de grandes propriétés qui appartenaient à d'autres padroni, des amis de Guillaume. Je me demandais ce qui se passerait si je me présentais devant eux pour les prier de m'accorder abri et protection. Ce n'était pas quelque chose à faire. Ces hommes n'avaient rien à voir avec moi, ils étaient mariés, ils avaient une famille. Je n'étais que la petite putain de la Villa Matarèse. Du vivant de Guillaume, on avait toléré ma présence, on m'avait fait fête, car le grand homme n'aurait pas accepté

*que les choses se passent autrement. Lui mort, ma
vie ne tenait qu'à un fil.*

*Puis je pensai à quelque chose. Il y avait un
homme qui s'occupait des écuries dans une propriété
à Nonza. Il avait toujours été extrêmement gentil
avec moi lorsque nous rendions visite à son maître
et que je montais ses chevaux. Il me souriait et me
donnait un tas de conseils pour trouver mon assiette
en selle. Il voyait bien que je n'étais pas née dans
une famille possédant des écuries. Je l'avais admis
volontiers et nous en avions ri ensemble. J'avais
aussi surpris un certain éclat dans son regard. J'étais
habituée au désir des hommes, mais ses yeux trahis-
saient autre chose, ils exprimaient de la gentillesse,
de la compréhension et peut-être même du respect —
non pas pour ce que j'étais, mais pour ce que je ne
me donnais pas la peine de paraître.*

*Je regardai le soleil levant : Nonza devait être sur
ma gauche, probablement derrière les montagnes et
je partis à la recherche des écuries et de l'homme qui
s'en occupait.*

*Nous nous mariâmes. Il sut toujours que mon
enfant était celui de Guillaume de Matarèse, mais il
l'aima comme si c'était le sien. Tout au long de sa
vie, il donna à ma fille et à moi-même amour et
protection. La vie que nous menâmes au cours de
ces années ne vous intéresse pas. Elle n'a aucun rapport avec le* padrone. *Il suffit de vous dire que nous
vécûmes en toute quiétude. Nous habitions tout au
nord, à Vescovato, le plus loin possible des gens des
collines, n'osant jamais parler de leur terrible secret.
Les morts, de toute façon, ne pouvaient pas être
ressuscités. Quant au tueur et à son fils — l'homme et
le jeune berger —, ils avaient quitté la Corse.*

*Tout ce que je vous ai raconté est la pure vérité. Si
vous avez encore des doutes, je ne peux pas les dissiper.*

Le récit était terminé.

Taleniekov se leva et marcha lentement vers le poêle.

« *Perro nostro circulo.* Près de soixante-dix ans se sont écoulés, et ils tueraient encore pour dissimuler cette fosse commune.

– *Perdon ?* »

La vieille femme ne comprenait pas l'anglais. L'homme du K.G.B. traduisit la phrase en italien. Sophia Pastorine acquiesça.

« Le secret est transmis de père en fils. Ça fait maintenant deux générations que la terre leur appartient. Ça ne fait pas tellement longtemps. Ils ont encore peur.

– Aucune décision administrative ne pourrait leur arracher l'héritage, dit Bray. Je doute que cela ait été possible à quelque moment que ce fût. On aurait pu envoyer quelques hommes en prison pour ne pas avoir révélé le massacre. Mais qui aujourd'hui entreprendrait des poursuites ? Ils ont simplement enterré les morts, c'était un moindre rôle dans cette horrible affaire.

– Ils ont fait pire, dit l'aveugle. Ils ont empêché qu'on allât prévenir un prêtre.

– C'est une tout autre juridiction. Je ne connais rien à ce genre de problèmes. »

Scofield jeta un coup d'œil en direction de Taleniekov puis de nouveau regarda la vieille femme.

« Pourquoi êtes-vous revenue ici ?

– Plus rien ne m'en empêchait. J'étais vieille quand nous avons découvert cette vallée.

– Ce n'est pas une réponse.

– Les gens des collines ne connaissent pas la vérité sur mon compte. Ils pensent que le *padrone* m'a épargnée, qu'il m'a écartée avant que ne commence le massacre. Mais un certain nombre me craignent et me haïssent. On murmure aussi que j'ai été épargnée par Dieu pour que je les fasse se souvenir de leur péchés. Cependant, Dieu m'a aveuglée pour

316

que je ne puisse pas révéler la fosse commune dans la forêt. Je suis maintenant la putain aveugle de la Villa Matarèse. On me permet de vivre parce qu'on craint d'effacer la mémoire de Dieu. »

Taleniekov, debout près du feu, l'interrompit :

« Vous venez de dire qu'ils n'hésiteraient pas à vous tuer si vous racontiez l'histoire. Peut-être même simplement s'ils se doutaient que vous en eussiez connaissance. Et pourtant, maintenant, vous venez de nous la raconter. Vous souhaitez donc que nous la fassions connaître en dehors de Corse. Pourquoi ?

— Dans votre propre pays, un homme ne vous a-t-il pas demandé de venir pour vous communiquer des choses qu'il voulait que vous sachiez ? Oui, *signore*. Tout comme ce vieil homme, je sens que la fin de ma vie est proche, chaque respiration m'en apporte la confirmation. Apparemment, l'approche de la mort pousse ceux qui savent certaines choses sur les Matarèse à les divulguer. Je ne suis pas très sûre d'en connaître la raison. Néanmoins j'ai eu un signe. Ma petite-fille, après être descendue dans la vallée, est revenue ici en me disant que deux chercheurs s'intéressaient à l'histoire du *padrone*. Pour moi, vous étiez un signe. Je l'ai envoyée vous chercher.

— Est-elle au courant ? demanda Bray. Lui avez-vous raconté cette histoire ? Elle pourrait en avoir parlé.

— Jamais ! Elle est connue dans les collines mais elle n'appartient pas à cette région ! On l'aurait pourchassée, elle aurait été tuée. Je vous ai demandé votre parole d'honneur, *signori*, et vous me l'avez donnée. Vous n'avez plus rien à faire avec elle.

— En effet, vous avez notre parole d'honneur, répondit Taleniekov. C'est d'ailleurs grâce à nous qu'elle n'est pas dans cette pièce.

— Qu'espériez-vous en parlant avec mon associé ? demanda Bray.

— Probablement, la même chose que son ami.

Pour que des hommes regardent, à travers les vagues, les fonds sombres des grandes profondeurs. C'est là que se trouve le pouvoir qui fait bouger la mer.

– Le conseil des Matarèse murmura l'homme du K.G.B. en fixant l'aveugle.

– Oui... Je vous l'ai dit. J'écoute la radio de Rome, de Milan et de Nice. Ça se propage partout. Les prophéties de Guillaume de Matarèse sont en train de se réaliser. Ce n'est pas nécessaire d'être couvert de diplômes pour s'en apercevoir. Depuis des années, j'écoute la radio et je me demande : est-ce possible ? Est-il possible qu'ils soient encore vivants ? Puis, un soir, j'ai entendu la phrase terrible. C'était comme si le temps s'était figé. J'étais brusquement replongée dans l'ombre du balcon, au-dessus de la table d'honneur, j'entendais de nouveau les coups de feu et les cris. J'étais là de nouveau. Malgré ma cécité, je voyais le carnage en dessous de moi, et je me suis souvenue de ce que le *padrone* avait dit un moment plus tôt : « Vous et les vôtres, ferez ce que je ne peux plus faire. »

La vieille femme s'arrêta un instant, ses yeux sans vie étaient pleins de larmes.

« C'était vrai ! Il avait survécu – non pas le conseil comme il était alors, mais un nouveau conseil. *Vous et les vôtres.* Les descendants avaient survécu. Conduits par un homme dont la voix est plus coupante que le vent. »

Sophia Pastorine s'interrompit de nouveau, ses mains fragiles, aux doigts délicats, s'emparèrent des bras du fauteuil. Elle se dressa et chercha de la main gauche la canne qui se trouvait près du feu.

« La liste, il vous la faut, *signori.* Je l'ai arrachée à une robe couverte de sang, voilà près de soixante-dix ans, après avoir rampé hors de la fosse commune dans la forêt. Je l'avais placée contre ma chair malgré la peur. Je la portais sur moi, parce que je ne voulais pas oublier leurs noms et leurs titres. Je voulais que le *padrone* fût fier de moi. »

La vieille femme donnait de petits coups de canne devant elle comme elle se dirigeait vers une étagère accrochée au mur. Elle avança la main droite, et ses doigts commencèrent à se déplacer avec hésitation parmi un grand nombre de récipients. Finalement, elle trouva celui qu'elle cherchait. Elle enleva le couvercle de terre cuite pour fouiller à l'intérieur du pot et en tira un morceau de papier sali, jauni par l'âge.

« Il est à vous. Des noms qui sortent du passé. Ceci est la liste des invités qui se sont rencontrés en secret à la Villa Matarèse, le 4 avril 1911. Si en vous donnant ces noms je commets une action funeste, je demande à Dieu de me pardonner. »

Scofield et Taleniekov bondirent sur leurs pieds.

« Non, non ! s'écria Bray. Vous faites ce qu'il faut faire.

— La seule chose possible. (Vasili toucha la main de la vieille femme.) Vous permettez ? (L'aveugle lâcha le bout de papier.) C'est la clef. C'est mieux que tout ce que nous pouvions espérer.

— Pourquoi ? demanda Bray.

— Deux de ces noms vont vous surprendre, c'est le moins que l'on puisse dire. Ce sont des hommes de premier plan. Regardez. »

Taleniekov s'avança vers Scofield et lui tendit la feuille de papier, entre deux doigts pour éviter de la détériorer davantage. Bray la posa sur la paume de sa main.

« C'est incroyable. J'aimerais confier ce papier à un laboratoire pour être sûr qu'il n'a pas été écrit trois jours plus tôt.

— Ce document est authentique, fit l'homme du K.G.B.

— Je sais, et cela me terrifie.

— *Perdon ?* »

Sophia Pastorine se tenait debout près de l'étagère. Bray lui répondit en italien.

« Nous connaissons deux des noms portés sur la liste, ce sont des hommes extrêmement puissants...

– Mais ce ne sont pas eux, lança la vieille femme en frappant le sol avec sa canne. Ce ne sont pas eux ! Ce sont seulement leurs héritiers. Quelqu'un les dirige. C'est lui, l'homme !

– De quoi, de qui parlez-vous ? »

Le chien poussa un petit cri. Ni Scofield ni Taleniekov n'y portèrent attention. L'animal répondait aux éclats de voix. Il se dressa sur ses pattes et se mit à gronder. Les deux hommes, trop occupés par l'aveugle, ne le remarquaient toujours pas. La vieille femme, en revanche, se rendit compte que quelque chose n'allait pas. Elle leva la main pour imposer silence. Elle n'était plus en colère, elle avait peur.

« Ouvrez la porte. Appelez ma petite-fille. Vite.

– Que se passe-t-il ? demanda le Russe.

– Des hommes arrivent. Ils marchent au milieu des fourrés. Uccello les a entendus. »

Bray se dirigea rapidement vers la porte.

« Sont-ils encore loin ?

– Juste de l'autre côté de la crête, ils vont être ici d'un moment à l'autre. Vite. »

Scofield ouvrit la porte et cria :

« Antonia, venez ici tout de suite. »

Le chien maintenant montrait les crocs. Il tendait la tête en avant, raidissait ses pattes de devant, se préparait à se défendre ou à attaquer. Bray laissa la porte ouverte et s'approcha de la table pour prendre une feuille de laitue. Il la coupa en deux, plaça la feuille de papier jaunie entre les deux morceaux et plia le tout.

« Je garderai ceci dans ma poche, dit-il à l'homme du K.G.B.

– Je me souviens parfaitement des noms et des pays, répondit Taleniekov. Je suppose que vous avez aussi tout en mémoire. »

La grande fille arriva en courant, hors d'haleine,

sa veste militaire à moitié boutonnée. Elle tenait le *lupo* à la main et les pistolets gonflaient ses poches.

« Que se passe-t-il ?

– Votre... grand-mère dit que des hommes arrivent. Le chien les a entendus, répondit Bray.

– Ils sont sur l'autre versant, coupa la vieille femme. A cinq cents mètres, peut-être moins.

– Pourquoi viennent-ils, t'ont-ils vu, mon petit ? Ont-ils vu Uccello ?

– Certainement. Mais je n'ai rien dit, je ne me suis pas mêlée de leurs affaires. Ils n'ont aucune raison de penser...

– Ils t'ont vue aussi la veille.

– Je suis allée acheter les choses dont vous aviez besoin.

– Alors pourquoi es-tu redescendue dans la vallée aujourd'hui ? C'est ce qu'ils cherchent à savoir. Ce sont des gens des collines. Il leur a suffi de jeter un coup d'œil sur l'herbe et sur la terre pour voir que trois personnes et non une étaient montées ici. Vous devez partir tous les trois.

– Non, grand-mère, cria Antonia, ils ne nous feront pas de mal. Je leur dirai que j'ai peut-être été suivie mais que je n'en savais rien. »

La vieille femme tenait les yeux fixés droit devant elle.

« Vous avez obtenu ce que vous désiriez, *signori*, emmenez-le et emmenez-la avec vous. Partez.

– Nous lui devons bien ça, dit Bray en se tournant vers la grande fille. (Il lui arracha le fusil des mains. Elle tenta de se débattre, mais Taleniekov lui coinça le bras et s'empara du Browning et du Graz-Burya qui se trouvaient dans ses poches.) Vous voyez bien ce qui se passe par ici. Faites ce qu'on vous dit. »

Le chien se précipita vers la porte ouverte et se mit à aboyer furieusement. Au loin, portés par la brise du matin, parvenaient des bruits de voix. Des

hommes donnaient des ordres à ceux qui les suivaient.

« Partez ! insista Sophia Pastorine.

– Allons-y. (Bray poussa Antonia devant lui.)
Nous reviendrons dès qu'ils seront partis, nous
n'avons pas fini.

– Un instant, *signori !* cria l'aveugle. Je pense que
nous en avons fini. La liste de noms que vous avez
en votre possession peut vous être utile. Mais n'oubliez pas, ce ne sont que les héritiers. Cherchez celui
dont la voix est aussi coupante que le vent. Trouvez-le. Le jeune berger, c'est lui ! »

17

Ils traversèrent la prairie en courant à la lisière des
bois et grimpèrent la pente pour atteindre la crête.

L'ombre des cimes, projetée de ce côté, les empêchait d'être vus. Ils ne se trouvèrent à découvert que
durant quelques secondes. Ils s'étaient d'ailleurs préparés à toute éventualité mais réussirent à passer
sans être aperçus. Les hommes, sur l'autre versant,
se préoccupaient à ce moment-là des aboiements
d'un chien. Ils se demandaient s'ils allaient l'abattre
ou non à coups de fusil. En fait, la décision ne leur
appartenait pas, un coup de sifflet l'a ramené près
de sa maîtresse. Couché dans l'herbe, près d'Antonia, Uccello haletait en tirant la langue.

Il y avait quatre hommes sur la crête opposée.
Curieusement il y avait quatre noms sur le morceau
de papier jauni, dans la poche de Scofield. Bray
espérait découvrir ces gens, les piéger aussi facilement que les quatre hommes qui maintenant descendaient vers la vallée. De toute façon, les hommes
portés sur la liste n'étaient qu'un indice qui permettait d'agir.

Il y avait un jeune berger à trouver. « Une voix plus coupante que le vent. »... Cette voix d'enfant avait été reconnue, des dizaines d'années plus tard, à cause de ses uniques particularités... Cette voix, sortant de la gorge d'un très vieil homme, avait été portée par les ondes.

J'ai entendu la phrase terrible, et c'était comme si le temps s'était figé...

Quelle était cette phrase ? Qui était cet homme ? Le véritable descendant de Guillaume de Matarèse... Un vieillard qui, en disant ces mots, effaçait soixante-dix années de la mémoire d'une aveugle qui vivait dans les montagnes de Corse. Et dans quelle langue ? Ce devait être en français ou en italien, Sophia Pastorine ne comprenait aucune autre langue. Ils devaient lui parler de nouveau, ils n'en avaient pas fini avec elle. Il fallait éclaircir un tas de choses.

Bray surveillait les quatre Corses qui s'approchaient de la ferme. Deux restèrent en arrière pour couvrir les flancs tandis que les deux autres s'approchaient de la porte. Tous les quatre étaient armés de fusils. Les hommes s'arrêtèrent un instant devant le seuil, puis celui qui se trouvait à gauche lança son pied de toutes ses forces dans le panneau de bois. La porte s'ouvrit avec un craquement.

Silence.

Deux cris rauques, on posait des questions sans ménagement. Les deux hommes qui étaient restés à l'extérieur firent le tour de la maison avant d'entrer à leur tour. De nouveau, des cris... Le son mat, parfaitement reconnaissable, de la chair frappant la chair.

Antonia voulut se redresser, son visage était rouge de colère. Taleniekov la prit par les épaules pour la faire se recoucher. Des cris, d'un moment à l'autre, allaient s'échapper de sa gorge, Scofield n'avait pas le choix. Il plaqua sa main contre la bouche de la grande fille et lui enfonça les doigts dans les joues. Les cris se transformèrent en une toux étouffée.

« Tenez-vous tranquille, murmura Bray. S'ils vous entendent, ils se serviront de votre grand-mère pour vous faire revenir là-bas.

– Ce serait bien pire pour elle et pour vous, dit Vasili. Vous la verriez souffrir et vous seriez prise. »

Antonia cligna des yeux et fit un petit signe de la tête. Scofield relâcha sa prise mais n'enleva pas sa main. La grande fille dit, en remuant ses lèvres contre les doigts :

« Ils la frappent ! Ils frappent une aveugle !

– Ils ont peur, Taleniekov, à un point que vous ne pouvez imaginer. Sans leur terre, ils n'ont rien.

– Que voulez-vous dire ? demanda Antonia en entourant le poignet de Bray avec sa main.

– Pas maintenant, coupa Scofield, il y a quelque chose qui ne va pas. Ils restent trop longtemps.

– Ils ont peut-être trouvé quelque chose, dit l'homme du K.G.B.

– Ou alors, elle leur a dit quelque chose. Oh ! non, ce n'est pas possible !

– A quoi pensez-vous ? demanda Taleniekov.

– Elle a dit que nous en avions fini. Mais nous n'en avons pas fini. Pourtant, elle va agir pour qu'il en soit ainsi. Elle veut être sûre de ça. Ils ont vu nos empreintes, nous avons marché sur un sol humide. Elle ne pourra pas nier que nous étions là. Grâce à son ouïe particulièrement développée, elle saura de quel côté nous sommes partis et elle les enverra dans une autre direction.

– Parfait, fit le Russe.

– Mais, bon Dieu ! Ils vont la tuer ! »

Taleniekov dressa brusquement la tête en direction de la ferme.

« Vous avez raison. S'ils la croient – et il n'y a aucune raison pour qu'ils ne la croient pas –, ils ne la laisseront pas en vie. Elle est à la source. Elle va le leur dire rien que pour les convaincre, elle donne sa vie pour que nous puissions trouver le berger.

– Mais nous n'avons pas obtenu suffisamment d'informations ! Allons-y. »

Scofield se mit debout et sortit l'automatique de son baudrier. Le chien gronda. La grande fille se dressa elle aussi. Taleniekov la ramena au sol de nouveau.

C'était trop tard. Trois coups de feu éclatèrent à la suite.

Antonia poussa un cri. Bray plongea pour la maintenir au sol, et la berça vaguement.

« Je vous en prie, je vous en prie ! (Le Russe venait de sortir un couteau de la poche de son manteau.) Non ! Ça ira. »

Taleniekov cacha le couteau au creux de sa main et s'agenouilla pour regarder en direction de la ferme.

« Ils partent en courant, ils filent en direction du sud. Vous aviez raison.

– Tuez-les ! »

Le cri de la grande fille fut en partie étouffé par la main de Scofield.

« Dans quel but ? demanda l'homme du K.G.B. Elle a fait ce qu'elle voulait faire. Ce qu'elle sentait qu'elle devait faire. »

Le chien refusait de les suivre, il n'obéissait plus à Antonia. Il se précipita vers la ferme et ne revint pas. Ses aboiements parvenaient jusqu'à la crête.

« Adieu, Uccello, dit la grande fille en sanglotant, je reviendrai pour toi. Devant Dieu, je le jure. »

Ils sortirent de la montagne en décrivant un grand cercle en direction du nord-ouest pour éviter les collines de Porto-Vecchio. Aux abords de Sainte-Lucie, ils suivirent le ruisseau qui conduisait à l'épais bosquet de pins où Bray avait enterré son attaché-case et son sac de marin. Ils progressaient avec une extrême prudence, restant autant que possible à l'abri des forêts. Lorsqu'ils devaient traverser un coin à découvert, ils se séparaient et avançaient par à-coups.

Scofield sortit la pelle qu'il avait cachée sous les branchages et rentra facilement en possession de ses affaires. Ils suivirent de nouveau le ruisseau, mais dans l'autre sens, cette fois, pour gagner Sainte-Lucie. Ils n'échangeaient que des paroles absolument indispensables, ils voulaient avant tout élargir la distance entre eux et les collines.

Ces longs silences et ces marches isolées avaient un but pratique. La grande fille qui était bouleversée avançait en obéissant à leurs instructions sans réfléchir. Par moments, des larmes sillonnaient ses joues. La marche continue l'empêchait de s'abandonner à sa peine. Il fallait qu'elle acceptât, d'une manière ou d'une autre, la mort de sa grand-mère, et ce n'étaient pas des paroles de consolation venues d'étrangers qui pouvaient l'aider. Elle avait besoin d'une certaine solitude pour mettre en ordre ses pensées. Scofield pensait qu'en dépit de son maniement du *lupo* Antonia n'était pas une enfant de la violence. D'ailleurs, elle n'était plus une enfant, à la lumière du jour il était clair qu'elle avait passé trente ans. C'était une intellectuelle marxiste, ce n'était pas une révolutionnaire. Il est probable qu'elle n'aurait su quoi faire sur une barricade.

« Nous devons mettre une fin à cette fuite, lança-t-elle brusquement. Vous faites ce que vous voulez, mais moi je retourne à Porto-Vecchio. Je veux les voir morts.

— Il y a beaucoup de choses que vous ne savez pas, fit Taleniekov.

— Ma grand-mère a été assassinée, c'est tout ce que je sais.

— Ce n'est pas aussi simple que ça, dit Bray. A vrai dire, elle s'est elle-même condamnée à mort.

— Ils l'ont tuée.

— Elle les y a obligés. (Scofield lui prit la main et la tint fermement dans la sienne.) Essayez de comprendre. Nous ne pouvons vous laisser retourner là-bas, votre grand-mère savait ça. Ce qui s'est passé durant ces dernières quarante-huit heures doit être oublié le plus vite possible. Une certaine panique règne dans les collines, des hommes vont être envoyés à nos trousses, mais dans quelques semaines, lorsqu'ils verront que rien ne se passe, ils se calmeront. Ils continueront à vivre avec leur peur et ils se tiendront tranquilles. Ils ne peuvent rien faire d'autre. Votre grand-mère avait compris cela parfaitement, elle comptait là-dessus.

– Mais pourquoi ?

– Parce que nous avons d'autres choses à faire, dit le Russe. Elle avait compris cela aussi.

– Et quelles sont ces choses ? demanda Antonia. Elle m'a dit que vous aviez une liste de noms, m'a parlé d'un berger.

– Vous ne devez à aucun prix y faire allusion, lança Taleniekov, surtout si vous voulez que sa mort serve à quelque chose. Nous ne pouvons pas vous laisser vous mettre en travers de notre route. »

Scofield frissonna en entendant la voix de l'homme du K.G.B. et avança sa main vers son arme. En cet instant, tout ce qui s'était passé à Berlin, dix ans plus tôt, revenait à la surface. Le Russe n'hésiterait pas; s'il n'était pas sûr de la fille, il l'abattrait.

« Elle n'a nullement l'intention de se mettre en travers de notre route, dit Bray sans savoir pourquoi il pouvait affirmer une telle chose. Allons-y. Nous nous arrêterons à Murato. Je connais un type là-bas. Une fois arrivés à Bastia, ce sera facile de poursuivre le voyage.

– Pour où, *signore* ? Je n'ai d'ordres à recevoir de personne...

– Du calme, dit Bray, ne gaspillez pas vos chances.

– Il a raison, reprit l'homme du K.G.B. en jetant un coup d'œil à Scofield. Nous devons parler. Nous voyagerons isolément comme avant, nous nous partagerons la tâche, nous établirons des horaires et nous fixerons des lieux de rencontre. Nous avons un tas de choses à voir ensemble.

— Il doit y avoir à peu près cent cinquante kilomètres d'ici Bastia, nous aurons tout le temps de parler. » Scofield se baissa pour attraper son attaché-case. La grande fille arracha sa main de la sienne brutalement et s'éloigna dans un mouvement de colère. Le Russe se pencha sur le sac de marin.

« Nous devrions parler, tous les deux. Ce n'est guère une carte jouable, Beowulf.

— Vous me décevez, dit Scofield en prenant le sac de marin des mains de l'homme du K.G.B. Ne vous a-t-on jamais appris à transformer une petite carte en atout ? »

Antonia avait habité à Vescovato, sur les rives du Golo, à une trentaine de kilomètres au sud de Bastia. Ce qu'on lui demandait pour le moment était de les conduire là sans qu'ils se fassent remarquer. C'était important de lui donner des responsabilités, ne serait-ce que pour lui faire oublier qu'elle obéissait à des ordres qu'elle n'approuvait pas. Elle remplit sa tâche avec une étonnante rapidité. Depuis son enfance et son adolescence, passées dans cette région, elle connaissait parfaitement les petits chemins et les sentiers de montagne.

« Les bonnes sœurs nous conduisaient ici pour pique-niquer, dit-elle près d'un barrage. Nous faisions du feu et mangions des saucisses. Chacune à notre tour, nous allions dans les bois pour fumer des cigarettes. »

Ils continuèrent d'avancer.

« Le matin, le vent dans les collines est merveilleux. Mon père me fabriquait d'extraordinaires cerfs-volants, et nous les lancions ici, le dimanche. Après la messe évidemment.

– Nous, demanda Bray. Avez-vous des frères et sœurs ?

– Un frère et une sœur; ils sont plus vieux que moi et vivent à Vescovato. Ils ont tous les deux des enfants et je ne les vois pas très souvent. Nous n'avons d'ailleurs plus grand-chose à nous dire.

– Ils n'ont pas fait d'études ? demanda Taleniekov.

– Ils détestaient l'école. Ce sont de braves gens qui aiment la vie simple. Ils nous offriront leur aide si nous en avons besoin.

– Ce serait mieux de ne pas avoir besoin d'aide, dit le Russe. Ni d'avoir besoin d'eux.

– C'est ma famille, *signore*. Pourquoi devrais-je les éviter ?

– Ce serait préférable, c'est tout.

– Ce n'est pas une réponse. Vous m'avez éloignée de Porto-Vecchio, de l'endroit où l'on devait me rendre justice. Je refuse dorénavant de vous obéir. »

L'homme du K.G.B. regarda Scofield, ce regard ne laissait aucun doute sur ses intentions. Bray s'attendait à ce que le Russe sorte son arme. Il ignorait alors quelle serait sa réaction. Mais rien n'arriva. Scofield découvrit alors quelque chose qu'il n'avait pas parfaitement compris auparavant. Vasili Taleniekov n'avait aucune envie de tuer, mais le professionnel était en conflit avec l'homme. Le Russe se posait des questions, il se demandait comment transformer une toute petite carte en atout. Scofield, quant à lui, aurait bien aimé le savoir.

« Allons, du calme, dit Bray. Personne ne veut vous donner des ordres, simplement nous nous faisons du souci à propos de votre sécurité. Nous vous l'avons déjà dit. Et maintenant les risques sont dix fois plus grands.

– Je pense qu'il y a autre chose. Vous voulez que je me taise. Vous voulez que je garde le silence sur le meurtre d'une pauvre aveugle, d'une vieille femme.

– Votre sécurité dépend de ça. Votre grand-mère le comprenait fort bien.

– Elle est morte.

– Mais vous voulez vivre, dit Scofield lentement. Si les gens des collines vous trouvent, ils vous abattront. Et s'ils apprennent que vous avez parlé autour de vous, d'autres personnes seront en danger. Ne pouvez-vous comprendre ?

– Alors que voulez-vous que je fasse ?

– Tout simplement, ce que nous sommes en train de faire. Disparaître, quitter la Corse. La grande fille fit un geste pour interrompre Scofield. Bray poursuivit : Et nous faire confiance. Vous devez nous faire confiance. Votre grand-mère nous a fait confiance. Elle a agi ainsi pour que nous puissions vivre et découvrir des gens qui sont mêlés à d'horribles histoires. Des gens qui ne se trouvent pas en Corse.

– Vous ne vous adressez pas à une enfant. Que voulez-vous dire par d'« horribles histoires » ?

Bray regarda Taleniekov car il savait qu'il ne serait pas d'accord. Néanmoins, il passa outre.

« Certains hommes – nous n'en connaissons pas le nombre – ont consacré leur vie à tuer d'autres hommes afin que règnent la méfiance et la suspicion. Ils choisissent les victimes et financent les opérations. Apparemment, il n'y a aucune ligne définie hormis de déclencher la violence politique, de dresser les partis contre les partis, les gouvernements contre les gouvernements... les peuples contre les peuples. (Scofield s'arrêta. Il venait de surprendre une étrange tension sur le visage d'Antonia.) Vous nous avez dit que vous étiez engagée politiquement, que vous étiez communiste. Parfait, très bien. Ce camarade ici présent a été entraîné à Moscou. Je suis américain, j'ai été entraîné à Washington. Nous sommes ennemis. Depuis très longtemps, nous nous battons l'un contre l'autre. Les détails n'ont guère d'importance, mais le fait que nous travaillons maintenant ensemble en a. Les hommes que nous essayons de découvrir sont bien plus dangereux pour l'humanité que les petites différences qui existent entre nous, entre nos gouvernements. En effet, ces hommes sont capables de faire en sorte que ces différences se transforment en précipice entre nos deux pays, ce que personne ne souhaite. Ils sont capables de faire sauter la planète.

— Je vous remercie de m'avoir parlé franchement, dit Antonia d'un air songeur. Mais comment se fait-il qu'elle ait été au courant de telles choses ?

— Elle était présente quand tout a commencé, répondit Bray simplement. Il y a près de soixante-dix ans, à la Villa Matarèse.

— La putain de la Villa Matarèse... Le *padrone* Guillaume ?

— C'était un homme extraordinairement puissant, aussi puissant que n'importe qui en France ou en Angleterre. Il s'est opposé aux cartels, aux trusts. Il s'est battu avec eux en de nombreuses occasions. Et, comme il gagnait très souvent, ils l'ont écrasé par traîtrise. Ces sociétés se sont servies de leurs gouvernements pour amener sa ruine. On a tué ses fils, il est devenu fou... Mais sa folie ne l'a pas empêché – grâce aux richesses qu'il possédait encore – de mettre au point un plan de vengeance à long terme. Il a rassemblé autour de lui des hommes qu'on avait ruinés de la même manière. C'était la création du premier conseil des Matarèse. Pendant des années, les Matarèse se sont spécialisés dans l'assassinat politique, ensuite on a pensé qu'ils avaient disparu. On se trompait. Ils sont de nouveau là, bien plus dangereux qu'auparavant. J'ai essayé de vous expliquer tout cela le plus simplement possible, j'espère que vous avez compris. Vous aimeriez que les hommes qui ont tué votre grand-mère fussent punis de leurs crimes. J'espère qu'un jour ils le seront. Mais je dois ajouter que cela, au fond, n'a guère d'importance.

Antonia resta silencieuse un long moment, ses yeux sombres, intelligents restaient fixés sur Bray.

– Vous avez été parfaitement clair, *signore* Scofield. Si ces hommes n'ont guère d'importance, je n'en ai pas non plus. C'est bien cela que vous avez voulu me dire, n'est-ce pas ?

– Il me semble, en effet.

– Et mon camarade communiste, dit-elle en regardant Taleniekov, ne voit pas la moindre objection à effacer du globe mon insignifiante personne.

– J'ai un objectif, répondit Vasili, et je fais de mon mieux pour prendre en considération tous les problèmes qui me permettront de l'atteindre.

– Naturellement... Dois-je faire demi-tour et m'enfoncer dans les bois en attendant de recevoir une balle de gros calibre dans le dos ?

– C'est à vous de choisir, fit Taleniekov.

– Parce qu'on me laisse le choix ? Vous me croirez si je vous donne ma parole d'honneur que je ne dirai rien ?

– Non », répondit l'homme du K.G.B.

Bray regarda attentivement le visage de Taleniekov, sa main était à quelques centimètres de son baudrier. Le Russe avait quelque chose derrière la tête, il essayait de sonder Antonia.

« Où est le choix ? Choisir entre vos gouvernements pour savoir lequel me tiendra à l'ombre en attendant que vous ayez trouvé les hommes que vous cherchez ?

– Je crains que même cela ne soit pas possible, expliqua Taleniekov. Nous n'avons pas l'accord de nos gouvernements, nous ne travaillons pas pour eux. Pour tout vous dire, ils nous recherchent avec autant d'acharnement que nous recherchons les hommes dont nous venons de vous parler. »

Visiblement, cette déclaration du Russe donna un choc à la grande fille.

« Vous êtes poursuivis par vos compatriotes ? (Taleniekov inclina la tête.) Je vois, tout est clair maintenant. Vous ne vous fierez pas à ma parole d'honneur et vous ne pouvez pas me mettre en prison. Pour vous, je représente un danger – un bien plus grand danger que je ne pouvais imaginer. Donc, je n'ai pas le choix.

– Si, dit l'homme du K.G.B., mon associé y a fait allusion.

– C'est quoi ?

– Faites-nous confiance, aidez-nous à gagner Bastia et faites-nous confiance. On pourra peut-être tirer quelque chose de ça. Taleniekov se tourna vers Scofield et ne dit qu'un seul mot : Liaison.

– Nous verrons », fit Bray en éloignant sa main de son baudrier.

Ils avaient tous les deux suivi le même raisonnement.

Le contact du ministère des Affaires étrangères américain à Murato n'était pas un homme heureux. Il n'avait nulle envie d'affronter les complications qui allaient surgir inévitablement. Propriétaire de bateaux de pêche à Bastia, il envoyait aux Américains des rapports sur les mouvements de la flotte soviétique en Méditerranée. Washington le payait grassement. Washington avait aussi adressé des câbles à tous ses bureaux de renseignements pour les informer que Brandon Alan Scofield, ancien spécialiste des Opérations consulaires, était passé à l'ennemi. Dans ces circonstances, les règles de conduite étaient parfaitement claires : essayer de fourrer l'individu en prison, si possible, sinon s'arranger pour prendre des mesures en vue de son élimination.

Silvio Montefiori s'interrogea brièvement pour savoir s'il allait appliquer les règles. C'était un homme pratique et, en dépit de son penchant naturel, il en rejeta l'idée. Scofield, bien sûr, lui tenait la dragée haute, mais néanmoins c'était une dragée. Si Silvio refusait de se plier aux exigences de l'ancien agent secret américain, ses propres activités seraient dévoilées aux Soviétiques. En revanche, s'il agissait selon les vœux de Scofield, celui-ci lui donnerait dix mille dollars. Il ne recevrait jamais une telle somme pour la mort de Scofield.

D'ailleurs, il valait mieux être en vie pour jouir de son argent.

Montefiori arriva devant l'entrepôt, ouvrit la porte et s'enfonça dans le noir pour atteindre le mur du fond comme on le lui avait demandé. Il ne pouvait pas voir l'Américain – l'endroit était plongé dans la pénombre –, mais il savait qu'il était là. Il suffisait de patienter en attendant que les faucons décrivent quelques cercles et lancent quelques cris d'appel.

Il sortit un mince cigare un peu tordu de la pochette de son veston et fouilla dans les poches de son pantalon pour trouver une boîte d'allumettes. Au moment où il approchait la flamme du bout du cigare, il s'aperçut, avec une certaine gêne, que sa main tremblait.

« Vous suez, Montefiori. (La voix venait de la gauche.) La lueur de la flamme fait briller la sueur sur tout votre visage. La dernière fois que je vous ai vu, vous suiez aussi. C'était moi qui trimbalais le sac, à cette époque, et je vous avais posé certaines questions.

– Brandon ! s'écria Silvio nerveusement et avec effusion. Mon cher ami ! Quel plaisir de vous revoir... si je pouvais vous voir, bien sûr. »

L'Américain sortit de l'ombre. Montefiori s'attendait à voir une arme dans sa main, il s'était trompé. Scofield vous surprenait toujours.

« Comment allez-vous, Sylvio ?

– Très, très bien, cher ami ! (Montefiori ne se risqua pas à tendre la main.) Tout est arrangé. Inutile de vous dire que j'ai pris un sacré risque. J'ai multiplié par dix la paie de mon équipage. Mais je ne recule devant rien pour rendre service à quelqu'un que j'admire tellement. Il vous suffira de vous rendre, vous et votre... ami, au bout du quai 7, à Bastia, à une heure demain matin. Mon meilleur chalutier vous fera atteindre Livourne avant le lever du jour.

— Est-ce sa route habituelle?

— Bien sûr que non. Généralement, il accoste à Piombino. J'ai fait charger le fuel supplémentaire sans considérer ma perte.

— Vous êtes très généreux, Sylvio.

— Pourquoi pas? Vous avez toujours été réglo avec moi.

— Et pourquoi non? Vous avez toujours largué la marchandise. (Scofield enfonça la main dans sa poche et en sortit un rouleau de billets.) Malheureusement, il y a quelques changements au programme; tout d'abord, j'ai besoin de deux bateaux; l'un prendra la direction du sud, l'autre celle du nord. Ils resteront l'un et l'autre à un kilomètre environ de la côte. Deux hors-bord iront à leur rencontre, je serai sur l'un d'eux, le Russe sur l'autre. Je vous enverrai des signaux, et nous coulerons les bateaux à moteur. Une fois que le Russe et moi serons sur les chalutiers, ceux-ci gagneront la pleine mer. Nous établirons alors les caps, seuls les deux capitaines seront au courant de nos destinations.

— Que de complications, mon cher ami. C'est parfaitement inutile, vous avez ma parole d'honneur.

— Je ne la mets pas en doute, Sylvio. Je la garde au plus profond de mon cœur, mais faites comme j'ai dit.

— Naturellement, dit Montefiori en déglutissant. Inutile de vous dire que tout cela augmente terriblement les frais.

— Ils seront couverts.

— Je suis content de voir que vous me comprenez.

— Je vous comprends parfaitement, Sylvio. (L'Américain détacha un certain nombre de billets du rouleau.) Tout d'abord, je veux que vous sachiez que vos activités en faveur de Washington ne seront jamais dévoilées par moi. Cela déjà, en soi-même, représente un bon prix, si vous attachez la moindre importance à votre vie. Je veux aussi vous donner ceci : cinq mille dollars. »

Scofield tendit les billets.

« Mais, mon cher ami, vous m'aviez dit dix mille dollars, je me suis fié à votre parole pour organiser tous ces coûteux arrangements. »

Montefiori transpirait de tous les pores de sa peau. Non seulement ses relations avec le ministère des Affaires étrangères américain risquaient de se détériorer, mais ce salaud de traître était en train de le voler comme dans un bois.

« Je n'ai pas fini, Sylvio. Vous êtes beaucoup trop nerveux. Je sais parfaitement que j'ai dit dix mille dollars, et vous les aurez. Je vous dois encore cinq mille dollars, sans parler des frais supplémentaires. Est-ce que ça va ?

— Oui, oui, dit le Corse. J'ai dépensé tellement d'argent...

— Tout coûte cher de nos jours. Disons... Quinze pour cent en plus du prix précédemment convenu. Ça vous va ?

— Avec d'autres, je pourrais discuter, pas avec vous.

— Vous obtiendrez donc quinze cents dollars de plus, d'accord ? Je vous dois encore six mille cinq cents dollars.

— Je n'aime pas ça. Vous parlez au futur. Je paie comptant, moi, je ne peux pas repousser les échéances.

— Allons, mon vieux, ne dites pas de bêtises. Quelqu'un avec une réputation aussi bien établie que la vôtre peut espérer obtenir du crédit pour quelques jours.

— Quelques jours, Brandon, c'est vague. Dans quelques jours, vous serez à Singapour, ou à Moscou. Pouvez-vous me préciser un peu les choses ?

— Bien sûr. L'argent sera sur un des chalutiers. Je

ne sais pas encore lequel. Il sera mis sous la cloison du pont avant, à la droite de la poutre maîtresse. Il sera caché dans un vieux bout de bois creux, attaché à l'une des membrures. Vous le trouverez facilement.

– Mais les autres aussi !

– Pourquoi ? Personne n'ira chercher là, à moins que vous ne fassiez une déclaration publique.

– C'est prendre trop de risques. Il n'y a pas un de mes marins qui hésiterait à tuer sa mère devant un prêtre pour une telle somme. Franchement, mon cher ami, soyez raisonnable.

– Ne vous tracassez pas, Sylvio. Vous n'aurez qu'à monter à bord de vos bateaux quand ils seront revenus au port. Si vous ne trouvez pas le morceau de bois, cherchez un homme avec une main en bois. C'est lui qui aura l'argent.

– Le fric sera piégé ? demanda Montesiori, une pointe d'incrédulité dans la voix, tandis que la sueur ruisselait sur le col de sa chemise.

– Une simple vis sur le côté. Vous avez déjà fait ça. Il suffit de l'enlever et le piège est désamorcé.

– Je demanderai à mon frère... »

Sylvio se sentait déprimé. L'Américain n'avait rien de gentil. C'était comme si Scofield avait lu ses pensées à livre ouvert. Avec l'argent sur un des chalutiers, ce serait une perte sèche de couler le bateau. Le ministère des Affaires étrangères ne rembourserait jamais l'argent. Et avant même que les deux bateaux ne soient revenus à Bastia, ce salaud de Scofield serait déjà en train de descendre la Volga. Ou le Nil.

« Mon cher ami, ne voulez-vous pas revenir sur votre décision ?

– Je ne peux pas. Je ne dirai à personne à quel point vous êtes apprécié à Washington. Ne vous tracassez pas, Sylvio, l'argent sera là, nous risquons de nous revoir dans peu de temps.

– Rien ne presse, Brandon. Et, je vous en prie, ne me dites rien de plus, je ne veux rien savoir. Déjà une telle charge ! Quels sont les signaux pour ce soir ?

– Extrêmement simples. Deux appels de phare répétés plusieurs fois jusqu'à ce que les chalutiers s'arrêtent.

– Deux appels de phare répétés... Des hors-bord en détresse. Je ne suis pas responsable des accidents en mer. Ciao, mon cher ami. »

Montefiori tamponna son cou avec son mouchoir, revint dans la pâle clarté de l'entrepôt et se mit à marcher sur le sol de ciment.

« Sylvio ? »

Montefiori s'arrêta.

« Oui ?

– Changez de chemise. »

Ça faisait maintenant deux jours qu'il l'observait attentivement. Les deux hommes savaient que le moment était venu de prendre une décision. La grande fille serait leur agent de liaison ou serait abattue. Il n'y avait pas de compromis possible. Ils ne pouvaient pas l'envoyer en prison ni la tenir à l'écart dans un endroit isolé. Si elle refusait d'être leur agent de liaison, il faudrait alors agir froidement et avec détermination. Sa vie ne tenait qu'à un fil.

Ils avaient besoin de quelqu'un pour porter les messages qu'ils s'enverraient. Ils ne pouvaient pas communiquer directement, c'était trop dangereux. Une troisième personne devait être mise dans le coup, cette personne devrait résider dans un endroit donné, sous une fausse identité, et connaître parfaitement les codes qu'ils utiliseraient. On lui demandait d'être efficace et discrète. Est-ce qu'Antonia pouvait faire l'affaire ? Et dans l'affirmative, accepterait-elle de prendre les risques inhérents à ce genre de travail ? Aussi l'avaient-ils étudiée avec le même soin qu'ils apportaient à analyser tous les détails

d'un échange de personnes entre deux nations enne-
mies sur un terrain neutre.

Elle était vive et ne manquait pas de courage. Elle
l'avait prouvé dans les collines. Néanmoins, elle
était vigilante et avait toujours conscience du danger. Mais elle restait étrange : il était difficile de
comprendre sa vraie personnalité. Elle était sur ses
gardes, sur la défensive pendant de très longs
moments, regardant rapidement tout autour d'elle
comme si elle s'attendait à recevoir des coups de
fouet sur le dos ou à voir surgir de l'ombre une main
qui s'accrocherait à sa gorge. Pourtant, il n'y avait ni
fouet ni ombre dans la lumière méditerranéenne.

Antonia était une très mystérieuse personne. Et les
deux agents secrets commencèrent à penser qu'elle
leur cachait quelque chose. Si c'était le cas et quel
que fût le secret, elle n'était pas prête à leur en
parler. Les moments de détente ne changeaient rien
au problème, elle restait extrêmement réservée et ne
se laissait nullement entraîner sur la pente des confidences.

Néanmoins, elle faisait exactement ce qu'ils
avaient demandé. Elle parvint à les conduire à Bastia sans le moindre incident. Elle connaissait même
l'endroit, dans la banlieue, où faire signe à un bus
délabré rempli d'ouvriers pour qu'il s'arrête et les
emmène au centre-ville. Taleniekov s'assit à l'avant
avec Antonia tandis que Scofield s'installait à l'arrière pour observer les passagers.

Ils se retrouvèrent peu après au beau milieu de
rues grouillantes. Bray restait toujours derrière, guet-
tant, observant tout autour de lui pour surprendre la
moindre anomalie dans le comportement ou l'allure
des gens : un visage soudain figé, une paire d'yeux
fixant l'homme d'âge mûr marchant à côté d'une
grande fille aux cheveux noirs vingt mètres devant
lui. La foule était indifférente.

Scofield avait demandé à la fille de les conduire
dans un bar sur les quais, une espèce de bouge où

personne n'osait se mêler des affaires du voisin. La plupart des Corses évitaient cet endroit. C'était le refuge de la pègre du port.

A l'intérieur, ils ne s'assirent pas à la même table. Taleniekov et Bray se mirent dans un coin tandis qu'Antonia s'asseyait un peu plus loin en basculant l'autre chaise qui était devant elle pour montrer qu'elle était occupée. Ce n'était pas ça qui allait empêcher les ivrognes de lui faire des avances. Cela aussi faisait partie de l'épreuve. C'était important de savoir comment elle se sortait de ce genre de situation.

« Qu'en pensez-vous ? demanda Taleniekov.

— Je ne sais pas trop. Elle est assez insaisissable, je ne peux la percer à jour.

— Peut-être êtes-vous trop concentré sur ce problème. Elle a reçu un sacré choc, on ne peut pas s'attendre à ce qu'elle agisse normalement. Je pense qu'elle peut faire le travail. Nous découvrirons bientôt si j'ai raison. Nous pouvons nous garantir en utilisant un code pré-arrangé. Par ailleurs, à qui d'autre pouvons-nous nous confier ? Y a-t-il un seul homme, parmi tous ceux qui travaillent dans nos bureaux, à qui vous puissiez faire confiance ? Ou à qui je puisse faire confiance ? Même ceux qui travaillent en dehors des bureaux seraient drôlement intéressés. Qui peut résister aux pressions exercées par Washington ou par Moscou ?

— C'est ce choc qu'elle a reçu qui m'ennuie. J'ai l'impression qu'elle l'a reçu bien avant de nous rencontrer. Elle nous a dit qu'elle était revenue à Porto-Vecchio pour oublier ses soucis. Quels soucis ?

— Il peut y en avoir de multiples. Le chômage est un énorme problème en Italie, peut-être a-t-elle perdu son travail. On ne peut pas écarter non plus une déception sentimentale. Tout cela, d'ailleurs, n'a rien à voir avec ce que nous allons lui demander de faire.

— A mon avis, il ne s'agit pas de ce genre de

chose. D'ailleurs, pourquoi devrions-nous lui faire confiance ? Et même si nous prenions ce risque, est-il certain qu'elle accepterait le travail ?

– Elle était là quand la vieille femme a été tuée. C'est peut-être une raison suffisante.

– Ça peut servir effectivement, à condition qu'elle soit convaincue qu'il y a un rapport entre ce que nous faisons et ce qu'elle a vu.

– Nous le lui avons expliqué, elle a entendu les paroles de la vieille femme, elle les a répétées.

– Elle était encore en état de choc, son esprit n'était pas très clair. Il me semble qu'il faut la convaincre mieux que cela.

– Allez-y, essayez.

– Moi ?

– Apparemment, elle a une plus grande confiance en vous qu'en son camarade socialiste.

– Allez-vous la tuer ? demanda Scofield en levant son verre.

– Non. Cette décision vous appartenait et vous appartient toujours. Je n'étais pas très heureux de voir votre main si proche de votre baudrier.

– Je peux vous dire la même chose. »

Bray reposa son verre et regarda en direction de la grande fille. Berlin était toujours présent à son esprit. Taleniekov pouvait comprendre ça. Mais, en ce moment, la mémoire de Scofield ne lui jouait aucun tour. Il n'était plus dans une grotte, dans la colline, en train de regarder une grande jeune femme secouer ses cheveux dans la lumière du feu. Il ne voyait plus de ressemblance entre sa femme et Antonia, il pouvait la tuer s'il le fallait.

« Elle viendra avec moi, alors. J'aurai pris ma décision dans quarante-huit heures. Nous communiquerons directement la première fois; nous nous servirons pour les deux suivantes d'un code pré-arrangé mais en passant par elle. Ainsi, nous aurons une idée de son efficacité... Ensuite, si nous voulons d'elle et si elle est d'accord...

– Et si nous ne voulons pas d'elle ou si elle n'est pas d'accord ?

– Ce sera moi, n'est-ce pas, qui réglerai le problème. »

Bray sortit alors la feuille de laitue de la poche de sa veste et l'ouvrit. Le morceau de papier jauni était intact, les noms légèrement effacés mais parfaitement lisibles. Sans regarder la feuille, Taleniekov en donna la liste à haute voix.

« Comte Alberto Scozzi, Rome. Sir John Waverly, Londres. Prince Andreï Vorochine, Saint-Pétersbourg – le mot Russie avait été ajouté et, naturellement, il s'agit aujourd'hui de la ville de Leningrad. Señor Manuel Ortiz Ortega, Madrid. Josus – il s'agit probablement de Joshua – Appleton, Massachusetts. L'Espagnol a été tué par le *padrone* à la Villa Matarèse, il n'a jamais fait partie du conseil. Les autres sont morts depuis longtemps. Mais deux de leurs descendants sont des hommes importants, des hommes publics. David Waverly, ministre des Affaires étrangères de Grande-Bretagne, et Joshua Appleton, sénateur du Massachusetts. Je suis pour une confrontation immédiate.

– Moi pas, dit Bray en jetant un coup d'œil à la feuille de papier et à l'écriture enfantine. Eux, nous les connaissons. Mais nous ne connaissons pas les autres. Quels sont leurs descendants ? Où sont-ils ? Il peut y avoir d'autres surprises. Essayons de les découvrir d'abord. Les Matarèse ne se réduisent pas à deux hommes. Et ces deux-là peuvent très bien ne rien avoir à faire avec notre société secrète.

– Pourquoi dites-vous ça ?

– Tout ce que je sais d'eux semble être en contradiction avec une quelconque appartenance aux Matarèse. Waverly a fait ce qu'on appelle une « bonne guerre ». Il faisait partie des commandos et a été décoré à plusieurs reprises. De plus, son travail au ministère des Affaires étrangères est exceptionnel. C'est un homme de compromis, ce n'est pas un bagarreur. Ça ne colle vraiment pas... Quant à Appleton, bien que faisant partie de la haute société bostonienne, il s'est rangé du côté des libéraux. Il n'arrête pas de se battre au Sénat pour de nouvelles réformes. Il protège les travailleurs et les intellectuels. C'est un cavalier habile qui a enfourché le bon cheval, celui qui le mènera – pensent une grande partie des Américains – à la Maison Blanche.

– Il n'y a pas de meilleure résidence pour un membre du *consigliere* des Matarèse.

– C'est un peu gros, non ? Je crois qu'il est sincère.

– L'art de convaincre, dans les deux cas. Mais vous avez raison, ils ne vont pas disparaître. Aussi allons-nous commencer par Leningrad et Rome. Essayez de trouver quelque chose là-bas.

– « Vous et les vôtres réaliserez ce que je ne peux plus faire... » Ce sont les mots que Matarèse a employés il y a soixante-dix ans. Je me demande si c'est aussi simple que ça.

– Vous voulez dire que « les vôtres » sont des hommes qui peuvent appartenir à la société par choix, non par naissance ? Pas de descendants directs ?

– Oui.

– C'est possible, mais de toute façon, c'étaient des familles extraordinairement puissantes; les Waverly et les Appleton le sont toujours. Dans ces sortes de familles, on respecte certaines traditions. L'appartenance au même sang est primordiale. Occupons-nous d'abord des familles. Elles devaient hériter de la terre entière. C'étaient les propres paroles du *padrone*. La vieille femme a dit que c'était sa vengeance.

– En effet. Mais elle a dit aussi qu'ils n'étaient que les survivants, qu'ils étaient dirigés par quelqu'un d'autre... Qu'il nous faudrait chercher quelqu'un d'autre.

– Avec « une voix plus coupante que le vent ». C'est celui-là, a-t-elle dit.

– Le Berger, dit Bray en regardant de nouveau la feuille de papier jaunie. Qui est-ce ? Qu'est-il devenu après toutes ces années ?

– Occupons-nous d'abord des familles, répéta Taleniekov. Si on peut le trouver, ce sera sans doute grâce à elles.

– Pouvez-vous rentrer en Russie ? Aller à Leningrad ?

– Facilement. En passant par Helsinki. Cela me rappellera des souvenirs. J'ai passé trois ans à l'université de cette ville. C'est là qu'on m'a recruté.

– Je ne pense pas qu'on va vous accueillir avec des fleurs. (Scofield replaça le morceau de papier jauni dans la feuille de laitue, remit le tout dans sa poche et sortit un petit calepin.) A Helsinki, descendez à l'hôtel Tavastian jusqu'à ce que vous ayez de mes nouvelles. Je vous dirai qui vous devez voir là-bas. Donnez-moi un nom.

– Rydoukov, Piotr, répondit l'homme du K.G.B. sans hésitation.

– Qui est-ce ?

– Un violoniste de l'orchestre symphonique de Sébastopol. J'ai ses papiers légèrement trafiqués.

– J'espère qu'on ne vous demandera pas de jouer.

– Une crise d'arthrite m'en empêche.

– Mettons au point notre code. »

Bray regarda Antonia. Elle fumait une cigarette tout en parlant à un jeune soldat qui se tenait debout près d'elle. Son sourire était poli mais froid. Elle voulait mettre une certaine distance entre elle et l'audacieux jeune homme. En fait elle se conduisait avec une magnifique élégance qui détonnait dans ce bouge mais était vraiment agréable à regarder. Agréable en vérité, pensa Scofield sans chercher plus loin.

« Que va-t-il se passer ? demanda Taleniekov en regardant Bray.

– Je le saurai dans quarante-huit heures. »

18

Le chalutier approchait de la côte italienne. Tout le long du voyage, la mer avait été agitée et les contre-courants violents. Le bateau avait avancé lentement dans cette mer d'hiver. Ça faisait maintenant près de dix-sept heures qu'ils étaient partis de Bastia. La nuit ne tarderait pas à tomber, et l'on mettrait alors à la mer un petit bateau de sauvetage pour conduire Scofield et Antonia jusqu'au rivage.

En dehors de les amener en Italie à la recherche de la famille du comte Alberto Scozzi, ce voyage désespérément lent avait servi à atteindre un des autres buts de Bray. Celui-ci en effet avait eu le temps, dans l'espace réduit du bateau, d'en apprendre davantage sur Antonia Gravet. Curieusement, c'était son nom. Son père, un sous-officier français, avait été cantonné en Corse durant la Seconde Guerre mondiale.

« Ainsi, voyez-vous, lui avait-elle dit, un petit sourire retroussant ses lèvres, mes leçons de français ne me coûtaient pas cher. Il suffisait de mettre papa en colère, et il commençait à parler français. Il ne se servait qu'avec difficulté du dialecte italien utilisé par ma mère. »

En dehors des moments où son esprit retournait vers Porto-Vecchio, Antonia avait changé. Elle riait, maintenant. Ses yeux sombres devenaient étonnamment gais alors. Elle était parfois prise de fous rires irrésistibles, contagieux, comme si le rire était quelque chose dont elle avait besoin pour survivre. Scofield avait du mal à croire que la grande fille assise près de lui, vêtue d'un pantalon kaki et d'une veste militaire déchirée était la même personne qu'il avait connue murée dans son mutisme et son chagrin. Celle, aussi, qui avait donné des ordres dans les collines et manié le *lupo* avec une telle maîtrise. Ils devaient attendre encore quelques minutes avant d'embarquer dans le canot de sauvetage. Bray en profita pour l'interroger à ce sujet. Non pas à propos des brusques accès de fou rire, mais à propos du *lupo*.

« Je suis passée par une curieuse phase. Je pense d'ailleurs que nous la traversons tous. A ce moment-là, nous pensons que les changements sociaux ne sont possibles que grâce à une violence radicale. Les psychopathes des *Brigate Rosse* savent parfaitement comment utiliser l'outrance de certains sentiments.

– Les Brigades rouges ? Vous faisiez partie des Brigades rouges ?

– J'ai passé plusieurs semaines dans un camp des Brigades à Medicina. J'y ai appris à manier les armes, à escalader les murs et à trouver des planques. Je n'étais d'ailleurs pas particulièrement douée. Et puis un matin, un étudiant, un vrai gamin, a été tué dans ce que nos chefs appelaient un « accident en cours d'exercice ». Exercice. Ce mot sentait l'armée à plein nez. Pourtant, ce ne sont pas des soldats, mais de petites brutes qui s'amusent avec des couteaux et des fusils. Ce jeune garçon est mort dans mes bras, le sang sortait à gros bouillons de sa blessure. Ses yeux exprimaient une telle terreur, une telle surprise... Je le connaissais à peine, pourtant sa mort m'a paru insupportable. Fusils, couteaux, matraques n'étaient sûrement pas la solution. Cette nuit-là, j'ai tout lâché, je suis retournée à Bologne. Mais le problème n'était pas résolu pour autant. Avez-vous résolu le vôtre ?

– Lequel ?

– Où je vais aller. Vous et le Russe m'avez dit de vous faire confiance, de calquer ma conduite sur la vôtre, de quitter la Corse et de ne pas parler. Eh bien, *signore,* nous avons quitté la Corse, je vous ai fait confiance. Je ne me suis pas échappée.

— Pourquoi ? »

Antonia marqua un temps d'arrêt.

« Par peur, et vous le savez parfaitement. Vous n'êtes pas des hommes normaux. Vous parlez poliment, mais vous agissez trop rapidement. Les deux choses ne vont pas ensemble. En fait, je crois que vous êtes ce que ces cinglés des *Brigate Rosse* aimeraient être. Vous me faites peur.

— C'est ce qui vous a arrêtée ?

— Le Russe voulait me tuer. Il me surveillait de près. Il m'aurait abattue s'il avait découvert que je voulais me sauver.

— Franchement, il ne voulait pas vous tuer. Et de toute façon il ne l'aurait pas fait. Il voulait simplement vous transmettre un message.

— Je ne comprends pas.

— Peu importe, vous étiez en sécurité.

— Et suis-je en sécurité maintenant ? Me croirez-vous si je vous donne ma parole d'honneur de ne rien dire ? Me laisserez-vous partir ?

— Pour aller où ?

— A Bologne. Je peux trouver du travail là-bas.

— Quelle sorte de travail ?

— Rien de passionnant. Je suis documentaliste à l'université. Je dépouille des statistiques ennuyeuses pour des *professori* qui écrivent des livres et des articles encore plus ennuyeux.

— Documentaliste ? Etes-vous efficace ? demanda Bray en réprimant un sourire.

— Qu'est-ce que ça veut dire être efficace ? Les faits sont les faits. Me laisserez-vous retourner à Bologne ?

— Vous ne travaillez pas régulièrement, alors ?

— J'aime bien ce boulot. Je travaille quand j'en ai envie. Ça me laisse du temps libre pour faire autre chose.

— Au fond, vous avez une activité libre et vous

êtes votre propre employeur. C'est l'essence même du capitalisme !

– Vous êtes énervant, vous me posez sans arrêt des questions mais vous ne répondez pas aux miennes.

– Pardon. Ce sont les travers du métier. Quelle était votre question ?

– Me laisserez-vous partir ? Accepterez-vous ma parole d'honneur ? Me ferez-vous confiance ? Ou dois-je attendre un moment d'inattention de votre part pour m'enfuir ?

– A votre place, je ne ferais pas ça. Vous êtes quelqu'un de particulièrement franc et direct. C'est plutôt rare de nos jours. A l'instant vous venez de me dire que vous n'avez pas tenté de vous échapper parce que vous aviez peur et non pas parce que vous me faisiez confiance. C'était une belle franchise. Et vous nous avez amenés à Bastia. Maintenant soyez honnête vis-à-vis de moi. Sachant ce que vous savez, ayant vu ce que vous avez vu à Porto-Vecchio, comment pourrais-je accorder quelque crédit à votre parole d'honneur ? »

Quatre hommes d'équipage au milieu du bateau faisaient passer le canot de sauvetage au-dessus du plat-bord. Antonia les regardait tout en parlant.

« Ce n'est pas juste. Vous savez ce que j'ai vu et vous savez ce que vous m'avez dit. Quand je pense à tout ça, j'ai envie de pousser des cris... (Elle s'interrompit et se tourna de nouveau vers Scofield. Sa voix était lasse.) Quel crédit peut-on accorder à ma parole d'honneur ? Je ne sais pas. Que me reste-t-il à faire ? Est-ce que ce sera vous, plutôt que le Russe, qui allez tirer sur moi ?

– Je peux vous trouver du travail.

– Je ne veux pas travailler pour vous.

– Nous verrons.

– *Signore, presto, presto ! La cialuppa !* »

Le canot de sauvetage était déjà sur l'eau. Scofield se pencha pour attraper le sac de marin qui se trouvait à ses côtés et se leva. Il tendit la main à Antonia Gravet.

« Allons, venez. J'ai déjà eu affaire à des gens moins difficiles. »

Il pensait ce qu'il disait. Si c'était nécessaire, il pouvait tuer cette femme. Pourtant, il ferait l'impossible pour ne pas être réduit à cette extrémité.

Où se trouvait maintenant la nouvelle vie de Beowulf Agate ?

En tout cas, il haïssait celle-ci.

Bray monta dans un taxi à la station de l'aéroport de Fiumicino. Tout d'abord, le chauffeur refusa de les conduire à Rome. Il changea d'avis lorsqu'il vit les billets de banque dans la main de Scofield. Ils s'arrêtèrent juste un court instant pour manger quelque chose et atteignirent la capitale avant huit heures du soir. Il y avait foule dans les rues, et c'était l'heure du coup de feu dans les boutiques.

« Garez-vous ici, devant ce magasin de vêtements, dit Bray au conducteur. Attendez-moi là, vous aussi Antonia. Je vois à peu près votre taille.

— Qu'allez-vous faire ?

— Une petite transformation, répondit Scofield en anglais. Vous ne pouvez pas entrer dans un magasin qui se respecte vêtue de cette manière. »

Cinq minutes plus tard, il revenait en portant un grand sac contenant un pantalon de toile, un chemisier blanc et un pull-over.

« Mettez ça.

— Vous êtes fou ou quoi ?

— La pudeur vous sied à ravir, mais nous sommes pressés. Les magasins ferment dans une heure. Je sais quoi mettre, vous pas. Vous comprenez l'anglais mieux que je ne pensais, dit-il en italien au chauffeur qui avait les yeux fixés sur le rétroviseur. Démarrez, maintenant. Je vais vous dire où nous allons. »

Il ouvrit son sac de marin et en sortit une veste de tweed.

Antonia commença à se changer en jetant des coups d'œil furtifs à Scofield. Au moment où elle enlevait son pantalon militaire, ses longues jambes blanches furent éclairées par les lumières de la rue. Bray, qui regardait obstinément par la fenêtre, ne put s'empêcher d'avoir un pincement au cœur en surprenant du coin de l'œil l'éclat de cette peau. Ça faisait longtemps qu'il n'avait pas couché avec une femme, mais il ne coucherait pas avec celle-ci. C'était tout à fait possible qu'il soit obligé de la tuer.

Elle enfila le pull-over sur son chemisier. Le mouvement souple de la laine ne cachait pas le gonflement de ses seins. Scofield fit un effort pour garder ses yeux fixés sur les siens.

« C'est beaucoup mieux. La phase un est achevée.

— Vous êtes très généreux, mais ce n'est pas ce genre de vêtements que j'aurais choisis.

— Vous pourrez les jeter dans une heure si vous en avez envie. Si quelqu'un vous demande quelque chose, vous répondrez que vous êtes sur un bateau de louage à Ladispoli. Nous allons via de Condotti, ajouta-t-il en s'adressant au chauffeur. Je vous paierai là-bas. »

C'était sur la via de Condotti que se trouvaient les magasins chics. C'était là que les riches oisifs venaient s'habiller. C'était évident aussi qu'Antonia Gravet n'avait jamais mis les pieds dans ce genre de boutique. Evident pour Bray. Il était probablement le seul à s'en apercevoir. Elle avait un bon goût inné qui n'avait rien à voir avec son éducation. Elle aurait pu perdre son sang-froid à la vue de tous ces magnifiques vêtements. Il n'en fut rien. Elle était parfaitement maîtresse d'elle-même. Elle se conduisait avec cette même élégance que Bray avait remarquée pour la première fois dans le bouge des quais de Bastia.

« Aimez-vous celle-ci ? » demanda-t-elle en sortant du salon d'essayage.

Elle portait une robe de soie sombre aux couleurs passées, une capeline blanche et une paire de chaussures à hauts talons en cuir blanc.

« Magnifique », fit Scofield.

Il parlait aussi bien de la fille que de la robe.

« C'est comme si je trahissais toutes les choses auxquelles j'ai cru pendant si longtemps, dit-elle dans un souffle. Avec cet argent, on pourrait nourrir dix familles pendant un mois, allons ailleurs, s'il vous plaît.

— Nous n'avons pas le temps. Emmenez ça et prenez aussi un manteau et tout ce dont vous avez besoin.

— Vous êtes fou.

— Je suis pressé. »

D'une cabine téléphonique dans la via Sistina, Bray appela une *pensione* située sur la piazza Navona. Il était descendu assez souvent dans cet endroit lors de ses séjours à Rome. Le propriétaire et sa femme ne savaient absolument rien sur Scofield. Ce n'étaient pas des gens curieux, et ils ne s'intéressaient pas à leurs clients de passage. Ils savaient seulement que Bray laissait des pourboires extrêmement généreux dès qu'on lui rendait le moindre service. Le propriétaire était heureux de lui en rendre un ce soir.

Comme toujours, la piazza Navona était pleine de monde. C'était ce que l'on pouvait rêver de mieux lorsqu'on faisait cette sorte de métier. Les fontaines et les statues du Bernin attiraient aussi bien les habitants de la ville que les touristes. Les innombrables terrasses de café étaient propices aux rendez-vous concertés ou improvisés. Ceux de Scofield n'étaient jamais improvisés. On pouvait facilement, assis à une table, surveiller ce qui se passait sur la place pleine de monde. De toute façon, c'était inutile de penser à de telles choses en ce moment. Pour l'instant, il suffisait d'aller se coucher, de laisser son esprit se reposer. Demain, il faudrait prendre une décision. Décider si oui ou non il allait abattre la femme qui se trouvait à ses côtés, qu'il entraînait maintenant à travers la piazza Navona vers une vieille maison transformée en *pensione*.

Le plafond, dans leur chambre, était très haut, les fenêtres immenses. Elles donnaient sur la place qui se trouvait trois étages plus bas. Bray poussa le divan capitonné contre la porte et fit un geste en direction du lit qui se trouvait de l'autre côté de la pièce.

« Nous n'avons guère dormi, ni vous ni moi, sur ce foutu bateau. Reposons-nous, maintenant. »

Antonia ouvrit un des paquets qui venaient de la boutique de la via Condotti et en sortit la jolie robe de soie.

« Pourquoi m'avez-vous acheté ces vêtements coûteux ?

— Demain, nous allons aller dans deux ou trois endroits où vous en aurez besoin.

— Et pourquoi irons-nous là-bas ? Ce doit être des endroits très chers ?

— Non, pas vraiment. J'ai quelques personnes à voir et j'aimerais que vous veniez avec moi.

— Je voulais vous remercier. Je n'ai jamais eu d'aussi beaux vêtements.

— Je vous en prie. (Bray enleva le dessus-de-lit et retourna vers le sofa.) Pourquoi avez-vous quitté Bologne ? Pourquoi êtes-vous allée en Corse ?

— De nouvelles questions !

— Je suis curieux, c'est tout.

— Je vous l'ai dit. Je voulais m'échapper pendant un certain temps. N'est-ce pas une raison suffisante ?

— Ce n'est pas vraiment une explication.

— C'est celle que j'ai envie de donner. »

Elle regardait attentivement la robe qu'elle avait dans les mains.

Scofield étendit le dessus-de-lit sur le divan.

« Pourquoi en Corse ?

– Vous avez vu la vallée... C'est un endroit isolé, tranquille, on peut réfléchir, là-bas.

– En effet, c'est isolé. Un endroit idéal pour se cacher. Vouliez-vous vous cacher de quelqu'un ou de quelque chose ?

– Pourquoi dites-vous ça ?

– Il faut que je sache. Est-ce que vous vous cachiez ?

– Pas de quelque chose que vous pourriez comprendre.

– Essayez donc. On ne sait jamais.

– Assez ! (Antonia lui tendit la robe.) Reprenez ces vêtements. Faites de moi ce que vous voulez, je ne peux vous en empêcher. Mais laissez-moi tranquille. »

Bray s'approcha d'elle. Pour la première fois, il voyait de la crainte dans ses yeux.

« Croyez-moi, vous feriez mieux de tout me raconter. Cette salade à propos de Bologne... des mensonges. Vous ne retourneriez pas là-bas même si vous étiez libre. Pourquoi ? »

Elle le regarda un instant fixement, ses yeux sombres étincelaient. Ensuite elle se dirigea vers la fenêtre et regarda la piazza Navona.

« Je peux vous en parler, de toute façon ça n'a plus d'importance... Vous avez tort, je peux retourner là-bas, ils m'attendent. Et si je n'y retourne pas, un jour ou l'autre ils viendront me chercher.

– Qui ?

– Les chefs des Brigades rouges. Je vous ai dit sur le bateau comment je m'étais échappée du camp de Medicina. C'était il y a plus d'un an. Et pendant plus d'un an j'ai vécu au milieu de mensonges qui n'ont rien à voir avec ceux que je vous ai racontés. Ils m'ont retrouvée et fait passer en jugement. Ce qu'ils appellent le tribunal du peuple. Les sentences de mort doivent être prises au sérieux, le monde sait aujourd'hui que ces exécutions sont des plus réelles.

« On n'a pas eu le temps de m'endoctriner, mais je sais où se trouve le camp, et j'ai assisté à la mort de ce jeune garçon. Pire que tout, je me suis enfuie. On ne peut plus me faire confiance. Evidemment, ma vie a peu de poids, comparée aux objectifs de la révolution. A leur avis, j'ai démontré mon insignifiance. Je suis un traître.

« J'ai vu ce qui allait se passer, aussi j'ai essayé de sauver ma peau. J'ai dit que j'étais la maîtresse de cet étudiant et que ma réaction – si elle n'était pas sublime – était du moins compréhensible. J'ai fait savoir que je n'avais parlé à personne et encore moins à la police. J'étais, autant que n'importe quel membre de cette cour, un ardent partisan de la révolution, peut-être même plus que la plupart d'entre eux car je venais d'une famille pauvre.

« J'étais, je crois, très convaincante. Mais il y avait autre chose qui parlait en ma faveur. Pour bien comprendre, il faut savoir comment de tels groupes sont organisés. Quelques hommes forts encadrent les autres. Et parmi eux, ceux, peu nombreux, qui luttent pour le pouvoir – tout comme le chef dans une bande de loups – grondent, montrent les crocs et choisissent leurs femelles. Ça fait partie du pouvoir. Un de ces hommes me voulait parmi ses femmes. C'était probablement le plus féroce de la bande. Les autres le craignaient, moi aussi bien sûr.

« Mais il pouvait me sauver la vie, j'ai donc pris ma décision. J'ai vécu avec lui pendant plus d'un an, chaque jour m'apportant de nouvelles horreurs, ses étreintes me faisaient haïr la nuit. Je me détestais autant que je le haïssais.

« Pourtant j'étais coincée. Je vivais dans la terreur, craignant à chaque instant de commettre une erreur fatale qui leur donnerait l'occasion de me brûler la cervelle... Une de leurs méthodes favorites.

354

(Antonia quitta la fenêtre.) Vous comprendrez sans doute mieux maintenant pourquoi je suis restée avec vous et le Russe. Je connaissais déjà ce genre de sursis. En m'enfuyant, je me condamnais à mort. Et je sais que si je m'enfuis maintenant, vous m'abattrez. J'étais prisonnière à Bologne, je l'étais aussi à Porto-Vecchio et je le suis maintenant à Rome. J'en ai assez de tout ça, je ne le supporte plus. Bientôt, je tenterai de m'échapper et vous me tirerez dessus. (Elle tendit, de nouveau, la robe à Scofield.) Reprenez votre robe, *signore,* je cours bien plus vite en pantalon. »

Bray était resté immobile, il n'avait rien dit, il n'avait fait aucun geste de peur d'interrompre la grande fille. Il réprima un sourire.

« Je suis content d'apprendre que votre sens du fatalisme n'inclut pas le suicide. Je veux dire que vous espérez bien vous échapper.

— Soyez-en persuadé, répondit la grande fille en laissant tomber la robe par terre.

— Je ne vous tuerai pas, Antonia. »

Elle eut un petit rire triste.

« Mais si, vous me tuerez. Vous et le Russe, vous êtes de la pire espèce. A Bologne, on tue avec colère en bramant des slogans. Vous, vous tuez froidement... Vous n'avez même pas besoin d'être exalté. »

Je l'ai été une fois. Mais ça passe. Ce n'est pas par passion mais par nécessité. Je vous en prie, ne parlons pas de ces choses. Si vous avez vécu de cette manière, c'était pour avoir un sursis. C'est la seule chose que j'avais besoin de savoir.

« Je ne discuterai pas avec vous. Je ne dis pas que je ne pourrais pas – ou que je ne voudrais pas –, je dis simplement que je ne le ferai pas. J'essaie simplement de vous faire comprendre que vous n'avez aucune raison de vous enfuir.

— Pourquoi ?

— Parce que j'ai besoin de vous. (Scofield s'agenouilla, ramassa la robe et la tendit gentiment à

Antonia.) Ce qu'il me faut maintenant, c'est vous convaincre que vous avez besoin de moi.

— Pour me sauver la vie ?

— Pour que vous puissiez en disposer à votre guise, en tout cas pour qu'elle soit meilleure qu'auparavant et, finalement, pour que la crainte ne l'envahisse plus.

— « Finalement », c'est bien loin. Pourquoi devrais-je vous croire ?

— Je ne pense pas que vous ayez le choix. Je ne peux pas vous répondre vraiment avant d'en savoir davantage, mais l'on peut avancer l'hypothèse que les *brigatisti* ne sont pas tous confinés à Bologne. Vous m'avez dit que si vous ne retourniez pas là-bas, ils viendraient vous chercher. Leurs... bandes... rôdent dans toute l'Italie. Pendant combien de temps pouvez-vous encore vous cacher, s'ils veulent vraiment vous trouver ?

— J'aurais pu rester en Corse pendant des années, à Porto-Vecchio. Ils ne m'auraient jamais trouvée, là-bas.

— De toute façon, ce n'est plus possible, maintenant, et d'ailleurs est-ce vraiment cette sorte d'existence que vous désirez ? Passer une vie de recluse dans ces sacrées collines ? Les hommes qui ont tué votre grand-mère ne sont pas différents de ceux qui font partie des Brigades rouges. Les uns veulent garder ce qu'ils possèdent – leurs sales petits secrets – et sont prêts à tuer pour ça. Les autres veulent changer le monde – en recourant à la terreur – et ils tuent tous les jours pour parvenir à leur but. Croyez-moi, tout se tient. C'est cette connection que Taleniekov et moi-même essayons de découvrir. Il serait préférable que nous la trouvions avant que ces paranoïaques nous fassent tous sauter. Votre grand-mère nous l'a dit : ça se passe partout. Ne vous cachez plus. Aidez-nous. Aidez-moi.

— Je ne vois pas comment je pourrais vous aider.

– Vous ne savez pas ce que je vais vous demander.

– Oh ! si, je sais. Vous voulez que je retourne là-
bas.

– Plus tard, peut-être. Pas maintenant.

– Je n'irai pas, ce sont des porcs. C'est un porc
monstrueux.

– Alors supprimons-le. Effaçons-les de la surface
de la terre. Ne les laissez pas se développer. Ne les
laissez pas vous rattraper – que vous soyez en Corse,
ou ici ou ailleurs. Ne comprenez-vous pas ? Ils vous
trouveront s'ils pensent que vous êtes une menace
pour eux. Voulez-vous revivre ce que vous avez déjà
vécu ? Voulez-vous retourner là-bas pour assister à
votre propre exécution ? »

Antonia s'écarta. Elle s'arrêta près du canapé
rembourré que Bray avait poussé contre la porte.

« Comment pourraient-ils me retrouver ? Allez-
vous les aider ?

– Non. Ce ne sera pas nécessaire.

– Il y a des milliers d'endroits où je peux...

– Ils disposent de milliers de moyens pour vous
retrouver.

– Vous mentez. (Elle se retourna pour le regarder
dans les yeux.) Ils n'ont pas de tels moyens.

– A mon avis, si. Des groupes comme les Brigades rouges, partout dans le monde, reçoivent des
informations, des fonds, des équipements sophistiqués sans même savoir, la plupart du temps, qui les
leur fournit. Ni pourquoi on les leur fournit. Ce sont
des pions, et pourtant – et c'est là le côté dérisoire de
la chose – ils vous trouveront.

– Les pions de qui ?

– Des Matarèse.

– C'est idiot !

– J'aimerais bien, mais ce n'est pas le cas. On ne
peut plus mettre tout ce qui est arrivé sur le compte
des coïncidences. Des hommes qui croyaient à la

paix ont été abattus. Un homme d'Etat de grande envergure, respecté aussi bien à l'Est qu'à l'Ouest, a parlé de ça dans des cercles officiels. Il a disparu. Ils sont partout, à Washington, à Moscou... en Italie, en Corse et Dieu sait où. Ils sont là, mais nous ne pouvons pas les voir. Mais ce que je sais, c'est qu'il faut les trouver. Et c'est votre grand-mère, là-bas dans les collines, qui nous a donné les premières informations concrètes. Elle a renoncé à sa vie pour nous mettre au courant. Elle était aveugle, mais elle voyait très bien ce qui se passait... Parce qu'elle était là tout au début.

— Des mots !

— Des faits. Des noms. »

Un craquement. Un bruit qui n'appartenait pas à la rumeur provenant de la place qui se trouvait en bas. Ça venait de derrière la porte bloquée par le divan. Tous les bruits appartiennent à un ensemble à moins que, brusquement, ils ne s'isolent. C'était un bruit isolé. Un pas. Le déplacement d'un corps, le frottement d'une semelle de cuir contre la pierre. Bray mit son index devant sa bouche. Il fit signe à Antonia d'aller sur la gauche du divan tandis qu'il se plaçait rapidement en face. La grande fille ne comprenait pas, elle n'avait rien entendu. Elle l'aida néanmoins à écarter le divan de la porte, doucement, silencieusement.

Voilà.

Scofield lui fit signe de retourner dans le coin. Il sortit son Browning et se remit à parler comme s'il poursuivait une conversation. Il s'approcha de la porte, le visage tourné de l'autre côté.

« Il n'y a pas tellement de monde dans les restaurants. Allons au Tre Scalini. Dieu seul sait que je peux... »

Il ouvrit la porte brutalement, il n'y avait personne dans le couloir. Pourtant il était sûr de ne pas s'être trompé, il avait parfaitement entendu. Il était furieux de sa propre négligence. Depuis Fiumicino, il s'était relâché, car il pensait avoir semé ses poursuivants. Rome n'était pas un bureau très important, ça n'avait plus rien à voir avec l'activité qui régnait là, quatre ans plus tôt. La C.I.A., les Opérations consulaires et le K.G.B. avaient réduit au minimum le nombre de leurs agents dans la capitale italienne. Ça faisait plus de onze mois que Scofield n'était pas venu dans la ville. Et déjà, à ce moment-là, les fiches indiquaient qu'aucun agent important ne travaillait dans les parages. Alors, s'il n'y avait pratiquement plus de services secrets à Rome, qu'était-il en train de se passer ?

Quelqu'un était là tout à l'heure, quelqu'un s'était approché de la porte, avait écouté, avait essayé d'obtenir une confirmation. La brusque interruption dans la conversation avait permis à l'étranger de se rendre compte qu'il était repéré. Mais quelqu'un attendait là, dans l'ombre, quelque part, dans le couloir ou dans l'escalier.

Merde et merde ! se disait Bray en colère tout en parcourant silencieusement le palier. Avait-il oublié qu'on avait mis en état d'alerte tous les bureaux des services secrets du monde entier ? Pour un homme en fuite, il s'était montré d'une incroyable négligence. Où l'avait-on découvert ? Dans la via de Condotti ? Au moment où il traversait la piazza Navona ?

Il entendit un léger déplacement d'air, mais en l'entendant il savait déjà qu'il était trop tard. Il se raidit en pivotant sur sa droite et se baissa rapidement pour amortir le choc.

On avait ouvert brusquement une porte derrière lui. Une silhouette à peine visible derrière son dos s'était jetée sur lui, un bras levé. Le tranchant d'une main lui écrasa la nuque. La douleur descendit dans sa poitrine et finalement atteignit ses rotules. Le reste n'était plus que silence et ténèbres.

Il cligna des yeux à plusieurs reprises parce que des larmes de douleur les remplissaient. Cela le troublait et le soulageait en même temps. Depuis combien de temps était-il couché sur le sol du couloir ? Il pensait que ça ne faisait pas très longtemps. Lorsqu'on demeure inconscient pendant un bon bout de temps, la bouche devient sèche à cause de la respiration difficile et ce n'était pas le cas. Il se releva lentement et regarda sa montre, faisant un effort pour voir le cadran dans la pénombre. Il était resté évanoui pendant une quinzaine de minutes. S'il n'avait pas fait un mouvement de torsion vers le bas au moment où il avait reçu le choc, il serait probablement demeuré inconscient pendant près d'une heure.

Pourquoi était-il là, seul ? Où était son assaillant ? Ça n'avait aucun sens ! On l'avait coincé et on s'était désintéressé de son sort. Pourquoi alors l'avoir agressé ?

Il entendit un faible cri, rapidement étouffé. Il se retourna, surpris, puis comprit. Ce n'était pas lui la cible, ce n'était pas à lui qu'on en voulait mais à Antonia. C'était elle qu'on avait repérée, pas lui.

Scofield se remit debout, s'appuya contre la rampe et regarda tout autour de lui. Naturellement, on lui avait enlevé son Browning, mais il était conscient. Son adversaire ne s'attendait sûrement pas à ça. Le type avait choisi avec précision l'endroit à atteindre avec la crosse de son pistolet et était persuadé que sa victime resterait inconsciente bien plus d'un quart d'heure. Attirer ce type dehors n'était pas un vrai problème.

Bray s'approcha sans bruit de la porte de la chambre et appliqua son oreille contre le panneau de bois. Les gémissements étaient plus forts, maintenant, des cris de douleur étaient brutalement interrompus. Une grosse main devait s'écraser sur une bouche; des doigts broyaient des muscles pour empêcher les plaintes de sortir de la gorge. Quelqu'un parlait d'une voix rauque en italien.

« Putain ! Salope ! A Marseille ! Des milliers de dollars ! Deux ou trois semaines tout au plus ! Nous avons envoyé nos hommes. Tu n'étais pas là, ordure. Il n'était pas là non plus. Aucun des passeurs n'avait entendu parler de toi. Salope ! Menteuse ! Où étais-tu ? Qu'est-ce que t'as foutu ? On va t'apprendre à trahir ! »

Quelqu'un commença à crier, qu'on fit taire brutalement. C'étaient des râles de douleur qu'on entendait maintenant. Que se passait-il, nom de Dieu ? Scofield frappa avec la main contre la porte, cria comme s'il était à moitié inconscient, dit des bouts de phrases incohérentes, des mots à peine compréhensibles :

« Arrêtez ! Arrêtez ! Qu'est-ce que c'est ? Je ne peux... peux... attendez ! Je descends ! Des policiers sur la place. Police ! »

Il tapa du pied sur le sol de pierre pour faire croire qu'il courait. Il atténua progressivement la force de ses cris. Silence. Il appuya son dos contre le mur et attendit, écoutant avec la plus grande attention les moindres sons provenant de l'intérieur. Il entendit des bruits de gifles, de suffocation, on frappait pour faire mal, pour imposer le silence.

Un son mat. Un corps – son corps à elle – venait d'être projeté contre la porte qui s'ouvrit en grand. Antonia avait été poussée dehors avec une telle force qu'elle tomba sur les genoux, les bras en croix. Ce que vit Bray à ce moment-là l'empêcha de réagir émotionnellement. Il n'était plus question d'émotion mais de mouvements... Des mouvements qui apporteraient la punition. Le type sortit de la chambre en courant, l'arme au poing. Scofield lança sa main droite en avant et empoigna le pistolet. Il pivota en même temps et donna un coup de pied dans l'aine de son adversaire. L'homme fit une grimace de surprise et de douleur. L'arme tomba sur le sol avec un claquement métallique. Bray saisit alors l'homme à la gorge et lui écrasa la tête contre le mur. Ensuite, il lui tordit le cou et le bloqua contre l'encadrement de la porte. En même temps, il lui martelait le bas de la cage thoracique à coups de poing. Les os craquèrent sous le choc. Il enfonça l'un de ses genoux au creux des reins du type et, se servant de ses mains comme d'un bélier, le projeta de toutes ses forces à l'intérieur de la pièce. L'Italien bascula au-dessus du divan et tomba sans connaissance sur le plancher. Scofield fit demi-tour et se précipita vers Antonia.

On pouvait avoir des sentiments, maintenant. Il était bouleversé. Le visage de la grande fille était tuméfié, les veines gonflées apparentes à cause des coups violents qu'elle venait de recevoir, la peau était arrachée au coin de l'œil gauche, un filet de sang zigzaguait sur sa joue. On avait arraché son pull-over. Son chemisier blanc était en lambeaux. On avait déchiré la fermeture de son soutien-gorge qui, retenu par une seule bretelle, pendait en dessous de ses seins.

Bray eut un haut-le-cœur. Un tas de petits cercles brun foncé – des brûlures de cigarette – partaient du ventre et remontaient vers les seins pour atteindre le mamelon rose. Le type qui avait fait ça n'essayait pas d'obtenir des renseignements. C'était un sadique qui satisfaisait son vice, aussi brutalement et rapidement que possible. Bray n'en avait pas fini avec lui.

Antonia secoua la tête en gémissant, demandant qu'on arrête de lui faire mal. Bray la prit dans ses bras et la ramena dans la chambre en ouvrant la porte d'un coup de pied. Il contourna le divan, passa à côté de l'homme évanoui et la déposa doucement sur le lit. Il s'assit à côté d'elle et l'attira vers lui.

« Ça va aller, maintenant. C'est fini, il ne vous touchera plus jamais. »

Il sentit des larmes contre sa joue. Elle venait de passer ses bras autour de son cou, elle le serrait de plus en plus fort et tremblait de tout son corps. Ses cris étaient autant des cris de supplication que de douleur. Elle demandait qu'on la soulageât d'un tourment qui la rongeait depuis très longtemps. Mais ce n'était pas le moment de s'occuper de sa souffrance morale, il fallait d'abord montrer ses blessures à un médecin pour qu'il les soigne. Il y en avait un dans la viale Regina. Il faudrait calmer Antonia avant de l'emmener là-bas. Quant au sadique, évanoui sur le plancher, ce serait assez simple. Scofield appellerait les flics depuis une cabine téléphonique et les enverrait à la *pensione*. Ils trouveraient un homme par terre et une arme et sur le corps de l'homme ils pourraient lire :

Brigatisti.

19

LE docteur referma la porte de la salle d'examen et s'adressa à Scofield en anglais. Il avait fait ses études à Londres et avait été recruté à ce moment-là par les services secrets britanniques. Scofield avait eu affaire à lui, lors d'une opération commune réalisée par les Opérations consulaires et le MI 6. On pouvait lui faire confiance, bien qu'il pensât qu'il y avait quelque chose d'aberrant dans l'existence même des services clandestins. Mais puisque les Anglais lui avaient payé ses deux dernières années d'études de médecine sans sourciller, il remplissait l'autre partie du contrat avec une attention scrupuleuse. Il était toujours disponible pour soigner des gens assez peu équilibrés, qui faisaient un métier de fou. Bray l'aimait beaucoup.

« Je lui ai donné des sédatifs. Ma femme est avec elle. Elle sera consciente dans quelques minutes et vous pourrez partir.

– Comment se sent-elle ?

– Elle a mal mais ça passera. J'ai appliqué une pommade sur les blessures qui provoquera une anesthésie locale. Je lui en ai donné un petit pot. (Le docteur alluma une cigarette, visiblement il n'avait pas fini.) Il faudra mettre un morceau ou deux de glace dans un linge et les lui poser sur les parties tuméfiées. L'enflure aura disparu demain. Les coupures sont superficielles, ce n'était pas utile de faire des points de suture.

– Alors ça va bien, dit Scofield soulagé.

– Non, Bray, ça ne va pas bien. Physiquement, elle n'est pas en mauvaise forme, et avec un peu de maquillage et des lunettes noires elle pourra aller se promener dès demain après-midi. Mais elle ne va pas bien du tout.

– Que voulez-vous dire ?

– Est-ce que vous la connaissez très bien ?

– Je la connais à peine, voulez-vous dire. Je l'ai rencontrée il y a quelques jours, peu importe l'endroit...

– Ça ne m'intéresse pas, coupa le docteur. Je ne suis pas curieux. Je veux simplement que vous sachiez que ce n'est pas la première fois que ce genre de chose lui arrive. Il y a des traces de sévices plus anciennes, de sévices sévères.

– Quelle sorte de traces ? demanda Scofield en repensant aux cris d'angoisse qu'il avait entendus, une heure plus tôt.

– Des cicatrices de coupures et de brûlures. Petites, mais aux endroits qui causent généralement une douleur aiguë.

– Et elles remontent à quand ?

– Probablement, au cours de cette année. Pour certaines, la cicatrisation n'est pas encore totalement achevée. Elles ne doivent pas être fort anciennes.

– Vous avez une idée de ce qui s'est passé pour elle ?

– Oui. Lorsqu'ils sont en état de choc, les gens

parlent d'un tas de choses. Vous le savez aussi bien que moi. Vous vous en servez, d'ailleurs.

– Allez-y.

– Je pense qu'on lui a brisé les nerfs systématiquement. Elle répétait sans arrêt les mêmes mots d'ordre : fidélité absolue à ceci et à cela. Fidèle même dans la mort et dans la torture. Un tas d'âneries de ce genre.

– Les *brigatisti* sont de jolies petites ordures !

– Quoi ?

– Oubliez ça.

– C'est oublié.

– Il y a beaucoup de confusion dans cette jolie petite tête.

– Pas autant que vous le pensez. Elle s'est enfuie.

– En bon état ?

– A peu près.

– Alors, c'est quelqu'un d'exceptionnel.

– Encore mieux que ça. C'est exactement la personne dont j'ai besoin.

– Est-ce possible ? (Visiblement le docteur était en colère.) Vous et vos semblables, ne cesserez jamais de m'étonner, de me décevoir. Les cicatrices de cette femme ne sont pas inscrites que dans sa chair, Bray, on l'a brisée.

– Elle est vivante. J'aimerais être là quand elle reprendra conscience. Est-ce possible ?

– De cette manière, vous pourrez la piéger tandis qu'elle sera à moitié éveillée, obtenir d'elle les réactions que vous cherchez ? Excusez-moi, mais ça ne fait pas partie de mon boulot.

– J'aimerais que vous considériez comme votre boulot de l'aider en cas de besoin. »

Le docteur dévisagea Scofield.

« Mon travail est strictement limité à la médecine, vous savez ça.

– Je comprends. Mais elle ne connaît personne ici, elle n'habite pas Rome. Peut-elle venir vous trouver si... certaines de ses cicatrices venaient à se rouvrir ?

— Dites-lui de venir me voir, si elle a besoin d'un médecin ou d'un ami.

— Merci beaucoup. Et merci aussi pour autre chose. Vous avez rassemblé les pièces d'un puzzle que je n'arrivais pas à mettre en place. Je vais y aller maintenant, si vous n'y voyez pas d'inconvénient.

— Allez-y. Et dites à ma femme de me rejoindre ici. »

Scofield toucha la joue d'Antonia. Elle était toujours allongée sur le lit. Le contact de la main lui fit tourner la tête, sa bouche s'ouvrit, un gémissement de protestation sortit de sa gorge. Tout devenait beaucoup plus clair, l'image d'Antonia Gravet prenait de la netteté. C'était ça qui l'avait gêné. Bray n'avait pas été capable de rendre transparent le mur de verre opaque que la grande fille avait placé entre elle et le monde, c'était difficile de faire coïncider les différents aspects de son caractère. La femme décidée qui, dans les collines, avait montré un courage sans rapport avec sa propre force; celle qui avait affronté un homme en pensant qu'il voulait sa mort; celle qui n'avait pas hésité à lui dire de tirer sur elle. Et la femme-enfant, sur le chalutier, trempée jusqu'aux os, qui était prise de fous rires irrésistibles. Ses rires avaient intrigué Bray. En fait, c'était sa manière à elle d'échapper, pendant un instant, aux tensions qui l'entouraient, de retrouver une certaine normalité. Sur le bateau, elle était temporairement à l'abri, en mer elle ne risquait rien. Aussi en avait-elle profité au maximum. Un enfant maltraité – ou un prisonnier – à qui on accorde une heure de liberté et de soleil. Prendre l'instant tel qu'il vient et en jouir au maximum. Oublier, tout oublier pendant ces brefs moments.

C'est ainsi que réagit le cerveau des personnes qui

ont peur. Scofield avait vu dans sa vie trop de gens avoir peur pour ne pas reconnaître le syndrome une fois qu'on lui avait montré les cicatrices. Le docteur lui avait dit : « Beaucoup de confusion dans cette jolie petite tête. » Comment pouvait-il en être autrement ? Antonia Gravet avait parcouru pendant une éternité un dédale de douleurs. Qu'elle ait réussi à rester en bon état au cours de cette épreuve était déjà en soi remarquable... C'est à ce genre de chose qu'on reconnaît les vrais professionnels.

C'est vraiment curieux que ce soit là le plus grand compliment que je puisse lui faire, pensait Bray et dans une certaine mesure ça le rendait malade.

Antonia ouvrit les yeux, des yeux effrayés. Ses lèvres tremblaient. Puis elle reconnut l'homme qui se trouvait devant elle. La peur disparut et le tremblement s'arrêta. Bray toucha de nouveau sa joue, et les yeux de la grande fille reflétèrent le bien que cela lui faisait.

« *Grazie*, murmura-t-elle. Merci à vous, merci à vous, merci à vous... »

Bray se pencha sur elle.

« J'ai appris de nouvelles choses. Le docteur m'a dit ce qu'on vous a fait. Racontez-moi la suite. Dites-moi ce qui s'est passé à Marseille ? »

La grande fille se remit à trembler, de grosses larmes apparurent au coin de ses yeux.

« Non ! S'il vous plaît, ne me demandez pas ça.

— Je vous en prie. Je dois savoir. Ils ne vous toucheront plus, plus jamais.

— Vous avez vu ce qu'ils font ! C'est insupportable...

— C'est fini maintenant. (Bray essuya les larmes avec ses doigts.) Ecoutez-moi. Je comprends maintenant. Je vous ai parlé d'une manière stupide parce que je ne savais pas. Naturellement, vous vouliez fuir, partir le plus loin possible, vous couper du monde, rejeter votre appartenance à la race humaine. Je comprends cela. Mais ne voyez-vous pas que c'est impossible ? Aidez-nous à les arrêter, aidez-moi à les arrêter. Ils vous ont fait tellement de mal... Faites-les payer pour ça, Antonia. Nom de Dieu ! mettez-vous en colère. Il me suffit de vous regarder pour entrer dans une colère terrible. »

Bray ne sut pas exactement ce qui se passait. Peut-être était-ce parce qu'il se faisait du souci à son sujet, qu'il n'essayait pas de le dissimuler et qu'elle le voyait dans ses yeux et dans ses paroles. En tout cas, les larmes s'arrêtèrent de couler, les yeux sombres retrouvèrent leur vivacité, cette étonnante vivacité qu'ils avaient sur le chalutier. La grande fille retrouvait son caractère en même temps que sa colère. Elle raconta la suite de son histoire.

« J'étais condamnée à être la putain du passeur de drogue. Je voyageais avec lui, gardant les yeux ouverts et mon corps disponible. Je devais coucher avec des hommes – ou des femmes – et leur rendre tous les petits services qu'ils exigeaient. (Antonia ferma les yeux un instant, les souvenirs lui faisaient mal.) Cette femme, cette putain est très utile au passeur, elle l'aide dans un tas de circonstances. Elle lui sert d'appât, de monnaie d'échange, d'agent de renseignement. On m'avait... entraînée. Je leur ai laissé croire que je n'avais plus aucune volonté. On m'a désigné le passeur que je devais accompagner. C'était un personnage grossier qui brûlait de me posséder parce que j'avais été la petite amie du chef. Cela allait le faire monter en grade. J'étais malade rien que de penser à ce qui m'attendait. Pourtant, je comptais les heures, sachant que chacune d'elles me rapprochait de l'instant dont j'avais rêvé depuis des mois. Cette ordure de passeur et moi-même avons été emmenés à La Spezia. Là, nous sommes montés clandestinement à bord d'un cargo en partance pour Marseille où nous devions rencontrer le contact chargé de l'opération.

« Le passeur ne pouvait pas attendre. Je m'étais préparée à ça. On nous avait mis dans une petite remise en dessous du pont. Le bateau ne devait pas prendre la mer avant une heure. J'ai dit à ce porc que nous ferions peut-être mieux d'attendre plutôt que de risquer d'être dérangés. Mais il ne voulait pas attendre, l'animal, et j'avais compté là-dessus. S'il avait reculé, je l'aurais excité en découvrant ma poitrine ou en tripotant son pantalon sale. Toutes les minutes étaient précieuses. Je ne devais à aucun prix prendre la mer. Je savais qu'en mer je perdrais le peu de vie qui me restait. Je m'étais jurée de sauter à l'eau au cours de la nuit et de me laisser couler plutôt que de me retrouver à Marseille où toutes les horreurs que j'avais déjà vécues allaient recommencer. Mais ça n'a pas été nécessaire... »

Antonia s'arrêta, la douleur l'empêchait de parler. Bray prit sa main et la garda dans la sienne.

« Continuez », dit-il doucement.

Elle devait parler. Il était essentiel qu'elle affrontât ses souvenirs, qu'elle les exorcisât. Bray sentait cela comme s'il s'agissait de lui-même.

« Le cochon a enlevé ma veste et a déchiré ma chemise. Ça n'avait pas d'importance, de toute façon, je voulais les enlever. Il fallait qu'il fît parade de son désir de mâle. Il devait me violer, il n'avait rien à recevoir, ce qu'il voulait, c'était prendre. Il a arraché ma jupe et mes sous-vêtements, et je me suis retrouvée toute nue devant lui. Il a enlevé ses propres vêtements avec frénésie et s'est placé sous la lampe, il voulait sans doute m'impressionner avec sa nudité.

« Il m'a empoigné les cheveux et m'a obligée à m'agenouiller... ma tête à la hauteur de sa taille... J'étais prise d'un effroyable dégoût, mais je savais que le moment était arrivé. J'ai fermé les yeux et j'ai joué mon rôle en pensant aux belles collines qui entourent Porto-Vecchio, à la belle vallée où vivait ma grand-mère... où j'irais vivre pour le reste de mes jours.

« Il a joui et s'est jeté sur mon corps en grognant

comme un animal. Sa sueur ruisselait sur moi, sa puanteur emplissait mes narines.

« J'ai commencé à faire de légers mouvements en direction d'un tas de cordes, en gémissant et en murmurant les mots que cette ordure voulait entendre. Doucement, j'ai enfoncé ma main au milieu du rouleau de cordes. Le moment était arrivé. J'avais caché un couteau – un simple couteau de table que j'avais aiguisé sur une pierre – au milieu des cordages. J'ai serré le manche de toutes mes forces et j'ai pensé de nouveau aux belles collines de Porto-Vecchio.

« Et tandis que cette ordure m'écrasait de son corps nu, j'ai levé le couteau et l'ai enfoncé dans son dos. Il a crié et a tenté de se remettre debout. Mais la blessure était profonde. J'ai retiré la lame et l'ai enfoncée de nouveau et encore, encore, encore... et encore, encore ! Je ne pouvais pas m'arrêter de tuer. »

Elle avait tout raconté et maintenant elle sanglotait sans pouvoir s'arrêter. Scofield la serra contre lui et lui caressa les cheveux. Il ne dit rien parce qu'il n'y avait rien à dire qui pût effacer une telle douleur. Finalement, grâce à un terrible effort sur elle-même, la grande fille se calma.

« Il fallait que ce soit fait. Est-ce que vous comprenez ? dit Bray doucement.

– Oui.

– Il ne méritait pas de vivre. Etes-vous persuadée de cela ?

– Oui.

– C'est le premier pas, Antonia. Vous devez l'accepter. Nous ne sommes pas au tribunal, où les avocats peuvent débattre de subtilités. Pour nous, c'est clair et net, nous sommes en guerre, et si vous n'aviez pas tué à temps ce sont eux qui vous auraient tuée. »

Antonia respira profondément, les yeux perdus dans le vague. Sa main reposait toujours dans celle de Bray.

« Vous êtes un homme bizarre, vous dites les mots justes, mais j'ai l'impression que vous n'aimez pas les dire. »

En effet, je ne m'aime pas. Je n'ai pas choisi ma vie. Le destin me l'a imposée. Je suis dans un tunnel et je n'arrive pas à en sortir. Les mots justes sont un réconfort. Et la plupart du temps, j'ai besoin d'eux pour ne pas sombrer dans la folie.

Bray lui serra la main de nouveau.

« Que s'est-il passé après ?

— Après que j'eus tué le passeur ?

— Après avoir tué l'animal qui vous avait violée, qui vous aurait tuée.

— *Grazie encora.* J'ai passé ses vêtements. J'ai retroussé les pantalons, j'ai remonté mes cheveux sous la casquette et j'ai rembourré la veste avec les morceaux de tissu qui restaient de ma chemise et de ma jupe. Je suis remontée sur le pont. Le ciel était sombre, mais il y avait des lumières sur le quai. Des dockers allaient et venaient sur la passerelle en portant de grandes caisses. On aurait dit des fourmis géantes. C'était enfantin. J'ai pris la file d'attente et suis descendue du navire.

— Parfait.

— Ce n'était pas difficile, jusqu'au moment où j'ai posé mon pied par terre.

— Pourquoi ? Que s'est-il passé alors ?

— J'avais envie de crier. Je voulais crier et rire, courir le long du quai en hurlant que j'étais libre. Libre. Ensuite, tout s'est passé très simplement. Le passeur avait de l'argent dans la poche de son pantalon. C'était plus qu'il ne m'en fallait pour me rendre à Gênes. Là, j'ai acheté des vêtements et une place d'avion pour la Corse. Le lendemain, à midi, j'étais à Bastia.

— Et de là, à Porto-Vecchio ?

— Oui, libre.

— Pas exactement. La prison, certes, était différente, mais vous étiez encore une prisonnière, ces collines étaient votre cellule.

— J'aurais été heureuse là-bas, pour le reste de ma vie. Depuis que je suis enfant, j'aime la vallée et la montagne.

— Gardez-en le souvenir mais n'y retournez pas. »

Antonia se tourna vers lui.

« Vous m'avez dit que je pourrais y retourner un jour, ces hommes doivent payer pour ce qu'ils ont fait. Vous étiez d'accord avec ça.

— J'ai dit que j'espérais qu'ils paieraient. Il est possible que ce soit vrai. Mais laissez les autres faire le travail. On vous fera sauter la cervelle si vous posez le pied dans ces collines. »

Scofield lâcha sa main et releva la mèche de cheveux sombres qui était tombée sur sa joue au moment où elle s'était tournée brusquement vers lui. Il y avait quelque chose qui le troublait, mais il ne savait pas très bien quoi. Un maillon manquait, on avait sauté quelque chose, un pas avait été effacé.

« Je sais que ce n'est pas très généreux de vous parler de ça, mais il y a quelque chose que je ne comprends pas. Ces filières pour la drogue... comment sont-elles organisées ? Vous dites qu'un passeur est choisi, qu'une femme est désignée pour voyager avec lui et qu'ils doivent rencontrer un contact à un endroit donné...

— Oui, la femme porte un vêtement particulier. C'est ainsi que le contact la reconnaît et s'approche d'elle. Il la paie pour une heure et ils partent ensemble. Le passeur les suit. Si quelque chose arrive, par exemple une intervention de la police, le passeur proclame qu'il est le *mezzano* de la fille... le maquereau.

— Ainsi le contact et le passeur prennent rendezvous en passant par la femme. Est-ce que la drogue est livrée à ce moment-là ?

— Je ne pense pas. Rappelez-vous que je n'ai jamais suivi une filière. Je crois que le contact informe simplement le passeur de la manière dont va se passer la livraison. Où l'on doit prendre la drogue et qui va l'apporter. Après cela, le contact envoie le passeur à la source qui utilise toujours la fille pour se protéger.

– S'il y a une arrestation... c'est la putain qui écope ?

– Oui, la brigade des narcotiques ne porte pas beaucoup d'intérêt à ce genre de femmes. On les relâche rapidement.

– Mais le fournisseur est maintenant connu ainsi que le déroulement de l'opération, et le passeur protégé... »

Mais qu'est-ce que c'était donc ? Bray regardait le mur en essayant de débrouiller les faits, de trouver ce qui le gênait, le maillon manquant. Qu'y avait-il de bizarre dans tout ça ?

« La plupart des risques sont réduits au minimum. La livraison est faite d'une telle manière que la marchandise peut être abandonnée à n'importe quel moment. Tout au moins, c'est ce que j'ai deviné en entendant parler les autres filles.

– « La plupart des risques... réduits au minimum. »

– Pas tous évidemment, mais un grand nombre. C'est très bien organisé. A chaque stade, il y a un *covata evasione*. Une porte de sortie.

– Bien organisé ? Une porte de sortie ?... (Organisé ! Voilà. Un minimum de risques et un gain maximal. En fait, il s'agissait de la structure entière, il fallait revenir tout au début... au concept lui-même.) Dites-moi, Antonia, d'où viennent les contacts ? Comment ont-ils fait pour rencontrer les Brigades la première fois ?

– Les Brigades gagnent beaucoup d'argent avec la drogue. C'est leur principale source de revenus.

– Mais comment et quand tout cela a-t-il débuté ?

– Il y a quelques années, quand les Brigades ont commencé à prendre de l'ampleur.

– Ce n'est pas arrivé comme ça. Comment est-ce arrivé ?

– Je ne peux vous dire que ce que j'ai entendu. Un homme est venu voir les chefs – plusieurs d'entre eux étaient en prison. Il leur a demandé de le contacter quand ils sortiraient. Il pouvait leur faire gagner beaucoup d'argent sans prendre les risques attachés à l'attaque des banques et au kidnapping.

– En d'autres termes, il leur a proposé de leur procurer des moyens financiers importants sans qu'ils aient à se fatiguer beaucoup. Des équipes de deux personnes, partant en voyage pour trois ou quatre semaines et revenant avec, disons, soixante-dix mille dollars pour un travail d'un mois. Un minimum de risques, un gain maximal, et tout cela ne demandait qu'un personnel réduit.

– Oui. Au début, en effet les contacts venaient de la part de cet homme. Mais ensuite ils ont conduit les Brigades vers d'autres sources. Comme vous dites, il faut très peu de gens, et ça rapporte énormément.

– De cette manière, les Brigades peuvent se consacrer à leur réelle vocation : bouleverser l'ordre social. C'est ça le terrorisme. (Bray se leva.) L'homme qui est venu voir les chefs en prison est-il toujours en contact avec eux ?

– Une fois de plus, je ne peux que vous répéter ce que j'ai entendu. Il ne les a rencontrés que deux fois.

– Je l'aurais parié. Chaque négociation passe par cinq intermédiaires... Une progression géométrique. Impossible de remonter à la source. C'est comme ça qu'ils pratiquent.

– Qui ?

– Les Matarèse.

– Pourquoi dites-vous ça ?

– Parce que c'est la seule explication. Des trafiquants sérieux ne voudraient jamais avoir affaire à des paranoïaques comme les types des Brigades. C'est une manipulation, un moyen de financer le terrorisme. Ainsi ils paient pour les fusils et les meurtres. En Italie, ce sont les Brigades rouges; en Allemagne Baader-Meinhof; au Liban l'O.L.P.; dans mon pays, les Minutemen, les Weathermen, le Ku Klux Klan, les J.D.L. et tous ces fous qui mettent des bombes dans les banques, dans les laboratoires et dans les ambassades. Tous sont financés différemment, secrètement. Ils servent de pions aux Matarèse – des pions devenus fous –, et c'est ça qui fait peur. Plus on les nourrit, plus ils engraissent. Et plus ils sont gros, plus ils sont dangereux. (Bray avança la main pour reprendre celle de la grande fille, n'en ayant conscience qu'une fois qu'il l'eut touchée.) Qu'est-ce que tout cela signifie ?

– Vous êtes convaincu que quelque chose va arriver, n'est-ce pas ?

– Maintenant, plus que jamais. Vous venez de me montrer comment une petite partie de l'ensemble est manipulée. Je savais – je croyais savoir – que quelqu'un tirait les ficelles, mais je ne savais pas comment. Maintenant, j'ai compris, et ce n'est pas nécessaire d'avoir beaucoup d'imagination pour concevoir un tas de variantes. C'est une guerre de guérilla avec des milliers de foyers qui ne sont jamais nettement définis. »

Antonia leva la main comme si elle voulait voir qu'elle était effectivement libre. Ensuite, elle fixa ses yeux sombres sur ceux de Bray.

« Vous parlez de tout ça comme si c'était nouveau pour vous, cette guerre. Il ne peut en être ainsi. Vous êtes un agent secret...

– J'étais. Je ne suis plus.

– Cela ne change rien de ce que vous savez. Vous m'avez dit, il y a quelques minutes à peine, qu'il faut accepter certaines choses, que nous n'avons pas affaire à des tribunaux pleins d'*avvocati*, qu'on tue pour ne pas être tué. Est-ce que cette guerre est tellement différente ?

– Plus que je ne peux l'expliquer, répondit Scofield en fixant le mur blanc. Nous sommes des professionnels, nous obéissons à certaines règles – des règles que, pour la plupart, nous nous sommes fabriquées, des règles dures, mais ce sont des règles quand même et nous nous plions à elles. Nous savons que ce que nous faisons a un but et nous savons exactement quand il faut arrêter. Eux, ce sont des fauves lâchés en liberté dans la rue. Ils n'ont aucune règle et ne savent pas comment s'arrêter. Ceux qui les financent ne veulent pas le leur apprendre. Ne vous faites pas d'illusions : ils sont capables de paralyser les gouvernements... »

Bray s'arrêta en entendant sa voix, les mots qu'il venait de prononcer. Il était stupéfait. En une seule phrase, il venait de le dire. C'était là, juste en face d'eux, et ni lui ni Taleniekov ne l'avaient vu. Ils s'en étaient approchés, avaient tourné autour, s'étaient servis des mots, en avaient donné presque la définition, mais ils ne l'avaient jamais eu clairement présent à l'esprit.

... ils sont capables de paralyser les gouvernements.

Quand la paralysie gagne partout, on perd le contrôle, tout est arrêté. Un vide se crée dans lequel une force non paralysée peut venir s'insérer pour prendre le pouvoir.

Vous hériterez de la terre. Vous retrouverez vos possessions. Des mots prononcés soixante-dix ans plus tôt par un fou. Leur signification n'était pas politique, en fait elle était apolitique. Il n'était plus question de frontières, ces mots ne voulaient pas dire qu'une seule nation devait prendre le pas sur les autres. Tout au contraire, elles devaient toutes être dirigées par un conseil, un groupe d'hommes liés entre eux par serment.

Mais les hommes appartenant au premier conseil étaient morts. Qui étaient leurs successeurs ? Et qu'est-ce qui les liait ensemble ? Maintenant. Aujourd'hui.

« Qu'y a-t-il ? demanda Antonia en voyant le visage tendu de Scofield.

– Il y a un calendrier, tout est orchestré. Les actes de terrorisme augmentent chaque mois selon une progression prévue. Blackburn, Yourievitch... On donnait des coups de sonde pour voir la réaction au plus haut niveau. Winthrop, qui avait jeté un cri d'alarme dans ces mêmes cercles, avait été réduit au silence. Tout concordait.

– Vous vous parlez à vous-même. Vous tenez ma main, mais c'est à vous que vous parlez. »

Scofield regarda Antonia, il pensait effectivement à autre chose. Il avait entendu deux femmes remarquables lui raconter deux histoires étonnantes. Les récits étaient pleins de violence, car ces deux femmes étaient reliées au monde furieux de Guillaume de Matarèse. L'*istrebitel* à l'agonie avait dit à Moscou que la réponse se trouvait peut-être en Corse. Ce n'était pas tout à fait exact, mais les premiers indices pour obtenir une réponse se trouvaient en effet là. Sans Sophia Pastorine et sans Antonia Gravet, la maîtresse et la descendante, les choses n'auraient pas progressé d'un pas. Chacune, à sa manière, avait formulé d'étonnantes révélations. Certes, les Matarèse restaient encore une énigme, mais quelque chose était en train de prendre forme. Ils avaient un but. Des hommes liés ensemble par une cause commune : paralyser les gouvernements et prendre le pouvoir... *Hériter de la terre.*

C'était là que reposait le risque de catastrophe : en voulant hériter de la planète, on pouvait la faire sauter.

« Si je me parle, c'est parce que j'ai changé d'avis. Je vous ai demandé de m'aider, j'y renonce. Vous avez trop souffert. Je peux trouver quelqu'un d'autre.

– Je vois, dit Antonia en s'asseyant dans le lit. Brusquement on n'a plus besoin de moi ?

– Exactement.

– Pourquoi alors avez-vous pensé à moi ? »

Scofield marqua un temps avant de répondre. Il se demandait comment la grande fille allait accepter la vérité.

« Vous aviez raison, il n'y avait qu'une alternative. Vous faire travailler pour nous ou vous tuer. »

Antonia battit des paupières.

« Mais ce n'est plus comme ça ? Ce n'est plus nécessaire de me tuer ?

– Non, ça ne servirait à rien. Vous ne parlerez pas, vous ne m'avez pas menti. Je sais par quoi vous êtes passée. Vous ne voulez pas que ça recommence. Vous auriez préféré vous tuer plutôt que d'aller jusqu'à Marseille. Et je pense que vous seriez allée jusqu'au bout.

– Qu'est-ce que je vais devenir alors ?

– Je vais vous trouver une planque. Vous allez vous cacher. Je vais vous donner de l'argent. Demain matin, je vous dénicherai des papiers et un billet d'avion qui vous emmènera loin de Rome. Je vais écrire quelques lettres que vous donnerez aux gens à qui je vais vous envoyer. Vous serez bien, ne vous inquiétez pas. (Bray ne put s'empêcher de toucher sa joue gonflée et de repousser une mèche de ses cheveux.) Vous pouvez même trouver une autre vallée, Antonia. Une vallée aussi belle que celle que vous avez quittée, mais il y aura une différence : là-bas, vous ne serez plus prisonnière. Plus personne, dans cette vie, ne vous ennuiera.

– Vous y compris, Brandon Scofield ?

– Oui.

– Alors, il vaudrait mieux me tuer.

– Pardon ?

– Je ne partirai pas. Vous ne pouvez pas m'y obliger, vous ne pouvez pas me renvoyer parce que cela vous convient... ou pire encore, parce que vous avez pitié de moi. (Les yeux sombres de la grande fille corse étincelaient de nouveau.) Quel droit avez-vous sur moi ? Où étiez-vous quand ces choses terribles sont arrivées ? Elles me sont arrivées à moi, pas à vous. Je vous interdis de prendre des décisions à ma place. Tuez-moi d'abord.

– Je ne veux pas vous tuer – je n'ai pas besoin de vous tuer. Vous voulez être libre, Antonia, je vous offre cette liberté. Prenez-la, ne soyez pas stupide.

– C'est vous qui êtes stupide. Je peux vous aider comme personne d'autre ne pourrait le faire.

– Comme la putain du passeur ?

– Si ça peut vous être utile, oui.

– Mais pourquoi, nom de Dieu ? »

La grande fille se tenait très droite. Elle répondit doucement :

« A cause de ce que vous avez dit...

– Oui, je sais. Je vous ai dit d'être en colère.

– Il y a quelque chose d'autre. Vous m'avez dit que partout dans le monde, les gens qui croient à des causes – beaucoup sans grande sagesse, beaucoup par colère et méfiance – étaient manipulés et poussés à la violence et au meurtre. Eh bien, j'ai vu de près des gens qui se battaient pour une cause. Ils n'étaient pas tous insensés, tous ceux qui luttent pour une cause ne sont pas des brutes. Parmi nous, il y a ceux qui veulent changer un monde injuste, et c'est notre devoir d'essayer. Mais personne n'a le droit de nous transformer en putains et en tueurs. Vous dites que les responsables sont les Matarèse. Ils sont plus riches, plus puissants, mais nullement meilleurs que les gens des Brigades qui tuent les enfants et transforment en menteurs et en assassins les gens de mon espèce. Je veux vous aider, je ne veux pas être renvoyée. »

Bray regarda le visage d'Antonia, adorable malgré la trace des coups.

« Vous êtes tous pareils, vous ne pouvez pas vous empêcher de faire des discours. »

Antonia sourit, c'était un petit sourire ironique, timide et charmant.

« La plupart du temps nous n'avons que ça. (Le

sourire disparut et une tristesse que Scofield n'était pas sûr de comprendre envahit tout le visage.) Il y a autre chose.

— Quoi ?

— Vous. Je vous ai étudié de près. Vous êtes un homme désespérément triste. Vous en portez la trace sur votre visage comme moi la marque des coups sur mon corps. Néanmoins, je peux me souvenir d'une époque où j'étais heureuse. En êtes-vous capable ?

— Cette question n'a rien à voir avec ce qui vous intéresse.

— Pour moi, si.

— Pourquoi ?

— Je pourrais vous dire que c'est parce que vous avez sauvé ma vie, ça suffirait. Mais cette vie ne valait pas grand-chose. Vous m'avez donné autre chose aussi : une raison de quitter les collines. Je n'avais jamais pensé que quelqu'un pourrait faire ça pour moi. Vous venez de m'offrir la liberté à l'instant, mais c'est trop tard. Je l'ai déjà retrouvée, et c'est vous qui me l'avez rendue. Je respire à nouveau. Vous tenez une grande place dans ma vie... J'aimerais que vous vous souveniez d'un moment de bonheur.

— Est-ce la... femme du passeur qui parle ?

— Elle n'est pas une putain, elle ne l'a jamais été.

— Excusez-moi.

— Aucune importance. Vous avez tous les droits, et si c'est de cette sorte de don que vous avez envie, prenez-le. Mais j'aimerais penser que je peux offrir autre chose. »

Bray se sentit mal brusquement. Il était ému et en même temps peiné de l'ingénuité de son offre. Elle avait été blessée et il venait de la blesser à son tour, et il savait pourquoi : il avait peur. Il préférait les putains, il ne voulait pas coucher avec quelqu'un pour qui il éprouvait un sentiment. C'était mieux d'oublier les visages et les voix, c'était mieux de rester enfoncé dans son tunnel, il y vivait depuis si longtemps. Et voilà que cette femme voulait l'en faire sortir, cela le terrifiait.

« Vous avez retenu ce que je voulais vous apprendre, c'est un don qui me convient.

– Vous allez me garder ?

– Vous venez de dire que je n'y pouvais rien.

– C'est vrai, je le pense.

– Je sais ça. Si je pensais différemment, j'aurais déjà appelé au téléphone un des meilleurs faussaires de Rome.

– Pourquoi sommes-nous à Rome ? Pouvez-vous me le dire, maintenant ?

– Pour découvrir si la famille Scozzi n'est pas éteinte.

– C'est un des noms que ma grand-mère vous a donnés ?

– Le premier. Ils habitaient Rome.

– Ils habitent toujours Rome, dit Antonia avec détachement comme si elle parlait du temps. Tout au moins une branche de la famille habite dans les environs. »

Scofield la regarda, surpris.

« Comment savez-vous ça ?

– Les Brigades rouges. Ils ont kidnappé un neveu des Scozzi-Paravicini dans une propriété près de Tivoli. Son index a été joint à la demande de rançon. »

Scofield se souvenait des articles dans les journaux. Le jeune homme avait été relâché. Bray ne se souvenait pas de Scozzi mais seulement de Paravicini. Pourtant il se souvenait d'autre chose : on n'avait pas payé la rançon. Les négociations avaient été serrées, une jeune vie était en jeu, mais il y avait eu une bavure, un retournement. Le neveu avait été relâché par un garde qui avait pris peur. Ensuite plusieurs *brigatisti* avaient été abattus dans une embuscade tendue par le type qui avait été retourné. Est-ce que leur propre commanditaire avait voulu donner une leçon aux Brigades rouges ?

« Avez-vous été mêlée à cette affaire ?

– Non. A cette époque, j'étais dans le camp de Medicina.

– Avez-vous entendu parler de quelque chose ?

– D'un tas de choses. On a beaucoup parlé des traîtres. Comment les tuer d'une manière horrible pour qu'ils servent d'exemple. Les chefs veulent toujours que quelque chose serve d'exemple. Le kidnapping de Scozzi-Paravicini était une affaire de taille, le traître avait été acheté par les fascistes.

– Qu'entendez-vous par fascistes ?

– Un banquier qui représentait les Scozzi depuis des années. Le groupe Paravicini avait accepté de payer.

– Comment ont-ils pu prendre contact avec lui ?

– Avec de l'argent, on peut beaucoup de choses. Personne ne sait exactement comment.

– Je ne vous demanderai pas comment vous vous sentez, dit Bray en se levant du lit, mais j'aimerais savoir si vous êtes capable de sortir maintenant ?

– Bien sûr. »

Antonia fit une grimace au moment où elle glissa ses longues jambes hors du lit. La douleur était revenue. Elle respira profondément et s'immobilisa. Scofield la prit par les épaules. De nouveau, il ne put s'empêcher de lui toucher le visage.

« Les quarante-huit heures sont terminées, et je vais envoyer un câble à Taleniekov à Helsinki.

– Que voulez-vous dire par là ?

– Que vous êtes vivante et que vous restez à Rome. Venez, je vais vous aider à vous habiller. »

Elle posa sa main sur la sienne.

« Si vous m'aviez fait cette proposition hier, je ne suis pas sûre de ce que j'aurais répondu.

– Et que répondez-vous maintenant ?

– Aidez-moi. »

« Composition réalisée en ordinateur par IOTA »

IMPRIMÉ EN FRANCE PAR BRODARD ET TAUPIN
58, rue Jean Bleuzen - Vanves - Usine de La Flèche.
LIBRAIRIE GÉNÉRALE FRANÇAISE - 14, rue de l'Ancienne-Comédie - Paris.

ISBN : 2 - 253 - 03474 - 6   ✛ 30/7484/6